Op het randje

Vertaald door Joost van der Meer en William Oostendorp

Richard Hammond

Op het randje

MIJN VERHAAL

TM TRADEMARK

TM TRADEMARK

Op het randje is een productie van VDS Magazines,
uitgever van *Top Gear Magazine*, en TM Trademark

Oorspronkelijke titel: *On the edge*
Oorspronkelijke uitgave © Richard Hammond 2007
Nederlandse vertaling © 2008 Joost van der Meer en
William Oostendorp en TM Trademark / FMB uitgevers, Amsterdam
en VDS Magazines, Hilversum

TM Trademark *is een imprint van FMB uitgevers,
onderdeel van Foreign Media Group*

Omslagontwerp: DPS design
Foto voorzijde omslag: Brian Aris
Foto's en illustraties binnenwerk: Photographs copyright
author's collection / Orion Publishing Group
Typografie en zetwerk: CeevanWee, Amsterdam

ISBN 978 90 499 0083 0
NUR 672

www.tmtrademark.nl
www.topgear.nl
www.fmbuitgevers.nl
www.richardhammond.org.uk

Voorwoord van Tim Coronel

Het ligt nog vers in de herinnering dat de schrik me om het hart sloeg toen ik in 2006 het korte, zakelijke bericht in de krant las over de megacrash van *Top Gear*-presentator Richard Hammond. Ik beschouw hem toch als een soort collega, maar dan wel van het beste autoprogramma ter wereld (en omstreken). Zijn enorme gedrevenheid om op autogebied alles te doen, te beleven en dit op een geweldige, typisch Britse manier te delen met zijn publiek had hem al wel vaker in gevaar gebracht. Dat is nu eenmaal onlosmakelijk verbonden aan zijn tak van sport. Deze keer was het wel echt 'op het randje' en zag het er lange tijd naar uit dat zijn hersenen blijvend beschadigd waren.

Door de ijzeren wilskracht, die zo kenmerkend is voor de échte autofanaten, keerde Richard na een lange afwezigheid plotseling weer terug op de buis, alsof er nooit wat was gebeurd. Met zijn allen haalden we opgelucht adem, want in de tussenliggende periode kwamen er weinig berichten over zijn welzijn naar buiten, zeker hier in Nederland.

Gelukkig is *Top Gear* na Richards terugkeer weer compleet en zonder merkbare angst of terughoudendheid worden dolenthousiast de raarste capriolen uitgehaald. Het was een openbaring om te lezen hoe dit hechte productieteam te werk gaat en met elkaar omgaat. Het is dan ook niet verbazingwekkend dat er elke keer weer zo'n fantastisch programma wordt afgeleverd. Ook in Nederland en Vlaanderen is het een van de populairste autoprogramma's; de show zit altijd in mijn achterhoofd bij mijn eigen presentatiewerkzaamheden.

Voor iedereen die gedetailleerd alles wil weten over dit bizarre ongeluk en over Richards persoonlijke leven is dit boek een must. Zijn drijfveren komen, los van zijn torenhoge televisieambities, op een zeer indringende, maar prettig naturel geschreven manier naar voren.

Voor Izzy & Willow

... en voor iedereen die met hersenletsel te maken heeft gehad;
ik wens jullie hoop en het allerbeste voor de toekomst

1
Trainen voor de Noordpool

Mijn gevoel zei me dat het er heel gemakkelijk uitzag, maar in werkelijkheid bleek het toch behoorlijk lastig. Mijn instructrice gleed moeiteloos over de vlakke, bevroren grond; haar lange, dunne ski's bewogen eerst nog traag en ritmisch totdat ze in een vloeiende beweging over de sneeuw leek te deinen. 'Buig je knieën. Zie je? Buig, duw weg, buig, duw weg. Je moet in een ritme zien te komen.' Zelfs haar stem, met die zangerige Zweedse cadans, dreef moeiteloos over de sneeuwvlakte. Met elke afzet raakten haar skistokken zacht de grond om de beheerste voortstuwing van haar latten kracht bij te zetten, en haar benen leken trager te bewegen dan haar progressie door de sneeuw. De achterste ski gleed alweer naar voren om de cyclus te voltooien, en het hele samenspel was als één vloeiende beweging. Alsof je naar een film in slow motion keek. Ze demonstreerde de klassieke langlaufstijl van haar vaderland en het leek of ze nooit iets anders had gedaan.

Ik wist dat mijn pogingen er lang niet zo goed uit zouden zien. En het zag er ook niet uit; uiteraard viel ik om. Ik kwam erachter dat langlaufen niet alleen lastig onder de knie te krijgen is, maar voor een beginner zelfs bijna onmogelijk om op te pakken.

Bij het langlaufen draait het vooral om grip krijgen, en die kreeg ik maar niet te pakken. Het draait ook om ritme, wat ik niet bezat; balans, al helemaal niet; en elegantie, vergeet het maar. Irritant genoeg leverden mijn eerste pogingen niet eens een hilarische crash op volle snelheid op. Ik glibberde gewoon een paar tellen over het besneeuwde gras, waarbij mijn ski's naar voren en naar achteren gleden terwijl ik mijn best deed om vooruit te waggelen, maar ik slaagde er niet eens in om zelfs maar een centimeter dichter bij mijn doel te komen voordat de zwaartekracht het won en ik op mijn zij plofte. Daar lag ik dan, met mijn voeten onhandig dwars in de ski's en met mijn bedauwde neus op luttele centimeters van de bevroren grond. Maar ik deed dit niet voor de lol. Over drie maanden zou ik op deze zelfde latten naar de magnetische Noordpool vertrekken, en ik kon nog niet eens een bevroren sportveld oversteken, en dit was mijn derde oefendag. Ik sloot mijn ogen.

Een beangstigende ervaring. Ik voelde de paniek al opkomen. Dat ik hier zo mee worstelde, kwam vast door het hersenletsel dat ik had. Dat moest wel. Ik was altijd goed geweest in dingen die ik voor het eerst deed. Ik bedoel, toegegeven, ná les één begon ik me altijd al te vervelen, maar tíjdens les één deed ik in elk geval altijd goed mee. Snelle leerling, wel speels, kan zijn aandacht er maar kort bij houden; zo stond het letterlijk op zo'n beetje al mijn schoolrapporten. Plotseling herinnerde ik me levendig mijn eerste poging tot waterskiën, achter een boot op Lake Windermere in het Lake District, toen dat soort dingen daar nog was toegestaan. Ik had slechts met een half oor geluisterd naar de kerel die eindeloos doorzeurde over dat je je knieën bij elkaar moest houden, dat het gevaarlijk was als je je armen te dicht bij je lichaam hield, dat je het touw strak moest houden en talloze andere dingen die ik moest onthouden. Uiteindelijk mocht ik een poging wagen. Ik liet me in het ijskoude grijze water van Windermere zakken en pakte het plastic handvat aan het blauwe nylon touw beet. De boot voer weg en ik bleef eenzaam dobberend achter in een groen omzoomd, stil hoekje van het meer. Ik dacht aan de oude Donald Campbell en zijn speedboot de *Bluebird*. Was die niet op dit meer verongelukt toen hij het snelheidsrecord op water wilde breken? O nee, dat was Coniston. Of toch niet? Opeens voelde ik een zacht maar stevig rukje aan het touw toen het bootje de lijn strak had getrokken. Ik hield het stevig vast, en er volgde een hoop gespetter. Ik ploegde door het water, pakte het touw nog iets steviger vast en uiteindelijk rees ik als een kleine, verwilderde Neptunus in een geleend blauw wetsuit op uit het schuim. Ik waterskiede; het was een makkie. Ik werd verwaand en zwaaide naar een boot die de andere kant op ging. Logica vertelde me dat om van richting te veranderen, ik mijn gewicht op de ski's moest verplaatsen, en het lukte. Bij het kruisen van het kielzog raakte ik vanwege het woeste water een van mijn ski's kwijt. Ik ging gewoon verder op mijn rechterbeen.

Mindy, mijn vrouw, praat nog steeds niet graag over onze eerste paardrijtochtjes samen. Ze heeft haar hele leven al paardgereden. Het is het bekende verhaal; haar halve jeugd werd ze door strenge, in bodywarmer geklede vrouwen toegeschreeuwd over de positie van haar benen en haar houding in het zadel, en de rest van haar jeugd was ze bezig met het opruimen van wat diezelfde paarden 's nachts in hun stal hadden achtergelaten. Paardrijden is voor haar een kunst; iets wat je bestudeert, aanleert en perfectioneert. Ze benadert het met hetzelfde respect, concentratie en, ja, angst als waarmee een testpiloot een vlucht zou benaderen. Ik, echter, kuierde uiteraard met de verkeerde laarzen op mijn eerste knol af, sprong erop, vroeg waar het stuur en de rem zaten en reed ervandoor. Tegen mij hoefde je niets te roepen over leidende benen of hoe ik de teugels moest vasthouden. Nog steeds rijd ik paard zoals ik dat de eerste keer deed; ik klim erop, geef een rukje links om linksaf te gaan en rechts om rechtsaf te gaan en zorg ervoor dat ik er niet af val. Mindy wordt er gek van. Zo is het altijd gegaan met mij; ik probeer graag nieuwe dingen uit en meestal gaat het me de eerste keer redelijk goed af. En als ik daarna moet leren hoe het echt hoort, raak ik verveeld en wil ik iets doen waar ik al goed in ben.

Liggend in de sneeuw raakte ik er langzaam maar zeker van doordrongen dat mijn onvermogen om gewoon op die ranke latten te springen en mijn instructrice te imponeren door al bij mijn eerste poging soepel over het veld te glijden te wijten moest zijn aan de nasleep van mijn crash met de *jetcar*, de auto met straalmotor. Op weg ernaartoe had ik nog heimelijk het vermoeden gekoesterd dat ze bij mijn eerste onzekere pogingen me de fijne kneepjes van de klassieke Zweedse stijl van langlaufen eigen te maken gewoon zou toekijken om me daarna te adviseren nog wat meer te oefenen en eens met een paar wedstrijdjes mee te doen. Wie weet had ik het zelfs in me om een internationale langlaufer te worden, mocht dat begrip al bestaan. Maar op dit moment was het waarschijnlijker dat ze me zou aanraden maar iets anders te proberen. Zoals alpenhoorns verzamelen of jodelen.

Het had misschien best grappig kunnen zijn, maar ik wist dat ik hier juist mee worstelde omdat ik een belangrijke hersenfunctie had beschadigd die zich nooit meer zou herstellen. Waarschijnlijk had ik mijn evenwichtsorgaan een optater bezorgd of de verbindingen in mijn coördinatiecentrum losgerukt. Of zoiets. Hoe dan ook, had ik het maar niet gedaan. De natte sneeuw drong al door de vochtige fleece heen die ik van de poolexperts had gekregen die ons hierheen hadden gestuurd voor onze training ter voorbereiding van de expeditie. Ergens tussen de grasmat van het sportveld waar ik nu op lag en de luchthaven van Straatsburg genoten de andere jongens in een auto samen gezellig van koffie uit plastic bekertjes, gekocht bij de benzinepomp, en kletsten ze over thuis. Die ochtend vlogen ze terug; ze hoefden niet te leren langlaufen; zij zouden met een vrachtwagen naar de pool rijden. Wat inhield dat zij op deze koude en plotseling behoorlijk eenzame Oostenrijkse ochtend terug naar huis mochten. Ik dacht aan Mindy, de kinderen, de hond en ons huis. En aan het verdomde ongeluk en de pijn die dat had veroorzaakt.

2
De beginjaren van een adrenalinejunkie

Ik wachtte en probeerde stilletjes in te schatten hoe groot het risico was dat ik van de grond zou komen. Als de stunt verkeerd liep
en ik met te grote vaart de schans op vloog, kon ik mezelf weleens
lanceren. Ik greep het stuur nog wat steviger beet en slikte moeizaam. Het stond bol van de mensen, en ik kon maar beter stoer uit
mijn ogen kijken. Wie weet werd ik aan het eind van de schans inderdaad weggeslingerd en scheerde ik opeens hoog boven onze
straat door de lucht terwijl ik beneden me de achtertuinen, de
schuurtjes en de schommels zag en ik naar de verbleekte voetballen en grijs uitgeslagen tennisballen tuurde die per ongeluk boven
op de platte garagedaken waren geschopt en geslagen. Op een
heldhaftige, 'ik zet me nu schrap om iets heel gevaarlijks te gaan
doen'-manier schudde ik mijn hoofd. Niet dat ik het wist, of het
wilde weten, maar het enige wat het oog van de wereld op dat moment aanschouwde, was een spillebeentje van acht op een rode
fiets.
   De fiets zag er waanzinnig uit, dat stond voor mij als een paal
boven water. Links en rechts van de bagagedrager had ik een
schooltas bevestigd, zoals de zijtassen van een motorfiets. Een stuk
karton dat ik uit een oud pak Weetabix had gescheurd, was met
een eindje elektriciteitsdraad, dat aan de garagevloer zat vastge-
kleefd toen ik het vond, aan de framebuis tussen trappers en ach-
terwiel bevestigd. Zodra ik op de schans af racete zou het stuk karton tegen de spaken ratelen en was ik qua beeld en geluid helemaal

de Amerikaanse motoragent die, net als op tv, ergens op een Calfornische highway een schurk achternazat. In de verbeelding van een achtjarige in elk geval.

En ook in de ogen en oren van alle kinderen uit de buurt, die zich hadden verzameld en die allemaal stiekem hoopten dat mijn poging om over Action Man heen te springen, en daarmee regelrecht de geschiedenisboeken in, zou eindigen in veel bloed, met misschien wel de aanblik van een echte botsplinter die door het vlees naar buiten zou steken, net als bij die jongen die een klas hoger zat en die het jaar daarvoor van een schutting op een rechtopstaande patiotegel was gevallen en zijn arm had gebroken.

Over dat laatste hadden we het vaak, in groepjes bijeengeschaard rond de vuilnisbakken in de smalle poortjes tussen de twee-onder-een-kapwoningen in onze straat. Bloederige toestanden, daar hielden we van. En van onze fietsen. Ik zette de mijne vroeger schuin tussen de twee huizenmuren om zo een opstapje te hebben. Daarna klauterde ik omhoog tussen onze garagemuur en de muur van onze buren. Ik keek omlaag, duwde mijn handen stevig tegen de ene muur en plaatste mijn voeten tegen de overstaande muur. Zo begon ik omhoog te klimmen. Ik voelde de ruwe structuur van de rode, verrassend warme bakstenen tegen mijn palmen, hoorde mijn nylonjack langs de stenen raspen en zocht met de gladde zolen van mijn plastic gymschoenen naarstig naar houvast. Voordat ik het wist, viel mijn fiets om, verloor ik mijn grip, met als resultaat een kluwen van wielen, benen en framebuizen. Echt pijn deed het niet en het zag er te gek uit. Een hoop vriendjes waren erbij en daarmee had ik een nieuwe klimrage gecreëerd. Puntje erbij voor mij.

Jaren later zou ik op school aan de bron van eenzelfde rage staan. We ontdekten dat je net aan van het ene balkon van de aula naar het andere kon klauteren, waar de leerlingen bijeenkwamen en waar de bolleboosjes tijdens de pauze hun klassieke muziekstukjes instudeerden. Terwijl ze op hun violen zaagden en de lucht door hun klarinetten persten, verscheen ik vanachter een van de zware roodfluwelen gordijnen naast het logesachtige balkon al balancerend boven hen in het zicht en zocht met mijn voet naar de houten rand van het volgende balkon. Zodra ik voelde dat het moment daar was, deze ene keer eens hopend dat niemand keek, gooide ik mijn gewicht naar voren, voltooide de manoeuvre en belandde aldus op de rand van het belendende balkon. Over een succesnummer gesproken.

Mijn gestunt, zowel publiekelijk als privé, was pure uitsloverij. Het behelsde hier een overlevingstechniek die ik mezelf had aangeleerd. Als je maar een klein ventje bent en je lichamelijk geen gewicht in de schaal kunt leggen, probeer dan vooral leuk uit de hoek te komen. Als dat mislukt, of je bent door je voorraad humor heen, zorg dan dat je per ongeluk op de houten onderkant van een liggende fietspomp stapt. Pret verzekerd, en je kunt niet meer stuk.

De grapjas uithangen is een geweldige manier om je tekortkomingen in het leven te maskeren. Jezelf pijn doen en anderen vermaken is zelfs nog beter. Vraag het maar aan iedere nar, als je er een kunt vinden. Maar liever niet aan een gladiator. Een nogal heikel onderwerp voor die jongens, lijkt me zo. Zelf leerde ik mijn lessen al vroeg en op achtjarige leeftijd was ik al een meester in achterovervallen, zogenaamd uitglijden, struikelen en flauwvallen. Dat ik klein en licht was, hielp waarschijnlijk ook. Wanneer ik uit een boom of van een fiets viel of tegen een lantaarnpaal opbotste, kwam het dankzij mijn geringe massa minder hard aan dan bij de grote jongens. Als die vielen, braken ze botten en dergelijke. Als ik was gevallen, sprong ik weer soepel overeind, lachte even en keek stiekem om me heen of iemand het had gezien.

Urenlang zocht ik naar manieren om het buurmeisje te imponeren. Ze was een paar jaar ouder dan ik, slim, en gezegend met een paar intrigerende plooien bij haar mondhoeken. Verveeld zat ze op haar schommel terwijl ik aan de andere kant van de schutting de clown uithing, moppen tapte, verhaaltjes verzon, nog eens dezelfde moppen tapte en stukjes uit mijn favoriete stripverhalen citeerde. Zodra ik door mijn grappen, verhalen en opgestoken scheldwoorden heen was, zocht ik mijn toevlucht tot pogingen het luchtruim te veroveren of over de bloembedden heen te springen. Het werkte elke keer weer: een paar maal vallen, een uitglijertje over het tuinpad, een doldrieste duik in het struikgewas, en ze ging voor de bijl, als een bondgirl die toekijkt terwijl haar held een klif bedwingt en slechts gewapend met een flessenopener en zijn vlijmscherpe humor een heel boevenleger uitschakelt.

Andere kinderen bleven na schooltijd hangen en bouwden met melkrietjes allerlei modellen om indruk te maken op de meester. De echte kwajongens staken op de speelweide bomen in brand of braken in bij andere schoolgebouwen, waar ze helemaal niets te zoeken hadden. Ik bouwde springschansen en probeerde met mijn fiets over dingen heen te springen, klom op muren, zoekend naar elk beetje houvast dat tussen de bakstenen of rond vensterbanken te vinden was, waagde mezelf aan schier onmogelijke sprongen over gapende ravijnen, en al bomen klimmend ging ik net zolang door totdat ik ervan overtuigd was dat de lucht toch echt ijler werd.

Mijn grootste liefde was echter de fiets, en dat geldt voor alle tweewielers die ik in mijn leven heb gehad. Nog steeds overigens, maar nu uiteraard voorzien van een motor. Toen ik acht was, rekende ik samen met mijn vader eens uit hoeveel dagen het nog zou duren voordat ik een auto mocht besturen. Toen ik daarbij ontdekte dat ik 365 dagen eerder al op een motor mocht rijden, groeide dat laatste uit tot een ongeneeslijke passie waar ik nooit meer van af zou komen. De muren van de slaapkamer die ik met mijn twee broers Nick en Andy deelde, waren behangen met plaatjes van choppers waarnaar ik staarde totdat ik ten slotte in slaap viel, en ervan droomde. Stuntlegende en motorheld Evel Knievel was mijn grote idool, ook al had ik hem nog nooit echt in actie gezien. Dit was voordat sportzenders op de kabel ter lering en vermaak allerlei dwaze waaghalzerijen breeduit in de huiskamers brachten. Ik mag Knievel dan nooit aan het werk hebben gezien, maar ik weet wat hij deed en daar aanbad ik hem voor. Misschien was het de combinatie van showmanship, theater en gestoorde bravoure die mijn verbeelding in vuur en vlam zette.

De fiets waarop ik nerveus en heimelijk bang, nu de menigte ongeduldig begon te worden en mijn beste vriendje in zijn neus peuterde en de vangst met de vingers wegtikte naar de schoen van zijn zus, had plaatsgenomen, was een Puch. Toen wist ik nog niet dat Puch een Oostenrijkse fabrikant van brommers was, en ook van snorfietsen waarmee het een stuk gemakkelijker werd om na een bezoek aan het wijnlokaal terug naar huis te zwalken. De mijne was klein en rood, en gestyled als een racefiets, maar helaas bleef dat laatste beperkt tot de buitenkant. De wielen waren weliswaar redelijk smal, maar ook klein, en leken dus totaal niet op de ranke, hoge wielen van de racefietsen van de oudere, grotere jongens in de stalling bij ons op school. Ik kickte op het blitse gele lint dat om het gebogen stuur gewikkeld zat en aan de uiteinden door blauwe plastic stuurpluggen op zijn plek werd gehouden. Maar die raakten altijd los en dan moest ik ze weer vastlijmen met solutie die ik uit een reparatiedoosje had ontvreemd. De lijm was een soort stolsel geworden waar stof en viezigheid aan bleven kleven, en al snel waren de stuureinden permanent zwart en kleverig. Maar het ontbreken van een versnelling was toch wel mijn grootste zorg. Mijn tweewieler mocht er dan uitzien als een racefiets, hoewel van klein formaat, maar een versnelling vormde hierbij nu eenmaal het definiërende element. De Raleigh Chopper en de Raleigh Grifter, met hun gave versnellingspookjes op de stuurstang en hun Sturmey Archer-achtige naafversnellingen, waren slechts goed voor drie versnellingen, maar een echte racefiets, tja, die had er wel een stuk of twaalf. Op z'n minst tien. Of soms slechts vijf; maar zelfs daarmee had ik me toegang kunnen verschaffen tot een behoorlijk select clubje in onze straat. De mijne had er niet één. Eigenlijk wel, natuurlijk, maar daar reed je dan ook permanent mee. Je had gewoon dat ene achtertandwiel, en opschakelen kon je dus gevoeglijk vergeten. Ik reed altijd zo hard mogelijk; niet om sneller te zijn, maar uit vrees dat niet-ingewijden zouden zien dat mijn flitsende stalen ros het moest stellen zonder versnelling. Dat maakte de liefde er echter niet minder om. Dit was nog altijd de beste, mooiste en uiteraard de snelste fiets van de hele wereld. Mijn ouders hadden hem tweedehands gekocht bij de gigantische fietsenzaak vlak bij Robin Hood Island aan de rand van Birmingham. Het was de meest opwindende aankoop waar ik ooit bij betrokken was, alle latere auto's en motoren in mijn leven ten spijt.

Maar op dit moment voelde mijn kostbare bezit zwaar, wiebelig en ongelooflijk kostbaar aan. Ik wilde de schans niet te hard nemen en de fiets niet beschadigen, of een schaafwond oplopen, als het misging. In de verte – zo'n zes à tien meter verderop – wachtte de schans. Die hadden we gemaakt van dun, geplastificeerd hout, waarschijnlijk overgebleven uit iemands pas verbouwde keuken. Een paar stiekem buitgemaakte bakstenen uit de stapel naast onze schuur dienden als stutten. Daarachter lag de berg rommel die ik moest bedwingen. Daar weer achter wachtte het publiek op mijn actie.

Het kindergrut uit de straat van onze buitenwijk van Shirley, in de West Midlands, was zoals altijd ook deze zaterdagmiddag begonnen met rondscheuren op fietsjes, ruziën over speelgoedautootjes en elkaar vanachter de lage bakstenen tuinmuurtjes bestoken met machinegeweervuur. Toen we ons begonnen te vervelen, had ik voorgesteld om een springschans te maken. Ondertussen zal ik wel hebben opgeschept over hoe goed ik over dingen kon springen. Een kind beweerde dat zijn vader over een bus had gesprongen; een ander kind zei dat hij dat ook kon, een makkie, en dus verscheen er een schans. Het doel was om over de Action Man van mijn vriendje te springen die gekleed in zijn Desert Combat-outfit vlak achter de schans lag. Daarna volgde nog een Action Man, en nog een, en ook mijn eigen Action Man, glorieus uitgedost in een door mij samengesteld uniform bestaande uit twee afwijkende laarzen, een camouflagejasje en zo'n helm die de Horse Guards dragen als ze paraderen voor de koningin. Uiteraard vond ik dit nog lang niet genoeg. De sprong moest grootser, het spektakel nog zenuwslopender. De meisjes zullen wel geprobeerd hebben om er poppen aan toe te voegen, maar Barbie hoefde echt niet te rekenen op een aandeel in de pret. We deden er een plastic helikopter bij die papieren propjes afvuurde als je een plastic hendeltje aan de zijkant naar achteren trok dat een veer spande, en ook nog de geweldige houten jeep die mijn opa voor Action Man had gebouwd om door denkbeeldige conflictgebieden te kunnen scheuren. Het zou een flinke sprong vereisen om over deze berg te kunnen komen. Mijn zelfverzekerde opschepperij verbleekte nu ik de moed verzamelde om door te zetten. De voorbereidingen hadden echter veel tijd gevergd en de belangstelling van het publiek nam snel af. Een paar jongetjes kregen ruzie. De aandacht begon te verslappen. Ik verbeet mijn tranen.

In plaats van de teleurstelling dat ik me niet langer in de bewondering van de toeschouwers kon verheugen, besloot ik het erop te wagen en een kwetsuur te riskeren. Het werd natuurlijk een gênante vertoning. Halverwege de aanloop naar de schans slingerde ik eventjes, maar corrigeren minderde de zo broodnodige vaart. Op het moment dat het voorwiel over de schans reed, boog deze zo ver door dat de onderkant de straat raakte. Het eind van de schans, omhooggehouden door twee bakstenen, kon niet buigen, en stond dus pal voor mijn wiel fier overeind. Ik botste ertegenaan, kneep in mijn remmen, viel opzij en op de grond. Geen sensationele valpartij, geen schade aan de fiets, Action Man bezat nog steeds zijn hoofd, de helikopter en de jeep konden weer worden ingezet, ik bloedde niet en de kans op een glimp van een echte botsplinter die door opengereten vlees naar buiten stak, zoals bij die jongen van een klas hoger na dat patio-ongeluk, was meer dan nihil. Toen we de bakstenen weer op hun oude verborgen plek achter het schuurtje hadden teruggelegd, het stuk geplastificeerd hout tegen de garagemuur van een buurman hadden teruggeschoven en ik nog één keer mijn knieën op eventuele schaafwonden had gecontroleerd, behoorde het spektakel alweer tot het verleden, en

kletsten we over die jongen van een klas hoger die op een rechtopstaande patiotegel was gevallen en daarbij zijn hoofd en beide armen was kwijtgeraakt.

Het grote voordeel van goedkoop stuntwerk ter vermaak van je
vriendjes tijdens je vroege jeugd is dat je al snel ontdekt dat je je
zelfs zonder enige verworven talenten toch aardig kunt redden. Je
hoeft helemaal nergens goed in te zijn om jezelf ter vermaak van
anderen te bezeren. Sterker nog, het is zelfs aan te bevelen. Jazeker,
ik was een durfal, wat op tienjarige leeftijd inhield dat ik bereid was
te vallen en ik het niet bezwaarlijk vond om zo nu en dan een knie
of elleboog te schaven. Het had weinig zin om urenlang een voetbal
in de lucht te houden of te leren hoe je binnen twee minuten een
Rubik's kubus kon oplossen als je veel beter kon scoren door over
een brakke sloot, zogenaamd vol krokodillen, te springen en vervolgens recht in de brandnetels te belanden. Telkens weer waagde
ik de sprong. Je zou dus denken dat ik elke nieuwe opwindende en
ogenschijnlijk gevaarlijke rage met verve, en zonder valnet, tegemoet zou treden. Maar nee, ik stond er nooit echt voor open.

Mijn wereld draaide om mijn trapauto's, en uiteindelijk om
mijn fiets. Toen skateboards helemaal in waren, kon je al mijn
vriendjes over straat en in de poortjes zien slalommen terwijl ze
hun jumps en turns oefenden, en ook die irritante manoeuvre
waarbij je in de lucht springt en ondertussen je skateboard tussen
je voeten in het rond laat zwiepen. Ik reed gewoon op mijn fiets
heen en weer door de straat, viel zo nu en dan in een heg, en hoopte dat iemand het had gezien. Slechts één keer heb ik mijn twee
wielen verruild voor vier miniwieltjes: ik leende het skateboard
van een buurjongetje, een stevig houten geval in blanke lak met
degelijke wielen in plaats van die van een kantoorstoel, niet te vergelijken dus met de veelkleurige exemplaren van koolstofvezel en
titanium van tegenwoordig. Na een paar snelle spurts over de
stoep voor onze voortuin vond ik het niets voor mij en pakte ik
mijn fiets weer. Toen ik staand op het ding over het trottoir pro-

beerde te zwalken, vermoedde ik al hoe lang het zou duren voordat ik er wat stunts mee kon doen. Te lang, vond ik, en ik gaf het op. Sindsdien heb ik niet meer op een skateboard gestaan. Daarna kwamen de BMX-crossfietsen. Iedereen uit de buurt, zelfs volwassenen, sjeesde in het rond op die kleine, felgekleurde fietsjes, in de veronderstelling dat ze cool waren. Zelf heb ik er nooit een gehad. Ik wilde zo'n ding niet. Terwijl mijn vriendjes hun flips en turns op een zelfgemaakte *halfpipe* oefende, scheurde ik in het rond op een racefiets – inmiddels eentje met tien versnellingen – en zocht ik mijn kick in de snelheid. Er was altijd wel een of andere eikel die als een Tony Boltini-act, achterstevoren zittend op het stuur of staand op het zadel van zijn BMX, ons wilde laten zien hoe goed hij wel niet was. Zelf scheurde ik het liefst de heuvel af naar de kiosk voor mijn krantenwijk, kijkend of ik de auto's kon bijhouden.

Maar één ding fascineerde me genoeg om er eens voor te gaan zitten en het een en ander op te steken: ik hield niet alleen van de fiets om het fietsen, maar ook om de techniek. Ik was gefascineerd door de mechanische werking en op mijn achtste kon ik al een fiets uit elkaar halen en min of meer met mijn ogen dicht weer in elkaar zetten. Zo rond mijn elfde was ik zelfverzekerd genoeg om hem tot op de laatste bout te demonteren en weer helemaal perfect op te bouwen. Ik voelde me zelfs helemaal top tussen de splitpennen, lagers, remblokjes en kettingsets. Weken achtereen was ik bezig om voor mijn broer Andy zijn racefiets weer op te bouwen. Het was een metallic rode Peugeot die wel wat aandacht nodig had. Ik denk dat Andy de fiets vooral als transportmiddel zag, vanwege de plekken die ermee binnen bereik kwamen en wat die hem te bieden hadden, in plaats van dat het een schatkamer van mechanische wondertjes was. Maar hij vond het prima dat ik er een tijdje mee aan de gang ging. Ik kon mijn geluk niet op om weer eens een project bij de hand te hebben, vooral omdat het andermans fiets was, en de mijne dus heel bleef om naar school te fietsen en 's middags de blits mee te maken.

Het meeste werk vond plaats op het plaatsje vlak naast de tuinschuur. Terwijl ik op de tegels zat worstelde ik met tegenstribbelende bouten, butste ik mijn handen open met de scherpe rand van de moersleutel en de schroevendraaier met plastic handvat die tezamen mijn gereedschapsset vormden. Als er zwaarder geschut aan te pas kwam, mocht ik van mijn vader zijn grote metalen gereedschapskist in de schuur plunderen, zolang ik alles maar teruglegde, wat ik steevast verzuimde.

Na maanden, zo leek het, maar wat waarschijnlijk neerkwam op een paar dagen, was de klus geklaard. En hoe: het glimmende toonbeeld van soepel draaiende, goed geoliede doeltreffendheid. Elk bewegend onderdeel was gedemonteerd, bepoteld, gesmeerd en wederom gemonteerd. Andy was in zijn nopjes, hoewel ik hem er nu van verdenk dat hij mij ter wille wilde zijn. Het was tijd voor een testrit, en dat was hoe dan ook een klus voor mij. Voor een fietsmonteur draaide het natuurlijk allemaal om het testrijden.

Je leert een hoop dingen tijdens een testrit. Niet alleen over de fiets, maar ook over natuurwetten en het leven in het algemeen. Zo monteerde ik ooit een Chopper-stuur op een racefiets en reed ik aan het eind van onze straat heuvelaf. Een kneepje in de voorrem leerde me dat mijn gewicht naar het stuur werd verplaatst. Omdat het Chopper-stuur hoger was dan het lage racestuur kwam het zwaartepunt tijdens het remmen veel verder naar achteren te liggen, wat weer een hefboomwerking op het stuur creëerde, met het balhoofd als scharnierpunt. Ik leerde een belangrijke les over krachten en hefboomwerkingen toen het stuur naar voren klapte en mij niet langer ondersteunde, waardoor ik vooroverschoot, mijn gezicht tegen het balhoofd viel, ik mijn ballen tegen de dwarsstang plette en ter aarde zeeg. Het voorwiel knalde tegen een laag muurtje, waarbij het wiel, samen met het lage muurtje, nu als een tweede scharnierpunt fungeerde en de hele santenkraam – ik, mijn fiets en mijn nieuw verworven inzichten in de basisprincipes der mechanica – over het muurtje zo de struiken in vloog. Maar deze wetenschappelijke les kon ik nu combineren met een horticultureel leermoment, aangezien de struik in kwestie over zeer venijnige, tweeënhalve centimeter lange naalden beschikte die zich ooit in de natuurlijke habitat ter afweer van een of ander roofdier hadden ontwikkeld. Maar op dat moment had ik even geen zin meer om het een en ander te leren, en wilde ik liever huilen.

Nu was Andy's fiets aan de beurt. Voorzichtig reed ik hem vanuit de achtertuin langs de vuilnisbakken naar de straat en ik zette me schrap om de fiets aan de tand te voelen. Een paar huizen verderop was een zijweg die een driehoekig grasveldje omcirkelde dat weer door huizen werd omzoomd, om iets verderop ten slotte weer in onze straat uit te komen. Wij kinderen noemden dit veldje 'de driehoek'. Sommige kinderen gingen er op onderzoek uit, andere speelden er tikkertje, weer andere gebruikten het als oorlogsterrein voor hun denkbeeldige militaire operaties. Voor mij was het een testcircuit. Omwonenden raakten er waarschijnlijk gewend aan om zowel naar links als naar rechts te kijken zodra ze buiten kwamen, want de kans was groot dat ik met een vaart van tweehonderd gedeeld door tien op een weer in elkaar gezette fiets, scooter, trapauto of zeepkist gemaakt van een dienblad langs sjeesde. Maar op deze dag was ik eropuit om alle records te breken.

De fiets functioneerde perfect en ik schakelde even langs alle versnellingen om te controleren of de kabels goed waren afgesteld. De derailleur tikte soepeltjes wanneer ik de trappers stilhield, maar over het algemeen maalden mijn gympen fanatiek in het rond. De driehoek had uiteraard drie bochten. Ik scheurde over het rechte stuk, voorbij het huis met de hond en het huis met het garagepad van asfalt met kleine witte vlekjes erin die ik zo chic vond. Ik rondde de eerste hoek, een bescheiden bocht, en passeerde de ingang van de steeg naar het speelveldje van school, achter de woningen. (Dat steegje was een bron van mysterie. Voor zover ik weet was dit de laatste plek in heel Engeland waar soms witte hondenpoep lag.) Daarna volgde het tweede rechte stuk en katapulteerde ik mezelf naar minder bekend terrein. Als ik bij de kruising links in plaats van rechts afsloeg, werd het een gecompliceerde zaak en zou ik in de doolhof van straten en lanen de weg naar huis niet meer terugvinden. Ik sloeg rechts af en snelde op de laatste bocht af.

Het was nooit erg druk op de driehoek, vandaar dat we van onze ouders hier mochten spelen. Het betekende ook dat het lang duurde voordat het gruis van de nieuwe asfaltering helemaal in het asfalt was ingereden. Terwijl ik de fiets alvast schuin de bocht instuurde en zelfs nog wat harder pedalleerde, stuitte ik op een flinke reep los gravel. Het voorwiel gleed weg, en er was geen redden meer aan. Ik ging onderuit. Mijn rechterhand raakte als eerste het wegdek, en ik schaafde mijn vingers bijna volledig open, plus nog eens een stuk van mijn rechterschouder zo groot als een muntstuk. In het ziekenhuis moesten ze de dode huid wegsnijden en de wonden schoonspoelen. Ik kon zweren dat je dwars door het gemangelde, opengereten vlees het witte kootje van mijn pink kon zien. Het prikte als een gek toen ze er jodium op deden, maar ik stond te popelen om tegen mijn vriendjes te zeggen dat ik het botje had gezien.

Natuurlijk, als iemand ontspoort, zelfs in een jetcar zoals ik, is het al te gemakkelijk om te zeggen 'het ligt aan de ouders'. Maar in dit geval heb ik mijn twijfels. Mijn vader en moeder hebben de durf al in mij nooit aangemoedigd, maar ook niet onderdrukt of vermorzeld. Met drie jongens om op te voeden raakten ze gewend aan het feit dat er altijd wel een met geschaafde knieën, pleisters op de ellebogen en een blauwe plek op zijn gezicht rondliep. En dat was ik, meestal. Ze hebben me in elk geval nooit als een kasplantje behandeld. Maar ik was wel een product van hun genen, en daarin lag het probleem. Ik zeg nu: het ligt niet aan de ouders, maar aan de grootouders. De vader van mijn vader, mijn opa George Hammond, was een lange man met een gentlemanachtig voorkomen. Jarenlang was ik er zelfs van overtuigd dat hij John Le Mesurier was, ofwel sergeant Wilson uit *Daar komen de schutters*. Want hij kwam zachtaardig, flegmatiek over, en had een vriendelijke stem, hetgeen op zijn jonge kleinzoon een onweerstaanbare, geruststellende uitwerking had. Wat ik tijdens mijn jeugd alleen nooit heb kunnen begrijpen, was dat deze bedaarde, vriendelijke man tot welhaast roekeloze bravoure in staat was. Tijdens de Tweede Wereldoorlog meldde hij zich als dienstplichtige bij de RAF vrijwillig aan bij de explosievenopruimingsdienst. Dit betekende urenlang doorbrengen in donkere, vochtige holen of inderhaast geïmproviseerde schachten, bezig een bom onschadelijk te maken die elk moment kon ontploffen en het leven van jou en je maten kon opeisen. Terwijl mijn vader thuis in Birmingham als baby in de wieg lag, prutste opa aan Duitse bommen om te voorkomen dat ze mensen doodden. Na de oorlog moet het voor opa lastig zijn geweest om de vrijgekomen leegte in zijn leven met een andere vorm van opwinding op te vullen. Als het tegenbeeld van de drollenvangerige, sensatiebeluste adrenalinejunk die tegenwoordig van berghellingen snowboardt, had deze vriendelijke gentleman zich met kalmte, zelfverzekerdheid en waardigheid over levensgevaarlijke situaties gebogen, en dat op vrijwillige basis. Hij ontspoorde niet, lag niet overhoop met zijn familie, raakte niet op het slechte pad. Zuchtend naar kalmte en rust lijkt hij heil bij zijn gezin te hebben gezocht. Maar zo nu en dan herinnerde hij de wereld eraan dat het gevaar voor hem niet iets was om bang van te zijn. En uit wat ik heb gehoord, overgeleverd uit verhalen van voor mijn tijd, werd dit nooit met woorden, maar steevast met daden onderstreept. Mijn vader vertelt me nu dat zijn vader bij het vervangen van een lichtknop of een stopcontact nooit de hoofdschakelaar uitzette. Met vaste hand hanteerde hij de schroevendraaier en klaarde zo de klus. En als deze dan per ongeluk kortsluiting maakte, kreeg opa de volle laag. Bij een zo'n keer vloog hij achteruit, dwars door de glazen serre, bij een andere keer viel hij, balancerend op de trapleuning, naar beneden. Dan vloekte hij binnensmonds, stond op, klopte het stof van zijn kleren en pakte de draad weer op. Dit was geen opzettelijke sensatiezucht, daar ben ik van overtuigd, maar diep vanbinnen moet mijn liefhebbende, zorgzame opa toch een zucht naar adrenaline hebben gekoesterd. En ik weet net zo zeker dat ik daarvan een vleugje heb meegekregen.

Van de kant van mijn moeders vader erfde ik mijn fascinatie voor machines, techniek en vooral auto's. Hij was opgeleid als schrijnwerker en werkte vervolgens als carrosseriebouwer voor de Mulliner-fabriek in Birmingham, waar hij houten frames maakte waarop de handgemaakte aluminium carrosserieën werden gemodelleerd. Daarna werkte hij in de Jensen-fabriek en breidde hij zijn vaardigheden zo ver uit dat hij uiteindelijk met elk materiaal van destijds uit de voeten kon. Hij kon houtsnijden, metaaldraaien, leerbewerken en uit niets iets maken. De zolder van het huis dat hij in Birmingham deelde met mijn grootmoeder en overgrootmoeder was voor een zesjarig jochie echt een magische plek. Dan ging opa me voor langs fabriekshallen vol bankschroeven, draaibanken en andere apparaten waar ik niets van snapte. Enorme kolomboren glinsterden in donkere hoeken en rekken vol oude jampotten en tabaksblikjes bevatten schroeven, bouten, moeren en allerlei nippels en verloopstukken. Niets werd weggegooid. En als iets zelfs voor hem niet langer te repareren viel, werd het gedemonteerd waarna de onderdelen voor later gebruik in van etiketjes voorziene blikjes werden opgeborgen. Zo'n moment diende zich later altijd weer aan. Hij kon alles maken, en deed dat ook: een constante stroom van trapauto's, skelters, dressoirs, verkleedkostuums, krukken, tafels, boekensteunen, servieskasten en houtsnijwerken verliet zijn werkplaats. Ik stond paf van zijn veelzijdigheid, vakmanschap en technisch inzicht. Ik zou waarlijk trots zijn als ik kon zeggen dat ik samen met mijn passie voor auto's, die ik ongetwijfeld van hem heb, ook een beetje van zijn technisch talent had geërfd. Maar ontkennen heeft geen zin: het bewijs is onomstotelijk. Van deze twee heren erfde ik twee dingen: een liefde voor auto's en techniek, en een al bijna net zo hevige liefde voor waaghalzerij en gevaar. Dus toe, laten we nu eens niet beweren dat het aan mijn ouders ligt, maar aan die van hen.

3
Van de lokale radio naar *Top Gear*

Net als bij alle grote wegen vind je langs de A40 behoorlijk veel oriëntatiepunten, maar die kunnen niet tippen aan, pak hem beet, de Eiffeltoren, noch vallen in dezelfde 'interessante berg'-categorie uit de reisgidsen. De tamelijk saaie kenmerken die je verspreid langs de A40 aantreft, zijn van het soort dat forenzen vertelt hoe ver het nog is naar hun werk en hoe lang ze nog in de file moeten staan. Achtergelaten winkelwagentjes, kromme lantarenpalen, oude autobanden en, vreemd genoeg, weggegooide hardloopschoenen hebben allemaal hun eigen plekje en vervullen hun dagelijkse plicht: de forens geruststellen dat het naar kantoor nog maar drie kilometer rijden is en hij er dus over een uur of twee zal zijn.

Onder de wat grotere oriëntatiepunten bevindt zich een vale betonnen voetgangersbrug over de vierbaansweg. Deze verbindt de huizen aan de ene kant van de A40 met het voetpad aan de andere kant. Iedere zich in de file verbijtende automobilist die op de ochtend van 19 februari 2002 zijn neus tegen de voorruit drukte en de grijze lucht afzocht naar hopelijk wat afleiding, had op deze brug een kleine gestalte in een spijkerbroek en een leren jasje kunnen zien, die uitkeek over de druilerige en mistroostige woestenij aan weerskanten van de weg. Met niets anders aan zijn hoofd dan de file en het zoveelste herhaalde nieuwsblokje op de radio had de automobilist allerlei romantische redenen kunnen bedenken voor de eenzame wandeling van deze vreemdeling. Was dit een afgewezen minnaar? Een wanhopige man die op deze woensdagmorgen iets vreselijks overwoog? Nee, ik was het en ik scheet in mijn broek van angst. Om elf uur die ochtend moest ik auditie doen voor het gloednieuwe programma *Top Gear*.

Ik werkte toen nog voor Granada als presentator van auto- en motorprogramma's op de satellietzender, en dit was de droom van mijn leven. Ik scheurde het hele land door om auto's en motoren te beoordelen voor programma's met een kleiner kijkerspubliek dan de gemiddelde filmploeg van een goedscorende tv-show. Het mocht dan kleinschalig zijn, maar het was een fantastische manier om praktijkervaring op te doen, en ik had het gevoel dat ik toe was aan de volgende stap. Het enige wat ik nodig had, was een buitenkans, en die had zich nu aangediend. Het was alsof iemand bij je school tegen het hek geleund stond terwijl jij met je vriendjes aan het voetballen was en hij je uitnodigde om eens bij Manchester United te komen spelen. Er stond nu zoveel op het spel dat ik de druk op mijn schouders voelde.

Ik was een stukje gaan wandelen om mijn zenuwen in bedwang te houden en het halfuur door te komen voordat ik op auditie moest. Aan het eind van de brug aangekomen greep ik boven aan de betonnen trap de koude metalen leuning vast. Het struikgewas en het grijs uitgeslagen gras langs de weg strekten zich onregelmatig uit tot ze in de verte tot een waterig groen samenvloeiden. Door de diepe ademhalingen om mezelf te kalmeren werd ik alleen maar licht in het hoofd. Ik probeerde mezelf wijs te maken dat het niet zoveel voorstelde: ik werd aangenomen of niet. Daarna zou ik naar huis in Cheltenham gaan en zou het leven gewoon doorgaan. Misschien kon ik maar beter terug naar huis rijden in plaats van de boel te verzieken en te moeten afdruipen. Wie weet wisten ze allang wie ze wilden hebben, en verspilde ik mijn tijd. Dit hielp niet echt. Door daar maar te staan en helemaal hyper te worden zou ik niet echt schitteren tijdens de auditie, realiseerde ik me, en dus draaide ik om en wandelde met energieke tred over de brug terug naar het parkeerterrein. De honderden forenzen in de file beneden wreven zich over het voorhoofd, staken een sigaret op, zetten het radionieuws aan en droomden ervan dat ze weer naar huis mochten.

Vanuit het juiste standpunt bekeken had het leven me min of meer naar dit moment geleid. Na een jeugd die bijna geheel in het teken had gestaan van wat rotzooien met trapauto's en fietsen en een fanatieke hang naar auto's en motoren, leek mijn volwassen leven een koers te hebben uitgestippeld die net zo onontkoombaar was als een goed bestuurd schip dat op de haven afstevende. In Harrogate had ik de kunstacademie bezocht en sombere zwart-witfoto's gemaakt van autokerkhoven en schilderijen gemaakt van Amerikaanse *musclecars*. Het kan niet echt goed geweest zijn; na de kunstacademie ging ik meteen aan het werk bij de minst visuele van alle media: de radio.

Mijn eerste echte baan was als radioverslaggever bij BBC Radio North Yorkshire. Gevestigd in een parkeergarage langs de weg naar het centrum was dit radiostation twee jaar lang mijn thuis. Voor een achttienjarige knaap leek een carrière bij de omroep bijna onmogelijk spannend. Binnen kon het station bogen op een verfijnde luxe die mijn stoutste dromen te boven ging. Er zat een fulltime receptioniste bij de balie om bezoekers welkom te heten, er was een keuken waar we onze eigen pasteitjes in de magnetron konden opwarmen en een productieruimte waarin de stapels papier en geluidsbanden tot aan het plafond reikten. Het viel lastig te zeggen of deze stapels nu als stalagmieten omhoog of als stalactieten omlaag waren aangegroeid. Of was het nu precies andersom met die dingen?

Het mooiste van alles waren de studio's. Bij mijn eerste bezoek werd ik meegenomen naar studio 1A waar ik achterin met bedeesd ontzag door het glas naar de belendende studio stond te kijken waar een live-uitzending aan de gang was. Boven mijn hoofd lichtte een indrukwekkend ON AIR-lampje rood op terwijl de presentator met faders schoof, knoppen indrukte en afstemschalen draaide van een mengtafel waar geen eind aan kwam. Ondertussen praatte hij aan één stuk door in een enorme microfoon die aan een lus van zwart elastiek boven zijn hoofd hing. Hij lachte zelfverzekerd, gaf met zijn linkerhand een zwiep aan een knop, schoof snel een fader dicht en lanceerde een volgende beller de ether in. Ik keek gefascineerd toe en zwoer dat ik dat op een dag ook zou doen. Ondertussen moest er voor het productieteam boven koffie worden gezet en ik moest een Uher-bandrecorder leren bedienen om mensen te interviewen.

Op dat moment wist ik het nog niet, maar mijn eerste interview zou met de leden van een plaatselijke afdeling van de Hammond Organ Appreciation Society zijn. Die kwamen wekelijks bijeen in een dorpszaal ergens in North Yorkshire om verhalen uit te wisselen en naar orgelmuziek te luisteren. Op die bewuste dag liep ik trillend van de zenuwen de zaal in en stelde mezelf voor als 'Richard, eh, Hammond'. Ik interviewde oude dametjes die me met vochtige ogen vertelden dat ze in hun jeugd 'kilometers reisden voor een mooi "instrument"'. Ik beet op mijn onderlip terwijl ze verder vertelden: 'Uiteraard waren we allemaal weg van de orgels in de kerk, maar er ging niets boven een Hammond.' We kletsten urenlang terwijl de spoelen in de enorme Duitse Uher-bandrecorder langzaam ronddraaiden en de kwart-inchband hun woorden in al hun analoge pracht vastlegde. Diezelfde avond zat ik in de studio over de enorme mengtafel gebogen om de gesprekken te monteren met geluidseffecten, muziek en commentaar en het geheel te smeden tot een *package*, zo hadden de producent en de presentator me uitgelegd, gereed voor uitzending de volgende dag. Ik sprak in de microfoon om mijn zelfgeschreven script op te nemen en legde de luisteraars uit dat de leden allemaal van een mooi orgel genoten, maar vooral van een Hammond-orgel; dat ze kilometers afreisden om een bijzonder orgel te bewonderen. Het hoogtepunt was een gesprek met een kerel die samen met mij achter een toetsenbord had gezeten. 'Dus, is dit jouw instrument?' vroeg ik. 'Wat een grote. Hoe plaats ik mijn handen?' Geniaal. Ik vond het geweldig. Helaas werd het nooit uitgezonden. Ik had nog een hoop te leren.

Tien jaar lang deed ik mijn best om het onder de knie te krijgen. Ik ging van radiostation naar radiostation, huurde de ene zit-slaapkamer na de andere en deelde woningen in heel Noord-Engeland terwijl ik, door te interviewen, te monteren, nieuwsbijeenkomsten te vermijden en weg te rennen voor boze boeren die geen zin hadden om voor het avondnieuws over landbouwsubsidies te praten, mijn vaardigheden sleep. Ik interviewde ministers, schrijvers, kinderentertainers, beroemde topkoks, avonturiers en handwerkslieden. Ik sprak met mensen die geweldige prestaties hadden geleverd, ongelooflijke wedstrijden hadden gewonnen, vreselijke ziektes hadden overwonnen en succesvolle bedrijven hadden opgestart. Ik leerde dat ieder van ons een leven leidt dat op zichzelf al een avonturenverhaal is.

En op die negentiende februari 2002 had mijn eigen avonturenverhaal me naar een parkeerterrein buiten de B&Q-winkel, aan het eind van een voetgangersbrug boven de A40, gebracht. Bij de hamburgerkraam op het parkeerterrein kocht ik een bekertje koffie, waarna ik in de auto verder de tijd uitzat. Toen ik op mijn horloge keek en zag dat ik nog maar tien minuten had voordat ik me naar de studio's aan de achterzijde van de B&Q moest begeven waar de auditie zou plaatsvinden, draaide mijn maag zich om. Ik was dan wel gewend aan tv-studio's, maar niet wanneer ik auditie moest doen voor de baan van mijn leven. Ik kon maar het best rustig achteroverleunen in mijn stoel, de ogen sluiten en mijn gedachten laten afdwalen totdat het tijd was om ertegenaan te gaan.

Uiteindelijk verzorgde ik dus echt vanuit deze studio bij BBC Radio North Yorkshire een live-uitzending. Het was op een zondag rond lunchtijd, van oudsher het oefenterrein voor nieuwe presentators. Mijn huisgenoot Andy Breare, inmiddels een gevestigde radio- en televisiepresentator, had de duik in het diepe al genomen en zijn eerste programma gepresenteerd. Op de avond voordat hij dat deed, hadden we in de garage geschuild terwijl de regen het golfplaten dak geselde en ik, zittend op mijn motorfiets, een sigaretje rookte. Andy was irritant zelfverzekerd, zo'n jongen

29

die zich overal nonchalant doorheen wist te slaan waar ik juist gek werd van de zenuwen en mijn onzekerheid. Hij verheugde zich op het programma. De volgende dag vertrok hij opgewekt en hij zette een fantastische, zelfverzekerde prestatie neer waarbij hij als een doorgewinterde presentator klonk. Na afloop deed hij in het keukentje van het station alsof het allemaal niets had voorgesteld. Zodra ik aan de beurt was, zo wist ik, zou ik stijf staan van de zenuwen. En dat klopte.

Op de ochtend van mijn eerste programma reed ik naar mijn werk, liep bijna verblind van doodsangst de studio binnen en nam plaats in de productieruimte met de bedoeling om wat ideetjes op te schrijven en mijn trillende handen tot bedaren te brengen. *Last Week in North Yorkshire* was een twee uur durende terugblik op de hoogtepunten van de uitzendingen van die week. Over een uurtje zou ik het in mijn eentje moeten klaren. Zonder producent als een geruststellende aanwezigheid achter het glas in de belendende studio, klaar om de helpende hand te bieden als ik het lastig kreeg. Niemand om ideetjes voor te houden voordat ik de microfoon openzette en de natie toesprak, en niemand naast me voor een een-tweetje of de kans om met een geestige reactie op de proppen te komen. Het had geen zin om nog langer stil te staan bij de panische angst voor wat me te wachten stond en daarom hield ik mezelf maar bezig. Ik las de kranten in de hoop er leuke verhalen, grappen of gewoon een geschikt gespreksonderwerp in te vinden. Helemaal niets. Ik las en herlas de ruime keuze aan uitgedraaide scripts, gekrabbelde briefjes en losse aantekeningen die de inleiding vormden voor de verschillende fragmenten die ik zou laten horen. Ik controleerde de doos vol banden die ik in de recorders moest rijgen zodra het moment daar was en controleerde ze daarna nog eens. Door de ramen van de productieruimte, die van een rustgevende en vriendelijke plek opeens in een voorportaal van de hel was veranderd, scheen een bleek, winters zonnetje naar binnen. De klok tikte verder. Ik had geen keus; ik pakte mijn stapel papieren, doos vol banden en de officiële BBC-platenkist en strompelde de trap af naar de studio, met onderweg nog even een pitstop, de zevende van die ochtend, kan ik me nog goed herinneren. Ik viel niet in slaap op het toilet, noch van de trap en liet niets uit mijn handen vallen. Ik verscheen op tijd bij de mengtafel, nam plaats en ging trillend als een rietje van start.

Ik heb nog steeds een opname van dat programma. Geniaal was het niet. Terwijl het nieuws eindigt en een stationsjingle klinkt, doet een zwak, dun stemmetje van een jongeman die duidelijk bloednerveus is zijn best om boven de wegstervende akkoorden van de jingle uit te komen. Ik heet de luisteraars welkom, stel mezelf voor en time mijn aankondiging van Dusty Springfields 'Son of a Preacher Man' helemaal verkeerd. En terwijl mijn onvaste stem de eerste regels van de songtekst onderschoffelt, vangt mijn omroepcarrière aan. Er ging wel meer mis; tijdens een plaat beantwoordde ik een telefoontje van een beller en liet de microfoon openstaan. Terwijl de muziek speelt, hoor je mij op de achtergrond aan de beller vragen om even te blijven hangen tot de plaat afgelopen is; je hoort me met velletjes papier friemelen, met een potlood op de tafel tikken en knoppen draaien en schakelaars omzetten totdat ik opeens stil word en de geluiden achter de muziek verdwijnen. Ja hoor, ik heb door dat de microfoon nog openstaat. Je kunt me bijna horen slikken. De plaat is afgelopen en ik doe een zielige poging om net te doen alsof ik het expres heb gedaan door de luisteraars te vertellen: 'Goed, dat was onze eerste beller, eh... jij, eh... kunt de volgende zijn. Bel me gewoon op... oeps, ik ben het nummer even kwijt. Bel me op de, eh... de telefoon.'

Als ik nu, zo'n dertien jaar later, met een bekertje koffie en de kriebels in mijn buik in mijn auto zit, huiver ik nog steeds bij de herinnering. Ik schud mijn hoofd eens om deze gênante vertoning en kijk om me heen. Dit is een Porsche 911 SC uit 1982. Het stuur zit aan de verkeerde kant, want hij is jaren geleden door een vorige eigenaar vanuit Duitsland geïmporteerd. De rode lak is verre van perfect, de stoffering tegen het dak is groen uitgeslagen van de schimmels, de motor begint boven de drieduizend toeren onheilspellend te ratelen, de toerenteller telt de toeren niet, de oliemeter meet de olie niet en de enorme 'dienblad'-spoiler achterop herinnert andere bestuurders aan Thatcher en aandeelhouders met rode bretels en zet hen aan om dienovereenkomstig naar me te gebaren. Het is de beste wagen die ik ooit heb gehad en ik ben er dol op.

Het ding heeft me minder gekost dan een tweedehands vijfdeursauto, maar vermoedelijk moest er ook twee keer zoveel aan worden uitgegeven om de olielekken te dichten en rampen in de nabije toekomst te voorkomen.

Op de dag dat ik hem ophaalde, reed ik ermee naar mijn ouders in Leatherhead, Surrey, en parkeerde hem buiten op straat. Het was herfst, maar het was even opgehouden met regenen. Ik stapte uit, nam de glimmende rode lak op en keek bewonderend naar de regendruppels die zilveren pareltjes op de brede zijkanten van de auto vormden. Apetrots liep ik om de auto heen en ik snoof de warme, van olie verzadigde lucht uit de grille boven de motor op, die natuurlijk achterin zat. Ik liet de sleutels in mijn vingers draaien en drukte op het knopje om de portieren te sluiten: mijn eerste auto met centrale vergrendeling. Neerkijkend op het Porsche-teken op de voorklep kon ik bijna niet geloven dat wat ik zag inderdaad echt was. Mijn ouders voelden meteen aan dat de reden van mijn komst was om ermee te pronken en er klonk dan ook heel wat ge-'oh' en ge-'ah' op. Door de jaren heen was dit in feite een gewoonte geworden waar ze vele malen in waren vervallen, telkens weer verscheen ik met een auto waarvoor ik mezelf financieel te gronde had gericht om hem maar te kunnen bezitten en zij deden me steevast een genoegen door te luisteren naar mijn ademloze presentatie van de voortreffelijke kenmerken en mijn geduldige uitleg waarom dit de beste auto was. Ze verdroegen zelfs mijn manische pogingen om de prijs van zo'n voertuig te rechtvaardigen terwijl ik me amper een nieuwe spijkerbroek kon veroorloven, en tolereerden mijn zelfs nog verdwaasder uitleg over dat ik er, uiteindelijk, geld mee kon besparen. Dan redeneerde ik dat ik weigerde om een lafaard te zijn die minder geld uitgaf aan een meer betrouwbare, zuiniger en discreter auto, alleen maar omdat die me misschien beter van A naar B bracht, omdat ik ervan overtuigd was dat mijn geestestoestand er gevaarlijk onder zou lijden. Zo'n auto zou mijn veel levendiger en gedurfder karakter immers niet goed uitstralen, waardoor de werkzaamheid van mijn hersenen alsmede mijn creatieve vermogens drastisch zouden afnemen. Hoe ze de verleiding konden weerstaan om me een draai om de oren te geven en me niet de les lazen over al mijn miskopen uit het verleden, ik zou het dus echt niet weten. Maar ik bedank hen wel uit de grond van mijn hart, ook voor het feit dat ze mijn onbezonnen spelletje meespeelden. Het feit dat mijn vader zich kan herinneren dat hij in zijn jonge jaren bijna exact hetzelfde proces doormaakte, heeft daar misschien wel een beetje bij geholpen.

Zelfs wanneer het werk gewoon lekker voortkabbelde, waren mijn gedachten nog altijd veel te vaak bij auto's en motoren. Zoals ik vroeger vanuit het klaslokaal naar de sportvelden kon staren, keek ik het grootste deel van mijn jong volwassen leven over de schouder van de baas naar het parkeerterrein verderop en dagdroomde ik over welke auto ik zou nemen als ik de keus had en hoe ik hem zou verbeteren. Maar het was juist dat parkeerterrein dat al bijna een einde maakte aan mijn radiocarrière voordat deze goed en wel begonnen was. Toen ik in 1988 voor mijn eerste werkdag bij Radio York opdaagde, stond het vol met duffe vijfdeursauto's, roestige Fort Escorts en een scala van gezinswagens en oude fietsen. Ik was er natuurlijk van uitgegaan dat wanneer die radiopresentatoren en mediatypes voor een microfoon zaten om het land, of preciezer gezegd het graafschap, met hun fluwelen tong in de ban te houden, ze in sportwagens rondscheurden. Ik had een parkeerterrein verwacht dat in alles zou lijken op de pitsstraat bij een exotische autorace; afgeladen met Ferrari's, Jaguars, Aston Martins en prachtige sportclassics. Wat ik echter zag, was een parkeerterrein als bij een supermarkt. Dit was toch echt een flinke teleurstelling voor deze achttienjarige. Bijna was ik op zoek gegaan naar een baantje in het financiële district of de illegale wapenhandel. Als ik me niet minstens een snelle bolide zo niet een Ferrari kon veroorloven, wilde ik me dan wel verbinden aan een leven in de media?

Maar al snel kwam ik erachter dat er voor een autofanaat bij de radio bescheiden compensaties in het verschiet lagen. Elke keer dat ik me weer bij een ander radiostation in het noorden meldde – en dankzij de eb en vloed van het leven als freelance radioverslaggever en -presentator gebeurde dit met enige regelmaat – daalde ik stiekem af naar de garage om de radiowagen even te bekijken. Elk station had er een, en het was misschien wel het leukste van alles als je hem mocht gebruiken. Hij stond alleen in een grote garage, doorgaans onderhouden door een team van twee of drie geluidstechnici die het voertuig en de bergen kabels en radioapparatuur angstvallig bewaakten. De wagen, soms een busje, was voorzien van een mast die je middels een schakelaar pneumatisch vanuit het dak wel een meter of tien kon laten oprijzen zodat de antenne bovenin verbinding kon maken met de studio. Elk station had wel zijn eigen legendarische horrorverhaal over een groentje dat met de radiowagen op stap ging om ergens verslag van te doen. De verslaggever in kwestie gedroeg zich steevast als een figurant in een aflevering van Scooby-Doo; blij spelen met de schakelaar om de mast omhoog te sturen terwijl hij de microfoon vasthield die met een dikke kabel met de wagen verbonden was terwijl de metalen mast zich gracieus verhief in de richting van de hoogspanningsdraden pal boven zijn hoofd. Afhankelijk van het station en, misschien ook, het gevoel voor humor van de geluidstechnicus die je de anekdote vertelde, werd het verhaal steeds akeliger, waarbij het soms details omvatte als de ongelukkige verslaggever die de microfoon steeds steviger omklemde naarmate de stroomsterkte toenam totdat hij enige gelijkenis vertoonde met een bitterbal die met de staart van een geroosterde boa constrictor versmolten was. Uiteraard gaf elk station dat een verslaggever op pad stuurde hem de belangrijke boodschap mee om vóór het opzetten van de mast even boven zich te checken op kabels en elektrische leidingen.

Zodra de mast overeind stond en de oplettende bedieningsman niet was gefrituurd, kon hij live verslag doen. Ik heb bericht over wegversperringen, losgebroken vee, kerstconcerten, rommelmarkten, recordpogingen en gesponsorde zwemwedstrijden. Maar voor mij bereikte het werk zijn hoogtepunt wanneer ik het contactsleuteltje omdraaide en de garage uit reed. Dat was meestal niet met een sexy sportwagen. In een snelle bolide is niet genoeg ruimte voor alle uitzendapparatuur, en de budgettaire beperkingen van de BBC die ik destijds niet doorgrondde, sloten een radio-Lamborghini uit. Maar als je je hele leven uit diverse puffende, oude barrels die ik me met mijn salaris kon veroorloven nog een paar laatste kilometers hebt moeten persen, was de kans om in een bijna gloednieuwe auto te rijden bijna te mooi om aan me voorbij te laten gaan. Radio North Yorkshire had een nieuwe, tamelijk fabelachtige Ford Sierra Estate als radiowagen en een heel wagenpark gloednieuwe Escorts om ten behoeve van de nieuwsgaring mee uit te rukken. Ik hing meestal wat rond bij de redactie en hoopte tegen beter weten in dat de hoofdredacteur iemand als de gesmeerde bliksem op pad moest sturen om een interview op te nemen en hij bij gebrek aan een geschikte verslaggever zich tot mij zou wenden. Het is slechts één keer gebeurd en dat was om op loopafstand van het radiostation een buschauffeur te interviewen.

Het moet gezegd dat ik lichtelijk teleurgesteld was toen ik er bij Radio Cleveland achter kwam dat de radiowagen een oude Austin Montego-stationwagen was, met een vijfde deur die tot aan de achterruit verroest was. Ik heb er veel tijd doorgebracht met monteren en allerlei huishoudelijke klusjes. Op mijn eerste dag bij Radio Newcastle stuurden ze me er in het radiobusje op uit om verslag te doen vanuit, en dat wist ik toen niet, een berucht ruige buurt. Ik vond de school waar ik moest zijn, parkeerde het busje en zette de mast op. Ik rolde de dikke groene kabel uit, sloot de microfoon en de koptelefoon aan, maakte verbinding met het busje en liep via het hek het speelplein op en de school in. Daar stelde ik mezelf voor aan de leraar en de kinderen, zette de koptelefoon op en maakte me op om van wal te steken zodra de presentator mij het teken gaf. Door de koptelefoon hoorde ik hem mijn naam en de locatie aankondigen, waarna ik in actie kwam. Zodra ik één woord had uitgesproken, viel de koptelefoon uit. Ik ging ervan uit dat het stokoude bakelieten geval even haperde en ging gewoon verder met het interviewen van het personeel en de leerlingen en hoopte maar dat de presentator tussendoor geen vragen stelde die ik niet kon horen. Toen ik weer terug bij het busje was, zag ik dat ik het portier niet op slot had gedaan en dat de kabel eruit was gerukt en het interieur was verwijderd en vernield. Ik heb er niet erg lang gewerkt.

Op mijn eerste werkdag bij Radio Lancashire botste ik bij een parkeerpoging naast een klein landhuis waar ik verslag zou doen van de opening voor het publiek die zomer, met het radiobusje, een Ford Transit, tegen een muur. Maar het was ook hier, bij Radio Lancashire, dat ik een soort revelatie beleefde. Ik werd producent en presentator van ochtendprogramma's in het weekend en erfde daarmee een schare vaste medewerkers die het programma een brede mix van onderwerpen, vakkundigheid en persoonlijkheid verschaften. De hoofdredacteuren van de plaatselijke kranten kwamen met mij over het plaatselijke nieuws babbelen, plaatselijke politici kwamen over politiek babbelen en Bill Scott, een restaurateur, causeur en hoteleigenaar uit Fleetwood, kwam wekelijks bij me langs om over eten, drinken en de beau monde te praten. Maar wanneer de microfoons uit stonden, ging het gesprek over andere zaken. Vooral over auto's. Na vijftien jaar reken ik Bill nog steeds tot mijn beste vrienden en vaak bel ik hem op om de aanschaf van een nieuwe auto in mijn leven te bespreken. Zijn enthousiasme en grenzeloze energie om van het leven te genieten lijken elk jaar groter te worden.

Ook Zog Ziegler was een collega en hij heeft mijn ogen geopend voor een heel nieuwe wereld van mogelijkheden. Behalve dat hij kan bogen op een unieke naam en, naar ik later ontdekte, abnormaal veel op Jack Nicholson lijkt, vervulde hij de rol van autodeskundige in het programma. Hij woonde ver weg in Cheltenham, wat voor zover ik wist vlak bij Londen was. Met Zog nam ik over de telefoon vanuit zijn radiostation in Gloucester wekelijks een praatje op. Hij beoordeelde auto's en besprak aanverwante zaken die zich die week voordeden. Hij was en is nog steeds buitengewoon geestig en inzichtelijk wanneer het aankomt op een uiterst precieze omschrijving van wat een auto nu eigenlijk tot een krankzinnig, nuttig of hilarisch voertuig maakt, hoe het is om erin te rijden en hoe het aanvoelt om hem te bezitten. Dit was mijn allereerste kennismaking met een echte autojournalist, en ik zag een heel nieuwe wereld opengaan. Misschien, heel misschien zou ik dat ook ooit voor de kost kunnen doen.

Het idee om in nieuwe auto's te rijden, er je mening over te vormen op basis van het feit dat je overal in hebt gereden en die mening vervolgens aan een publiek door te geven, leek mij de mooiste manier om mijn brood te verdienen. Ik woon nu slechts een kilometer of zes van Zog en we kunnen nog steeds dubbel liggen van het lachen of het schuim op de lippen krijgen als we het over auto's, autofabrikanten en autoverhalen hebben. Al zolang ik me kon herinneren had ik wekelijks naar *Top Gear* gekeken, had ik de week- en maandbladen over auto's verslonden en bijna elke autotentoonstelling afgeschuimd. Als je je als journalist in de wereld van auto's en het autorijden kunt bewegen, is dat alsof je als kind te horen kreeg dat je een baantje als snoepjesproever zou krijgen. Vanaf het moment dat ik de microfoon openzette om met Zog te praten had ik een veel beter idee van wat ik wilde doen voor de kost.

Gelukkig bleef de liefde voor auto's en motoren die ik van mijn grootouders had geërfd niet beperkt tot het poseren in auto's. Ik had ook een fascinatie geërfd voor wat er onder de motorkap gebeurde plus een redelijk vermogen om de boel te repareren als iets ermee ophield of kapotging. Wat maar goed is ook als je je hele leven auto's begeert die net iets te mooi zijn voor jouw budget. Vandaar dus dat elke auto die ik kocht onvermijdelijk een uiterst aftands en armzalig voorbeeld van zijn type was; dat moest ook wel wilde ik me hem kunnen veroorloven. Al snel merkte ik dat het plezier dat je als kind had van het spelen met lego en meccano zich gemakkelijk liet vertalen in een volwassen vermogen om elke oude roestbak die op dat moment mijn oogappel was te koesteren en rijdend te houden. Soms kwam dit slechts neer op vloeistoffen bijvullen en altijd een paar startkabels bij de hand hebben, maar meestal stond ik voor problemen die mijn kennis en gereedschapskist ver te boven gingen. In een geleende garagebox worstelde ik met het vervangen van de motor in mijn Mini doordat ik gereedschap gebruikte dat zelfs van mindere kwaliteit was dan wat je bij een ladekast van Ikea geleverd kreeg. Ik lag in de modder onder mijn Cortina om de versnellingsbak te vervangen, en dat nog wel in een winter die zo streng was dat mijn hele rug verdoofd leek en ik op mijn knieën naar binnen moest kruipen om me weer op te warmen. In feite kon je mijn leven tot twee hoofdactiviteiten samenvatten: een werkend bestaan als radioverslaggever en presentator om een stoet van kapotte auto's te kunnen kopen die ik in de rest van mijn tijd probeerde op te kalefateren zodat ze me naar het werk konden brengen.

Zelfs nu nog krijg ik een enorme kick wanneer ik een autotrip onderneem die me zelfs maar iets verder voert dan ik met gemak op een fiets kan afleggen. Wanneer ik dat in mijn jeugd deed, gaf mijn auto steevast al bij het vertrek de geest en was ik gedwongen om de pedaalridder uit te hangen. Dat ik een auto bezit waarmee ik tientallen en zelfs honderden kilometers zonder pech kan reizen, ervaar ik nog steeds als een klein wonder.

De Porsche 911 waar ik zo naar had verlangd en waarin ik nu schuilde in afwachting van mijn auditie voor de nieuwe *Top Gear* had me nog nooit in de steek gelaten, hoewel ik me vaak zorgen maakte dat wanneer dat gebeurde – en ik wist dat dit ooit een keer het geval zou zijn – mijn wereldje zou instorten. Maar er was nu geen tijd voor sentimenteel, nostalgisch gemijmer over auto's die waren gekomen en gegaan. Nu moest ik de 911 starten, de hoek om, ongeveer achthonderd meter rijden en met al het zelfvertrouwen dat ik maar bijeen kon schrapen een tv-studio binnen lopen om auditie te doen voor de grootste kans van mijn leven.

Toen ik buiten de studio arriveerde, werd ik begroet door Richard Porter, een autojournalist die als programmavoorbereider bij het team kwam werken en nu nog steeds onze scriptredacteur is. Hij is een lange, slanke jonge vent achter wiens studentikoze kleren en dito brilletje een scherpe en alerte geest schuilgaat die over een encyclopedische en zo nu en dan gênant brede kennis van autofeiten beschikt. Uiteraard praatten we over auto's. Hij bewonderde mijn 911, en ik zag al snel dat hij precies het type was met wie ik graag zou werken. Ik ging naar binnen en maakte kennis met de ploeg die de auditie zou filmen. Ik stond er versteld van hoeveel mensen er waren. Toen we voor Granada Men and Motors opnamen maakten, waren er alleen mijn maatje Sid die het camerawerk, het geluid en de regie deed, en ik. Hier stond ik opeens te midden van een groep cameramannen, geluidstechnici, lichttechnici, assistenten en assistenten van de assistenten. Ik was doodsbenauwd. Vervolgens werd ik aan nog iemand voorgesteld. Hij was niet veel langer dan ik en had een vriendelijk gezicht dat je op een of andere manier onmiddellijk vertrouwen inboezemt en het gevoel dat je dit een aardige vent gaat vinden; het bleek Andy Wilman te zijn. Officieel was en is hij nog steeds samensteller van het programma, maar misschien zou 'coschepper' een betere titel zijn. Andy is de man die samen met Jeremy Clarkson het idee verzon voor een volkomen nieuw soort autoprogramma, waarna hij de bbc ervan wist te overtuigen dat dit precies was waar ze naar zochten. Met een handdruk en een beminnelijke grijns stelde hij zichzelf voor. Ik had hem al gesproken toen hij me belde om me voor de auditie uit te nodigen, maar dit was onze eerste ontmoeting.

Aan de telefoon had het meteen geklikt en nu we elkaar in levenden lijve ontmoetten, leken we de draad van ons gesprek moeiteloos en ontspannen op te pakken. Hij nam me apart in de grote, lawaaiige studio en hield een peptalk in de trant van: 'Probeer dat slappe geouwehoer van je satellietprogramma te vermijden, knul. Het mag wel wat minder, niet te druk. Dit is volwassen tv, het speelkwartier is voorbij.' Zijn handjevol tips over wat er van me werd verlangd, gaf me zelfvertrouwen. Wat mij betrof, betekende het dat hij achter me stond; mijn wankelende zelfvertrouwen nam toe. Tijd om te beginnen. Andy nam plaats naast de cameraman, er werd om stilte geroepen en de studiolampen werden op de juiste sterkte gebracht. Mij was gevraagd om in mijn eentje voor de camera een praatje van twee minuten te houden over een auto in de studio. Het was een Skoda Superb. Terwijl ik eromheen liep, hield ik een onsamenhangend verhaal en wees ik op tekortkomingen en gebreken en op mogelijke pluspunten, waarbij ik mijn best deed grappig en informatief te zijn en niet over de kabels op de vloer te struikelen. Het volgende onderdeel van de auditie betrof het presenteren van een vaste rubriek te vergelijken met wat nu het nieuwsgedeelte van *Top Gear* is. En hiervoor zou ik steun krijgen van een levende legende: Jeremy Clarkson.

Voor iemand als ik, die zijn tijd bij de lokale radio had gediend en keihard had gewerkt om te bereiken wat hij nu was, namelijk presentator van een autoprogramma op een satellietzender, was de ontmoeting met Jeremy te vergelijken met een groentje dat de uitnodiging krijgt om een ritje te gaan maken met Stirling Moss. En ik moest hem voor de camera voor het eerst ontmoeten en meteen met grappen en grollen beginnen. Hij kwam voor elke auditie met iedere kandidaat opdraven en moest dit dus wel al tientallen keren hebben meegemaakt. Maar hij had het niet gemakkelijker of leuker kunnen maken. We debatteerden over auto's, bespraken favoriete modellen uit ons verleden, staken de draak met autoverhalen die die week in het nieuws waren geweest en maakten eigenlijk toen al net zoveel drukte als nu. Hij lachte míj uit omdat ik klein van stuk ben, ik lachte hém uit omdat hij zo lang is, en we lachten allebei om mensen die in een elektrische wagen rijden en waren het met elkaar eens dat een achtcilinder de enige geschikte motor is voor alles wat groter is dan een vulpen. Het was alsof ik een oude schoolvriend tegen het lijf was gelopen. Het hele gesprek hadden we net zo goed zittend op een paar gereedschapskisten en met een kop thee in de hand bij mij thuis in de garage kunnen houden. Maar uiteindelijk kwam er een eind aan de auditie. De volgende kandidaat wachtte achter de coulissen, dus ik moest vertrekken om hem de kans te geven.

Toen ik in mijn auto stapte om de reis naar huis te aanvaarden voelde ik me niet opgetogen over hoe goed het leek te zijn gegaan, maar had ik eerder iets van teleurstelling. Ik had zo enorm genoten van mijn tijd met de mensen in die studio, er was zoveel gespreksstof en ook zoveel om over te lachen dat ik zeker wist dat degene die uiteindelijk de baan zou krijgen het er geweldig naar zijn zin zou hebben. Behalve dat hij ging meewerken aan wat echt een fantastisch programma beloofde te worden zou hij met een geweldige club mensen samenwerken. Ik ging er al helemaal van uit dat ik nooit zou worden aangenomen, en was dus bij voorbaat al jaloers op de gelukkige.

Op weg naar huis belde ik Mindy en vertelde haar over mijn gevoelens. Mijn pessimisme verraste haar niet. Ze had medelijden met me omdat ik het zo goed had gedaan en van de auditie genoten had terwijl ik zeker wist dat ik absoluut geen kans maakte. Ze is een geduldige vrouw en begrijpt me soms beter dan ik mezelf begrijp.

In feite was het vooral aan mijn werk in en rond de media, gecombineerd met mijn obsessieve liefde voor auto's, te danken dat ik Mindy had leren kennen. Na ongeveer tien jaar op creditcards te hebben geteerd en in zit-slaapkamers te hebben gewoond om als radiopresentator mezelf en mijn verschillende autowrakken en motoren te kunnen onderhouden, was ik eindelijk gezwicht en had ik een 'fatsoenlijke baan' genomen als pr-functionaris in het hoofdkantoor van een bedrijf aan de rand van Londen. Korte tijd genoot ik van een redelijk salaris, met een ziekenfondsverzekering, een pensioen en – zonder enige twijfel het mooiste van alles –

een bedrijfsauto. Ik genoot zelfs van de vijfenzestig kilometer lange rit naar het werk en kon altijd zonder klagen, motorbrandjes of olielekken op mijn hagelnieuwe bedrijfsauto rekenen. Maar op den duur bleek de roep om naar mijn verkozen loopbaan terug te keren te sterk. Ik ging terug naar het omroepwerk, maar niet voordat ik Mindy had leren kennen. Ze werkte op hetzelfde kantoor. Na een blik op haar rondingen en lange blonde haar, gecombineerd met haar aanstekelijke enthousiasme, manier van doen en altijd aanwezige gevoel voor humor, adoreerde ik haar maar wist ik tegelijkertijd dat ik geen enkele kans maakte. Nadien heeft ze me verteld dat ze na één blik op die langharige, bleke en broodmagere stumper, die op een dag in zijn goedkope pak het kantoor binnen liep en, wonder boven wonder, een baan in de wacht sleepte, vond dat hij misschien wel 'interessant' was. In feite vonden we elkaar vanaf de eerste dag leuk en was de vraag niet 'of' we elkaar zouden vinden maar wanneer en hoe.

In het begin glipten we vaak samen weg voor een rookpauze – in die tijd rookten we allebei nog – en stonden als een stel tieners achter het gebouw te kletsen terwijl we smoesjes probeerden te verzinnen om nog een sigaretje op te steken en onze tijd samen te rekken. Achteraf gezien was het vrij zielig; we hadden allebei vrij duidelijk laten blijken dat we elkaar buiten het werk graag zagen, maar het ontbrak ons aan moed en zelfvertrouwen om het uit te spreken. Toen ik kaartjes kreeg voor een dansfeest in het autowereldje diende de doorbraak zich eindelijk aan. Ik wilde ze gebruiken als excuus om als een hopeloos verliefde schooljongen Mindy mee 'uit' te vragen. Nou ja, eerlijk gezegd vroeg ik het niet zelf. Ik riep de hulp in van Terry, de chauffeur van mijn baas. Hij werd naar Mindy's hoekje van het kantoor gestuurd om haar te zeggen dat ik kaartjes voor een of ander feest had en dat ik me afvroeg of ze misschien zin had om mee te gaan. Het was net als zo'n gesprekje op school, zo van 'mijn vriendje vindt jou echt leuk', maar het werkte wel. Mindy zei dat ze graag mijn date voor die avond wilde zijn en ik pikte haar op bij haar flat in Northolt, Londen. Ze droeg een superstrak blauw jurkje en toen ze opendeed, werd ik al bijna gek van verlangen. Privé was onze onbeholpenheid plotseling verdwenen en we hebben die avond gelachen, sigaretten gebietst, over muziek en films gepraat en ten slotte als een stel zesdeklassers geknuffeld.

Onze volgende date was een wandeling met haar twee honden in het park vlak bij haar flat. Ik weet nog dat ik verbaasd was dat ze een flat formaat bezemkast kon delen met een collie en een Duitse herder, en dat ik best wel werd geraakt door het feit dat ze elke dag rond lunchtijd even naar huis reed om ze uit te laten in plaats van ze de hele dag alleen te laten. Bij ons derde afspraakje gingen we naar een paardenmanege, waar Mindy zich een bekwame amazone toonde en ik als een aapje achter een piano boven op een dik, zwart werkpaard rondstuiterde. Voor ons vierde afspraakje reed Mindy met haar honden naar mijn woning aan de rand van de Chilternheuvels die zich tussen Londen en Oxfordshire uitstrekken. We wandelden door de heuvels, gooiden takken weg voor de honden, kletsten over het platteland en op de weg terug over de beboste helling omhelsden we elkaar. Ik werd op slag verliefd en realiseerde me dat ik mijn vrouw en beste maatje voor het leven had leren kennen.

Maar al van meet af aan zouden haar vriendschap en steun danig op de proef worden gesteld. Toen ik de zekerheid van mijn baan, pensioen en bedrijfsauto opzegde en weer ging werken in de media bleef ze bij me. Ik had een kans gekregen om voor het Men and Motors-kanaal van Granada TV zo nu en dan auto-onderwerpen te presenteren. Ik was andermaal blut, maar deze keer te blut om me zelfs maar een auto te kunnen veroorloven. Mindy leende me de hare of zette me af bij een garage waar ik voor een paar pond per dag een paarse Nissan Micra kon huren. Wanneer ik fulmineerde dat het onwaardig was om bij een filmopname in een gehuurde Micra op te dagen en wanneer ik tekeerging over hoe moeilijk het was om werk te krijgen, begreep ze mij. Telkens als het lastig werd en de deurwaarders in aantocht leken, hielp ze me met geld en een schouderklop, en wanneer zich iets goed aandiende, vierde ze het met me. Elk jaar groeiden we dichter naar elkaar toe om uiteindelijk te worden gezegd met onze oudste dochter Isabella, waarna we in mei 2002 met elkaar trouwden. Ik had nog steeds geen 'fatsoenlijke baan' en deed mijn best om ons gezinnetje, met onze dochter en Pablo, onze hond, te onderhouden met het geld dat ik verdiende als freelance tv-presentator, autojournalist, radiopresentator en gelegenheidsfotograaf. We waren naar Cheltenham verhuisd, een prachtige badplaats op de rand van de Cotswolds, want Mindy had daar familie in de omgeving wonen. Het was ver genoeg van Londen om zijn eigen karakter en zelfstandigheid te hebben, maar niet zo ver om reizen naar de hoofdstad onmogelijk te maken. En nu was ik weer op weg naar huis met nieuws over de zoveelste auditie voor de zoveelste baan die ik meer dan wat dan ook wilde hebben.

Het zou nog enkele maanden duren voordat de beslissing viel wie het team zou gaan versterken. Na een paar keer met Andy Wilman te hebben gesproken en te zijn gerustgesteld dat alles in voorbereiding was en ze ons binnenkort op de hoogte zouden stellen, raakte ik er steeds meer van overtuigd dat ik een telefoontje zou krijgen met een bedankje voor de moeite maar helaas. Er kwam inderdaad een telefoontje, en wel op het moment dat ik voor Granada Men and Motors aan mijn bureau een script zat te schrijven over een nieuwe Citroën. In de kelder van ons rijtjeshuis in Cheltenham had ik een kantoorruimte die naar vochtig metselwerk en verf rook. Mindy was bij me. We zaten wat te kletsen terwijl ik wat lusteloos op de computer zat te tikken.

Het harde gerinkel van de telefoon verstoorde ons ontspannen praatje. Het was een ouderwetse telefoon met een echte ronde draaischijf en een paar bellen die luid genoeg klonken om de kustwacht te alarmeren. Ik sprong overeind. We keken allebei naar het toestel. Zonder enige aanleiding zeiden we allebei opgewonden dat dit 'het telefoontje' was. 'Ze' hingen aan de lijn. We waren er direct van overtuigd dat dit het langverwachte telefoontje over de baan bij *Top Gear* was. Vraag me niet waarom precies, want de telefoon ging wel tien of twintig keer op een dag en meestal bleek het iemand te zijn die vroeg of wij nieuwe ramen wilden kopen of iemand die vroeg of we misschien zo vriendelijk wilden zijn om onze creditcardrekening te betalen voordat ze een mannetje zouden sturen om onze televisie weg te slepen. Maar we hadden gelijk, 'ze' waren het. Zenuwachtig bracht ik de hoorn naar mijn oor en ik hoorde de zachte Schotse stem van Gary Hunter, de uitvoerend producent van het nieuwe *Top Gear*. Hij wond er geen doekjes om en kwam meteen tèr zake: 'Hallo, Richard. Zeg, ik vroeg me af of je zin hebt om ons team te komen versterken?'

Zijn toon was opgewekt en blij, ja, zelfs opgewonden. Hij bood me de baan aan waar ik van kinds af aan van had gedroomd. Maar wat ik hem had horen zeggen was: luister eens, het spijt me heel erg, maar deze keer heb je geen geluk gehad. Bedankt voor alle moeite en veel succes in de toekomst.

Het was een mantra die ik talloze malen had gehoord; die zalvende toon en die bezorgde manier van doen van iemand die je op een hoogtepunt van opwinding en verwachting naar het dieptepunt van wanhoop en teleurstelling doet storten. Als ze dan zoveel om je gevoelens geven en je niet willen kwetsen, vraag je jezelf onwillekeurig af, waarom geven ze je die verdomde baan dan niet gewoon?

Het was al zo'n bekend deuntje dat het door mijn hoofd speelde toen de man me in het echt zowaar de baan aanbood. Ik ademde diep in, klaar om in mijn gebruikelijke praatje los te branden over dat ik teleurgesteld was maar hoopte dat het voor hen allemaal goed zou lopen en dat degene die de baan kreeg ervan zou genieten en dat we misschien ooit nog eens zouden kunnen samenwerken, en al die andere aardige dingen die je zegt als je wereld instort en al je hoop de grond in wordt geboord. Maar toen drong eindelijk tot me door wat ik had gehoord. Ik had de baan. De afgelopen paar maanden had het ons leven zo beheerst, en nu had ik, eindelijk, het telefoontje gekregen met het ongelooflijk goede nieuws.

'Wauw, eh... ja. Bedankt. Dat is, eh... schitterend. Dankjewel.'

'Goed, nou, veel succes en we praten binnenkort verder. Ik ben blij dat je bij ons komt werken.'

Ik legde de hoorn neer en keek Mindy aan. Ze had al wel geraden wat hij had gezegd, maar ik vertelde het haar toch.

'Hij zei ja. Ze willen me. Ik heb de baan.'

Mindy huilde. Ik trilde.

'Godallemachtig. Ik heb de baan! Echt! Wat nu?'

Ik voelde me nutteloos en stond in dubio. En het drong tot me door dat ik geen enkele intelligente vraag had gesteld over wat ik ging doen, wanneer ik begon of waar ik werd geplaatst.

'Jezus, hij denkt vast dat ik een volslagen idioot ben. Ze gaan zich vast bedenken.'

Ik belde direct terug en stelde Gary een paar vage vragen over wat het nu allemaal inhield. Echt, ik wilde gewoon de bevestiging dat ik me niet had laten meeslepen en dat hij me werkelijk had gevraagd om bij het team te komen. Hij stelde me gerust, ik hing op, bracht mijn bevindingen over aan Mindy en belde hem nog een keer om te vragen wanneer ik eigenlijk zou beginnen en waar ik dan naartoe moest. Mindy vloog ondertussen de trap op, en toen ik voor de derde keer had opgehangen, trof ik haar in de keuken. Ze had een fles champagne uit de eetkamer opgediept en hield hem gereed om hem open te trekken.

'Verdomme, het is nog maar elf uur. Beetje vroeg, hè?'

Ze keek me aan en trok haar wenkbrauw op.

'Ach wat, waarom ook niet? Je hebt gelijk, we moeten het vieren. Laten we het verdomme maar vieren ook!'

We gingen in onze piepkleine tuin op een laag muurtje zitten, klokten gulzig de champagne naar binnen en praatten over wat het voor ons kon gaan betekenen: of ons leven erdoor zou veranderen; of dit het begin was van iets ongelooflijks? Slechts een week daarvoor waren we het nog eens geweest dat we onze woning in Cheltenham moesten verkopen en dat we een vervallen huisje in een uithoek van het plattelandse Gloucestershire gingen kopen. Zou dit onze plannen om naar het prachtige platteland te verhuizen, met dieren om ons heen en ruimte voor onze dochter – en misschien nog meer kinderen – om op te groeien, in de war gooien? We hadden nog geen idee. Er moest nog veel duidelijk worden omtrent mijn nieuwe baan. Maar het zou bovenal helemaal geweldig worden.

4
Wat een baan!

'Ik heb een te gek idee,' begon ik.

Niemand keek op en ik vocht me verder tussen de stapels papieren, half voltooide fietsen, radiografisch bestuurde autootjes en verscheidene attributen die op de vierde verdieping van het White City BBC-gebouw in Londen de gangpaden van de *Top Gear*-redactie versperden. Ik was binnengestormd terwijl het productieteam ongewoon stilletjes de negende serie programma's aan het voorbereiden was. Het was vier jaar nadat ik was gevraagd bij *Top Gear* te komen, en inmiddels hadden we al heel wat meegemaakt. Ik veegde een stapel papieren op de grond en hees mezelf op het bureau van de baas om vervolgens als een opgewonden kind op en neer te wippen.

'Het is een knaller!' zei ik hijgend. 'Serieus. Past helemaal in de nieuwe serie. Perfect gewoon.'

Andy Wilman, onderuitgezakt in een hoek, keek op van zijn overvolle bureau, schraapte zijn keel en kuchte even, waarbij zijn normaal zo vriendelijke gezicht zich verfomfaaide tot een komisch humeurige versie daarvan; een effect dat nog eens werd geaccentueerd door zijn warrige donkere haardos waarin het grijs al aardig oprukte. Hij had wel iets van de boze krantenredacteur in *Spider Man*. Als redacteur van *Top Gear* is hij degene die uit het ratjetoe van gestoorde ideeën, lichtgeraakte ego's, vervaarlijke geestdrift en gekke plannen die op de redactie rondzingen een tv-programma moet smeden. Bovendien is hij de man die de BBC-

48

bazen, de klachtenraad, het legioen der politiek correcten, de anti-autolobby en zo nu en dan de politie op discrete afstand moet houden, wat veel tijd vergt.

Het was niet toevallig dat zijn bureau in een rommelige hoek van een rumoerig productiekantoor te vinden was dat met nog eens twintig andere medewerkers moest worden gedeeld. Met opzet koos hij voor een werkplek tussen de voorbereiders, producenten, assistent-producenten, productiemanagers en loopjongens. Managementgoeroes zullen misschien beweren dat deze nauwe verbondenheid juist bedoeld was om je op het vlakke speelveld van een democratisch geleid project als een eenheid te kunnen manifesteren. Volgens mij was het eerder omdat hij het zat werd om in zijn eentje in een werkkamer te zitten en omdat hij zich nooit heeft kunnen bevrijden van het gevoel dat zodra hij de deur achter zich dichttrok het hele team meteen op de tafels sprong voor een spelletje kantoorcricket of de tijd rap verbeuzelde met koopjesjacht op eBay. Hij had zich opgewerkt en kon als het nodig was ieders taak overnemen. Wat inhield dat ze maar weinig konden flikken wat hij zelf nog niet had geprobeerd. Vergeleken met dat waarmee het team ooit zou kunnen wegkomen waren zijn talrijke wapenfeiten uit het verleden hun tijd zo ver vooruit dat hij zich tot op zekere hoogte gemakkelijk in de rol van ploegbaas kon scharen. Een pestkop laat zich niet pesten en een bedrieger laat zich niet bedriegen. Hij was een oude meester en de anderen konden heel wat van hem leren, en dat hoefde heus niet altijd met het werk te maken te hebben.

'Moet je horen...' Ik bracht het zo gewichtig mogelijk maar het klonk eerder als een smeekbede, 'ik wil gewoon onwijs snel gaan... Klaar.' Ik haalde even mijn schouders op, hopend dat het theatraal over zou komen, en voegde eraan toe: 'echt retesnel.' Op de heenweg in de auto had ik mijn verkooppraatje nog eens doorgenomen. Toen had het overtuigender geklonken. Het programma werkt het beste wanneer mensen ideeën in de hoge hoed gooien en het uiteindelijk iets oplevert. Het is dus niet ongewoon dat iemand

Andy in de ogen kijkt en hem ervan probeert te overtuigen dat zijn idee in potentie garant staat voor geweldige televisie. Niet dat ik het eng vond om met een voorstel op de proppen te komen, maar in dit geval ging het om een hartenwens en ik wilde niet dat het in een prullenbak zou belanden. Andy bleef me aankijken, maar mij bekroop het vermoeden dat zijn aandacht bij iets anders lag; wellicht bij de sandwich die naast zijn toetsenbord stilletjes lag uit te drogen.

'Echt, zo eenvoudig is het. Dus geen race of iets gecompliceerds. Ik vind dat we gewoon een item moeten maken over sneller gaan dan ooit tevoren. Een sprint, daar gaat het om. Ik heb 320 kilometer per uur gereden, in een auto en op een motor. Hoe is het om nóg sneller te gaan? En dan bedoel ik dus véél sneller.' Ik ploegde voort met mijn verkooppraatje en genoot van de adrenaline nu ik op stoom kwam. 'Snelheid kan je een lekker gevoel bezorgen. Nietwaar? Het heeft iets opwindends. Een oergevoel. Het basale verlangen van de holbewoner: snelheid. Als je echt snel kunt zijn, je een hert kunt inhalen, dan heb je dus je avondeten te pakken en kun je, terug in je grot, je gezin te eten geven.' Het holbewonersverhaal leek de aandacht wat te doen verslappen, vermoedde ik. Het gevaar van een Open Universiteitscollege lag om de hoek.

'Dus het enige wat we hoeven te doen,' probeerde ik het zo simpel mogelijk te verwoorden, en dus des te verleidelijker voor het onfortuinlijke onderzoeksteam dat de boel zou moeten gaan regelen zodra de baas het groene licht gaf, 'is een voertuig op te snorren dat waanzinnig snel gaat in een rechte lijn. Maakt niet uit wat. Ik wil geen record vestigen. Of misschien eentje voor een autoprogramma. Wij kunnen de snelste show ter wereld worden. Wat zeg je me daarvan?' Hier had ik hem te pakken. Andy knikte. De anderen zagen het, aanschouwden zijn goedkeuring, en ik wist dat het ging gebeuren. Waarschijnlijk.

In alle eerlijkheid was het niet zo ongewoon voor iemand van het team om met een tamelijk bizar idee op de proppen te komen. Zo had iemand ooit eens voorgesteld om een auto in een bassin onder te dompelen om te kijken hoe snel je uit een zinkende auto kunt ontsnappen en of het bakerpraatje wel klopt dat je eerst moet wachten totdat de auto op de bodem ligt en de waterdruk binnen en buiten even groot is zodat je gemakkelijk de portieren kunt openen. We konden aan de slag en dus belandde ik op een waterkoude winterdag in een oude Vauxhall Carlton die hangend aan een kraan boven een speciaal gebouwd bassin zweefde dat in verscheidene bioscoopfilms was gebruikt, waaronder waarschijnlijk een paar James Bond-films. Wij werkten niet aan een Bond-film, maar stonden klaar om te filmen hoe angstig en desoriënterend het is als je in een zinkende auto zit en het water langs de ramen klotst.

Als typisch voorbeeld van een geniaal *Top Gear*-moment had de regisseur vlak voordat ik in de auto stapte me een videoband laten zien van iemand die precies hetzelfde had gedaan. Dat wil zeggen, hij had het geprobeerd, maar de ervaren stuntman om wie het ging was zo in paniek geraakt dat ik, kijkend naar de beelden, vreesde dat hij al aan de stress zou zijn bezweken voordat hij de kans kreeg om te verdrinken. Hij trapte de voorruit stuk en wist veilig langs het binnenstromende water te ontsnappen. Ik keerde terug naar de realiteit, wendde me af van het tv-scherm, grijnsde naar de camera's, stapte in de oude Vauxhall op de rand van het bassin en probeerde te onthouden hoe ik door een in de duiksport gebruikte ademautomaat moest ademen die achter in de auto lag. Zo blijmoedig als ik kon, stak ik een duim omhoog naar het stuntteam en ik hoopte dat het nog een tijdje zou duren voordat ik me aan de hemelpoort zou melden. Ondertussen scheet ik in mijn broek.

In een auto zitten is zoiets vertrouwds dat het des te vreemder aanvoelt wanneer er iets buitenissigs gebeurt. Ik heb in auto's gezeten die naast de weg stonden, op parkeerplaatsen, op bergen en in tv-studio's, maar om jezelf te voelen drijven, zachtjes op en neer te voelen deinen, om daarna langzaam te zinken terwijl je ziet dat het water langs de portieren en de ramen omhoogkruipt totdat het lijkt alsof je in een aquarium bent, is nogal beangstigend. Met een donderend geraas spoot het water naar binnen; door het gat waar de radio had gezeten en door de ventilatiegaten. Ik keek naar mijn voeten en zag tot mijn ontsteltenis dat het water al rap naar mijn knieën steeg terwijl we verder zonken.

Het licht van buitenaf vervaagde en kleurde groen terwijl de auto onder het wateroppervlak belandde. Terwijl ik afwachtte, omdat ik het portier pas kon openen als de auto geheel met water was gevuld, nam het claustrofobische gevoel toe. De Vauxhall zonk verder. Het water stond tot aan de dakrand en binnen tot aan borsthoogte. De centrale deurvergrendeling klikte aan en uit omdat de bedrading kortsluiting maakte. Ik vroeg me af of de portieren nog wel open konden zodra het moment daar was en repeteerde in gedachten nog eens hoe ik me moest omdraaien en in geval van nood het mondstuk en de zuurstoftank van de achterbank moest plukken. Ik had nog nooit eerder gedoken en bij het oefenen voelde het mondstuk vreemd en onhandig aan in mijn mond. Het vereiste een bovenmenselijke overtuigingskracht om mijn weerbarstige longen ervan te overtuigen dat ze verse lucht in konden ademen ook al was ik onder water. Ik hoopte maar dat ik het ding niet nodig zou hebben.

Terwijl de auto zich met water vulde, werden de laatste beetjes lucht uit alle hoeken en gaten verdreven, wat met harde gorgel- en sisgeluiden gepaard ging. De auto dreef nu vrij in het water en door het gewicht van de motor voorin, dook hij met de neus omlaag. Met een gesis was ook de kofferbak geheel gevuld en zonken we sneller. Al snel steeg het water langs mijn nek en gezicht. In gedachten had ik nog eens gerepeteerd op welk moment ik rechtop moest gaan zitten en mijn mond tegen het dak moest drukken om nog één hap lucht binnen te krijgen voordat de auto geheel met water zou zijn gevuld, maar dat bleek in werkelijkheid een heel stuk enger dan ik had gedacht. Wat me vooral bang maakte, was de vrees om in paniek te raken. De paniek lag op de loer, als een haai die om de auto zwom. Ten prooi vallen aan de paniek en mijn zelfbeheersing verliezen; dat leek me nog het ergste van alles. Stel dat ik buiten bewustzijn raakte, dat de portieren op slot bleven zitten, de ramen als gevolg van de waterdruk zouden versplinteren, dan hadden we in elk geval nog noodvoorzieningen. Ik had de zuurstoftank achterin, en een team van duikers stond klaar en zou al te hulp schieten als ik ook maar even hikte of benauwd uit mijn ogen keek. Mijn enige taak was om niet in paniek te raken. Als ik door het lint ging en als een idioot om me heen ging slaan, zou het een stuk lastiger worden om me te redden en zou ik de mensen om me heen in gevaar brengen. Bovendien zou ik ongelooflijk voor paal staan en op de redactie het lijdend voorwerp van grappen en grollen zijn.

Maar goed, ik bleef kalm, drukte mijn mond tegen het dak en zoog mijn longen vol lucht. Ik wachtte totdat de auto vanbinnen helemaal onder water stond en op de bodem van het bassin rustte. Ik opende het portier – een makkie – gleed de auto uit en kwam als een kurk bovendrijven. Niks aan. Zorg gewoon dat je niet met je auto in een sloot belandt.

De experts vertelden me naderhand dat het allemaal heel leuk en aardig is om eerst te wachten totdat je de bodem hebt bereikt, maar stel je belandt pal naast een oude koelkast en het portier gaat niet open. Of, erger nog, en misschien wel een schrikbeeld, zoals iemand me vertelde, is wanneer reddingsduikers, aangekomen bij een gezonken voertuig, constateren dat het portier openstaat en er geen enkele belemmering is om veilig naar boven te komen, maar dat de overleden bestuurder nog altijd met de gordel om aan zijn stoel vastgeketend zit. Zo fataal kan de paniek dus uitpakken.

In de vier jaar dat ik aan het programma had meegewerkt, had ik een reputatie opgebouwd als iemand die het ogenschijnlijk riskantere werk blijmoedig tegemoet treedt. Ik had een absoluut vertrouwen in het team, in hun vermogen problemen te anticiperen en paraat te zijn voor als het ergste zou gebeuren. Ik denk dat ik mezelf in mijn handen mocht knijpen vanwege het feit dat ik werd betaald voor het soort uitsloverij dat ik jarenlang op mijn fiets deed. En dus genoten we van onze 24-uursrace met een 2CV op het circuit van Snetterton, voegden we ons bij het Noorse bobsleeteam voor een rondje op topsnelheid over de baan in Lillehammer, en renden we in de straten van Pamplona voor de stieren uit. Dat laatste vond plaats toen ik in Spanje een item over de nieuwe Lamborghini Murciélago moest maken. Omdat de auto volgens ons garant stond voor een flinke adrenalinestoot, leek het ons gepast om er iets vergelijkbaars bij te zoeken.

Rennen met de stieren, opperde iemand, en mijn hand schoot al omhoog om me vrijwillig aan te melden. Voordat ik het wist, stond ik gekleed in een belachelijke witte broek en een rode sjerp op een bomvol plein midden in Pamplona te wachten op het toetersignaal dat aangeeft dat er zojuist een behoorlijk pissige stierenhorde de straat was opgedreven en het voor mij de hoogste tijd was om het op een lopen te zetten en ervoor te zorgen niet door de stieren of de rest van de menigte onder de voet te worden gelopen, opdat ik de relatieve veiligheid van de arena kon bereiken. Terwijl we in angstvallige stilte de komst van de naderende stieren afwachtten, raakten zenuwen overbelast en gutste het zweet van voorhoofden. Om me heen leek de helft van de mensen uit Ieren te bestaan die hun levenswens leken te willen vervullen. Ook leken ze nog steeds dronken van de vorige avond en de benevelende geur van sterkedrank overheerste bijna de diepere geur van transpiratie.

De straten waren afgezet met zware dranghekken. Toen ik eerder die ochtend het parcours bewandelde, betwijfelde ik of de hekken wel stevig genoeg waren om de stieren weg van de toeschouwers of om ons, renners, juist in de buurt van de stieren te houden om zo in het spektakel te kunnen voorzien dat deze menigte op de been had gebracht. Hoe het ook zij, de afzetting maakte je duidelijk dat als je pas op dat moment besefte dat stierenrennen niets voor jou is, er geen weg terug meer was.

Een groot deel van de route gaat langs winkels en gebouwen en hindernissen, zonder enig uitzicht op een vluchtweg waar het risico van een kennismaking met de punt van een stierenhoorn een stuk geringer is.

De adrenalinestoot was inderdaad overweldigend toen de claxon opklonk en de menigte naar voren stoof. Er werd geschreeuwd en overal om me heen vielen mensen ogenschijnlijk zomaar op de grond. De toeschouwers begonnen opgewonden te raken toen de stieren dichterbij kwamen en hun woede richtten op degenen die in de smalle straatjes geen kant meer op konden. De knaap voor me gleed uit over de gek genoeg vochtige kinderhoofdjes, en ik sprong over hem heen. Het zou wellicht aardiger zijn geweest om hem op mijn schouder te hijsen en hem in veiligheid te brengen, maar hij was groter dan ik en zelf had ik ietwat haast. Een andere jongen kwam op me af gerend, wat vreemd was, aangezien hij daarmee juist recht op de stieren afstormde, in plaats van andersom. Misschien wilde hij de dieren zo de baas zijn. Hoe dan ook, hij greep me bij mijn shirt en wierp me op straat. Op dat moment vond ik het hoogst irritant en tamelijk onbeleefd, maar toen ik naderhand de videobeelden zag, bleek dat de punt van een van de hoorns slechts een paar centimeter van mijn rug was verwijderd. Het moge duidelijk zijn dat ik de veiligheid van de arena wist te bereiken waar ik over de afzetting heen kon klimmen om me weer bij de filmploeg te voegen. De rest van de dag probeerden we op melige wijze uit te vogelen of de Lamborghini eenzelfde adrenalinestoot kon opwekken als mijn recente stierenachtervolging. Niet dus.

Iemand van ons team opperde dat we voor *Top Gear* moesten onderzoeken wat er gebeurt wanneer een auto door de bliksem wordt getroffen. Het zou uiteraard een lange en dure zit worden als ik ergens op een veld, zittend in een auto naast een nog nasmeulende eik, zou moeten wachten totdat ik eindelijk aan de beurt zou zijn. Wat we nodig hadden, was een bliksem op afroep. Die vonden we in een Duits hightech laboratorium waar ze die kunnen opwekken. Uiteraard bood ik me weer aan als proefkonijn en ik werd er samen met een filmploeg heen gezonden om ervoor te zorgen dat de bliksem op z'n minst één keer, mogelijk twee à drie keer op de juiste plek insloeg.

Merkwaardig genoeg was de sfeer die dag geladen. De auto stond op een terrein omringd door prikkeldraad dat volhing met waarschuwingen die aangaven dat voorbijgangers, alvorens te worden ingerekend, het gevaar liepen door miljoenen volts te worden geroosterd. De filmploeg had zich achter het hekwerk geïnstalleerd. In de controlekamer draaide de Duitse geleerde aan de knoppen en tuurde naar de metertjes. Ik zat in de auto en vroeg me af hoe het zou zijn om door de bliksem te worden getroffen. We stonden klaar om het principe van de kooi van Faraday te demonstreren. Dit houdt in dat de elektriciteit die met deze gigantische, complexe installatie werd opgewekt en op de auto zou worden losgelaten, niet dwars door het voertuig heen zou gaan en het hele interieur, mij incluis, zou gaar stomen, maar langs de metalen buitenkant en ten slotte met een sprongetje van de wielen naar de aarde zou wegvloeien. De banden zouden niet in rook opgaan, de voorruit zou niet uit elkaar klappen, mijn haar zou niet alle kanten op gaan staan en de directeur zou naderhand geen ingewikkelde formulieren hoeven in te vullen.

Wat er zou gaan gebeuren, was een wetenschappelijk vastgesteld fenomeen, een absoluut feit, net als welk ander wetenschappelijk feit dan ook: laat een baksteen op je hoofd vallen, en het doet zeer; leg een bal boven op een heuvel en hij rolt naar beneden; verwarm water tot honderd graden Celcius en het gaat koken. Die bliksem kon het niet zomaar opeens over een andere boeg gooien, ofwel uit nieuwsgierigheid dan wel omdat het dinsdag was. Toch, wachtend in de auto terwijl buiten de apparaten zoemden en knetterden en de geleerden op de metertjes de miljoenen volts aflazen die speciaal voor mij werden opgewekt, voelde ik de bekende nervositeit opkomen. Dergelijke wetenschap roept altijd weer een dik, vet en volkomen onlogisch 'stel dat...?' op. 'Stel dat' de regels der wetenschap juist deze dag plotseling heel eventjes veranderen? Er is immers voor alles een eerste keer... 'Vuur,' riepen de geleerden opeens, of iets van die strekking. Een luid geknetter, een spookachtig blauw schijnsel rondom de auto... en dat was het.

In een fractie van een seconde hadden enkele miljoenen van de beste zelfgemaakte Beierse volts, hunkerend naar de metalen carrosserie van de auto en de aarde eronder, het twee meter metende gat tussen de hoogspanningskabels en het dak overbrugd. Voor de camera zei ik iets in de trant van: 'Als ik nu zonder vleugels en aureooltje tegen jullie zit te praten, dan hebben we aangetoond dat de theorie klopt.' En dat was zo. Ik was niet dood, en dus pakten we de boel weer in en keerden huiswaarts.

Onderweg naar huis had ik wederom nieuws voor Mindy, over de volgende stunt waaraan ik me in het kader van de journalistiek, entertainment en hypotheekaflossing aan zou kunnen wagen. Ik wist zeker dat ze er niet van zou schrikken. Alle stuntonderwerpen waren terdege onderzocht en grondig gepland geweest, en dat wist ze. Bij de tv staat veiligheid in hoog aanzien, want je kunt altijd persoonlijk aansprakelijk worden gesteld, in beginsel zo niet volgens de wet. Als jij staat te slapen en een ander is zwaar de pineut, is het met jou als verantwoordelijk programmaleider gedaan en kun je weleens achter de tralies belanden als het echt allemaal jouw schuld is geweest. Het is een goed systeem dat ons, onze ouders en onze geliefden de nodige rust geeft.

Ik was weer thuis en had de voordeur nog niet op een kier of ik werd al belaagd door kinderen en dieren. Toen ik bij *Top Gear* kwam, hadden we toch maar besloten om ons kleine huisje op het platteland te kopen en nu deelden we het met twee dochtertjes: Isabella had inmiddels gezelschap gekregen van zusje Willow, nu drie jaar, en vijf honden, vier katten, vier paarden, een kleine kudde schapen en een handvol kippen. Van en naar Londen was een hele reis, maar de beloning was het vooruitzicht van complete rust, weg van alles, in een prachtige omgeving. Mindy vond het nog steeds waanzinnig dat ze ergens woonde waar ze haar eigen paard kon houden, in plaats van naar een afgelegen boerderij te moeten om te betalen voor het lenen van iemand anders z'n viervoeter. Zelfs in de winter kon je haar op de meeste ochtenden al vroeg heuvelop zien sjokken om de schapen te voeren, de honden een frisse neus te bezorgen of om een paard naar de weide te brengen. Een dergelijk plattelandsleventje liet weinig tijd over om in Londen de hippe feestjes af te struinen, maar we wisten dat als we thuis waren, het oost west, thuis best was, ver weg van al het andere. We genoten van paardrijden, met de honden wandelen en met de kinderen lange zwerftochten door de bossen maken. Mindy had een passie voor auto's ontwikkeld die zich bijkans kon meten met de mijne en we vonden het heerlijk om in onze Land Rover de bossen rond Eastnor Castle te verkennen waar eind jaren veertig de originele Land Rovers werden ontwikkeld. En, wanneer de tijd en kinderen het toelieten, pakten we de motor. Mindy had in 2005 haar motorrijbewijs gehaald, en ik had haar op haar verjaardag in juli verrast met een Harley. Zelf had ik er ook eentje gekocht, en zo vormden we 's werelds kleinste en minst intimiderende motorclub, rijdend over de lokale landweggetjes en lachend naar elkaar totdat we elk moment in een heg konden belanden.

Maar het werk begon zijn sporen na te laten. Er waren momenten geweest dat Mindy moeite had met de stunts die ik voor *Top Gear* deed. Ook al wist ze waar ik mee bezig was, het kijken ernaar viel haar zwaar. Toen we allebei op tv de auto langzaam in het waterbassin zagen verdwijnen, keek ik even opzij en zag de tranen in haar ogen staan. Ze vertelde me dat ze doodsangsten had uitgestaan, over mij, in die auto terwijl het water alsmaar steeg, ook al was het weken later en zat ik, bepaald niet verdronken, veilig naast haar. Toen het item over het stierenrennen werd uitgezonden, zei ze dat ik gestoord was en waarschuwde ze me dat het nog eens mijn dood zou worden. Het was slechts half schertsend bedoeld, vrees ik.

Die avond hadden we het nog even over dat 'retesnel'-idee. Maar dat zou waarschijnlijk nog lang op zich laten wachten en misschien wel nooit realiteit worden. En dus verdween het in een laatje in ons achterhoofd, naast de alsmaar groeiende lijst van dingen die een onzekere toekomst al dan niet in petto heeft.

5
De jetcar, een werkdag als alle andere

Over nog geen vierentwintig uur zou ik in een diepe coma liggen waarbij mijn beschadigde hersenen binnen mijn schedel levensbedreigend opzwollen. Maar op dit moment bevond ik me nog in landelijk Bedfordshire, op mijn hurken in de luwte van een Land Rover terwijl ik graspollen uit de keel van mijn hond peuterde. Vreemd genoeg had dit werkje een kalmerende uitwerking, zowel op de hond als op mij, en ik liet mijn gedachten afdwalen naar de opnamen van die dag. Alles was goed verlopen, voor een *Top Gear*-opname.

We werkten aan een scène waarin we alle drie milieubewuster wilden gaan leven door onze eigen biobrandstof te maken. Om dit te kunnen doen, zouden we een hele akker vol tarwe moeten verbouwen, die uiteindelijk kon worden verwerkt tot iets wat zo goed was als diesel. Dit betekende dat we eerst een beetje gingen boeren, waarna we zouden gaan ploegen. En dat betekende spelen met tractoren. James was erin geslaagd om de zijne in een drassige hoek van de akker te parkeren; Jeremy had springstoffen gebruikt omdat het langzame ploegwerk hem was gaan vervelen, en mij was het gelukt om mijn ellenlange en, het moet worden gezegd, zeer dure ploeg achter mijn rupsbandtrekker van zesentwintig ton vast te knopen. Eerder op de dag had ik de tractor nog buiten voor een krantenkiosk geparkeerd terwijl ik even was binnengewipt om voor het hele team een voedzame boerenlunch te scoren. Het was wel een heel erg grote tractor, en toen ik met een plastic tas vol smeerkaas, Amsterdamse uien en melk de winkel uit stormde, zag ik dat mijn enorme machine de hoofdstraat, en in feite de enige straat van het dorp, had geblokkeerd. Een buschauffeur zat aan zijn stuur binnensmonds te vloeken. Een dame in een BMW schold me keihard uit, en in heel de straat bewogen de gordijnen terwijl de bewoners een bekende vent van tv met een rood aangelopen hoofd een beest van een tractor met rupsbanden zagen beklimmen om even later de smalle straat uit te rollen, waarbij hij de geparkeerde auto's aan weerskanten op een haar na miste.

Top Gear Dog – of TG zoals ze bij ons thuis, waar ze met onze vier andere honden woont, liefkozend wordt genoemd – had enorm genoten van haar dag. We hadden haar alvast naar buiten getrokken om de schapen van het veld te drijven voordat onze ploegpogingen konden beginnen. Ik stond met de andere jongens aan de rand van het veld, en we vroegen ons hardop af hoe we die beesten eraf gingen krijgen. De andere twee wezen naar mij en de bastaard en stelden voor dat we net deden als *One Man and His Dog* en ze bijeen te drijven. We hoopten dat TG er weinig van zou bakken en dat de scène de kijker even zou opvrolijken waarna we pas echt aan de slag zouden gaan. Ze stelde ons niet teleur; ze was spectaculair slecht in haar rol als schaapsherdershond. Eigenlijk was ik zelf nog beter. De helft van het probleem sproot voort uit het feit dat ze met haar lichte, wollige vacht meer op een schaap lijkt dan op een hond, waardoor onze slachtoffers zich in haar gezelschap prima thuis voelden. In plaats van doodsbang weg te vluchten knikten ze even vriendelijk naar haar om daarna weer gezellig verder te grazen. Wij renden op ze af, gleden uit en vielen met ons neus in de modder, renden nog wat heen en weer, brulden, blaften, vielen weer en werden een goed halfuur uitgelachen voordat er een echte herder arriveerde. Het bleek een Australiër te zijn die regelmatig overkomt om met zijn twee bordercollies hier te werken. Ze deden ons nog nuttelozer overkomen dan we zelf al hadden gedaan. Maar het waren fantastische schaapsherdershonden; prima werkhondjes die de indruk wekten dat ze wel iets beters te doen hadden dan een beetje rondhangen terwijl ik tegen ze kletste en hun oren aaide.

Toen Jeremy's springstoffen gereed waren voor zijn demonstratie snelploegen bracht ik TG op veilige afstand en kroop met haar in het lange gras onder een Land Rover, gereed om troost en kalmerende woordjes te bieden zodra het moment daar was. Met een stuk of acht doffe dreunen gingen ze af en je voelde de grond gewoon trillen. In de wijde omtrek stegen alle kraaien op van hun tak en krasten naar de lichtgrijze herfsthemel. Na de klap regende het aarde en steentjes die de verzamelde filmploeg deden gillen en schreeuwen terwijl ze bekogeld werden. TG trok één wenkbrauw op, keek me aan, legde haar kop op haar poten neer en ging weer slapen. Die laat zich dus niet snel van de wijs brengen. Na het filmen die dag zou ik haar meenemen naar York; het leek me dat haar aanwezigheid op het vliegveld, met mij in de jetcar, het geheel een best wel vrolijk pilotensfeertje zou geven. We hadden alvast vooruit gebeld naar de mensen van het hotel waar we die avond zouden verblijven, en hoewel ze doorgaans geen honden toestonden, verheugden ze zich op haar komst en lieten haar graag in mijn kamer pitten. Ik betwijfelde of TG de voordelen van haar nieuwe sterrenstatus wel zou waarderen, maar ik was blij met haar gezelschap.

We waren net gereed met de opname van de laatste scène van die dag, en ik maakte me op om naar York te gaan. De jongens die mijn tractor hadden gebracht, waren een fantastisch stel, en ik bedankte hen uitbundig dat ze mij zo'n kostbaar werktuig hadden toevertrouwd. Daarna ging ik naar de mensen aan wier zorg ik TG had overgelaten. Al meteen toen ik haar zag, wist ik dat er iets mis was. Ze had de hele middag langs de randen van de akker op en neer gerend, waarbij enkele miljoenen stekelige grasbolsters aan haar lange en wollige vacht waren gaan klitten. Ze zaten zo vast dat ze haar ongemak bezorgden, en ze wrong zich in allerlei bochten in een poging ze te verwijderen. Ik ging zitten en plukte er zoveel mogelijk uit, maar het was hopeloos. Ik belde Mindy; zij overlegde met de dierenarts, en we waren het eens dat er slechts één alternatief was. Een lid van het productieteam zou haar naar huis rijden, waar een specialist alle bolsters zou verwijderen. Ze ging niet mee naar York en zou de jetcar dus missen. Ik zou háár missen. In de weken daarna, toen het verhaal van de volgende dag nieuws werd, zou een foto van mij zittend op de grond met haar, terwijl ik die grasbolsters uit haar vacht pulkte, in een aantal kranten worden gepubliceerd. Maar dat wist ik toen natuurlijk nog niet. Ik belde Mindy en legde haar uit dat ze elk moment bezoek kon krijgen van Pete, een van onze voorbereiders, samen met een zelfs nog smeriger TG dan normaal en die nodig naar de hondentrimmer moest. Mindy begreep het helemaal en was blij dat we zo verstandig waren geweest om haar naar huis te sturen voor de zorg die ze nodig had. Ik nam afscheid, en TG oogde inmiddels behoorlijk opgewekt achter in Petes auto, klaar om naar huis te gaan en te worden ontbolsterd. Toen ik door de vacht boven op haar kop kroelde, keek ze met de tong hangend uit haar bek naar me op. Ik zag gewoon dat ze blij was.

Ik pakte mijn spullen in de auto en maakte me op om te gaan. De verschillende ploegen pakten hun filmuitrusting in en maakten zich klaar om naar diverse locaties uit te waaieren voor opnamen de volgende dag. Bij de voorbereiding van een nieuwe serie werkt iedereen keihard om zoveel mogelijk opnamen op locatie gereed te krijgen voordat we het allemaal te druk hebben met de studio-opnamen van het programma. Dat betekent dat de ene filmdag in de andere kan overlopen. De ene dag volgen cameramannen en geluidstechnici Jeremy terwijl hij in een Lamborghini over de testbaan van *Top Gear* scheurt, de volgende dag is er een wedstrijd tussen een van ons in een terreinwagen en een vent op een mountainbike die een modderige heuvel af sjeest en nog weer een dag later zinken we met z'n drieën in een meer terwijl we auto's amfibisch proberen te maken. Het houdt iedereen scherp. James en Jeremy vertrokken naar hun eigen opnamelocatie, en iedereen wist dat we elkaar de volgende dag over de telefoon zouden spreken om te zeuren over dat het weer onze opnamen had verknald of om op te scheppen over hoe geweldig alles liep. Jeremy vroeg me wat ik ging doen. Die wagen met straalaandrijving in Elvington, antwoordde ik.

'O, dus je gaat er echt in rijden?'

'Ja.'

'Vaarwel.' Op een manier die geen enkele tegenspraak duldde, stak hij zijn hand uit zoals je zou doen naar een man die naar de galg loopt. Dit was eigenlijk een standaardgrapje, iets wat we onder elkaar bijna dagelijks doen. Hij beweerde dat ik zo goed als zeker zou 'omkomen' bij een vreselijke crash.

'Ja, het zal wel. Het wordt gaaf. Ik verheug me erop. Wat ga jij doen?'

'De nieuwe Jaguar x k r.'

'Nou, geniet ervan. Tot snel. Ik bel je morgen wel.'

Ieder ging zijns weegs, ieder met zijn eigen gedachten over de dag die achter ons lag en de dag die zou komen. Ik belde naar huis. Mindy had net Izzy van school en Willow van het kinderdagverblijf opgehaald, en we kletsten over hun dag. Zoals altijd was Izzy buiten adem van opwinding en vertelde me over haar zwemles, over de geweldige lunch waarvan ze een tweede portie had genomen en over hoe vaak ze na afloop om het veld had gerend. Toen ik Willow aan de lijn kreeg, giechelde ze, brulde ze tegen haar grote zus omdat die haar een duw had gegeven en zei ze net zo snel weer gedag als dat ze hallo had gezegd. In gedachte zag ik hen in de keuken terwijl ze Mindy hielpen met de afwas voordat ze nog één spelletje mochten spelen en dan naar bed, en ik kreeg heimwee. Soms, wanneer ik mijn gezin mis, voel ik het letterlijk in mijn borst en beneemt het me de adem. Wanneer we voor opnamen voor *Top Gear* allemaal van huis zijn, is er rond zeven uur 's avonds altijd een moment dat Jeremy, Andy Wilman, ik en de andere teamleden met een jong gezin zich met een mobieltje aan het oor geplakt even afzonderen om de kinderen welterusten te wensen. Hoeveel lol we ook hebben als we aan het werk zijn, er zijn momenten dat het ieder van ons spijt dat we niet thuis zijn om onze kinderen in te stoppen en een kusje voor het slapengaan te geven. Uiteraard zouden we het over dit gevoel tijdens de shoot of in de hotelbar normaliter niet hebben, maar iedereen weet dat het speelt. Ik wenste mijn twee dochters welterusten, beloofde Mindy dat ik haar op de lange reis naar het noorden wel een paar keer zou bellen en bereidde mezelf voor op een ellenlange rit.

Van de akker in Bedfordshire naar het hotel in York was het minstens drie uur rijden. Vanwege mijn werk rijd ik natuurlijk in veel verschillende auto's om voor de *Top Gear*-opnamen teksten te kunnen schrijven of om ze voor mijn column in de *Mirror* te bespreken. Ik had een Honda S2000 tweezits sportwagen geleend en, hoewel misschien niet ideaal voor een lange reis, verwelkomde ik de afleiding van een testauto en dacht ik bijna de hele rit na over wat ik zou schrijven zodra ik weer terug was van de opnamen van de volgende dag. Gelukkig was Pat Doyle, de producent van het programma, de hele dag bij de tractoropnamen aanwezig geweest en zou hij er de volgende dag ook bij de shoot van de jetcar bij zijn. Pat is een heel relaxte Ierse vent met lang haar, die op dezelfde manier reisde als ik: hij had zich aangeboden om in een gehuurde Range Rover vol filmapparatuur en voldoende filmbanden voor de ploeg uit te rijden. Ik had zijn aanbod aanvaard, omdat dit betekende dat hij de navigatie deed en ik kon profiteren door alleen maar zijn achterlichten te volgen.

Het was een heel eind, maar het was mooi weer, de dagelijkse avondfiles vielen mee en ik had de radio als gezelschap. Ik nam plaats achter het stuur, ontspande mijn schouders, draaide mijn hoofd heen en weer en dacht aan de jetcar waar ik de volgende dag in zou rijden. Voor de shoot hadden we veel onderzoek gedaan en een geweldig script voorbereid. Het ging niet om de absolute snelheid, maar meer om het gevoel dat je krijgt als je met tienduizend pk in een auto met straalaandrijving rijdt. Ik probeerde me voor te stellen hoe het moest zijn om de kracht van elf Formule 1-bolides de vrije loop te laten, en de adrenaline die bij die snelheid in één keer door je lijf giert, maar dat lukte me niet. Ik concentreerde me weer op de weg voor me, die werd beschenen door mijn koplampen. Ik keek naar de bomen en lantaarnpalen die voorbij zoefden en probeerde hun snelheid met een factor van drie of vier te vermenigvuldigen. Ik kon me er niets bij voorstellen. Dit zou een heel nieuwe ervaring worden die, zo vermoedde ik, mijn idee van snelheid voorgoed zou veranderen.

De afgelopen paar weken hadden we veel gepraat over hoe we deze kans om een bijzondere machine aan de tand te voelen het beste konden benutten. We waren het er allemaal over eens dat we ons niet te veel door de cijfertjes moesten laten meeslepen. Dit moest een item worden over hoe het aanvoelde, en niet zozeer over hoe snel dat ding kon. Voor iemand die zo'n beetje in elke testauto en superauto heeft gereden, aan een paar wedstrijden heeft meegedaan en in een aantal tamelijk bijzondere machines over startbanen heeft gedenderd, maar nog nooit de stuwkracht van een straalmotor aan den lijve heeft ondervonden, zou het een boeiend experiment worden. Als ik te lang naar de snelheidsmeter keek en de bolide nog wat harder op zijn staart trapte voordat het einde van de startbaan in zicht kwam, bestond er een reëel gevaar dat ik iets verkeerd deed en dat kon rampzalig uitpakken. En hoe dan ook, een auto met zoveel power en met zo'n baanrecord, daarvan wisten we dat hij voor ons doel snel genoeg zou gaan. De beste aanpak, zo besloten we, was dat er geen snelheidsmeter in de auto zat en dat niemand me zou vertellen hoe snel ik had gereden. Dat zouden we allemaal wel te weten komen dankzij het telemetriesysteem aan boord, dat de snelheid van de auto, de acceleratie, de G-krachten en alles wat ik bij het besturen deed, zou vastleggen. Maar die informatie zouden we pas in de studio, dus nadat ik had gereden en de auto weer veilig had geparkeerd, bekijken. De bouwer van de auto, die er bij dragraces en andere evenementen in binnen- en buitenland regelmatig mee reed, zou me leren hoe ik hem moest besturen. Ik zou langzaam beginnen en de snelheid naarmate de dag vorderde stapje voor stapje opvoeren en in een tempo waar zowel de eigenaar als ik zich happy bij voelde.

Colin Goodwin, een vriend van me, had al eens in dezelfde auto gereden. Hij is ongeveer net zo oud als ik, ook autojournalist en was een paar jaar daarvoor uitgenodigd om de Vampire elders over een startbaan te jagen en er in zijn blad over te schrijven. Hij is absoluut geen enthousiast avonturier, maar aan de andere kant wel heel gelukkig als hij met motoren of snelle auto's mag rijden. Colins nuchtere uitleg bleek heel nuttig bij onze voorbereidingen en, natuurlijk, voor het bevredigen van mijn nieuwsgierigheid naar wat mij te wachten stond. Het was een verbijsterende ervaring, had hij me verteld. Hij was ruim 430 kilometer per uur gegaan en was het begrip snelheid vanaf dat moment heel anders gaan bekijken. Hij stelde me gerust dat de machine eigenlijk heel gemakkelijk te bedienen was en garandeerde me dat ik een geweldige dag in de jetcar zou beleven. De b b c had een technisch specialist gestuurd om de auto nog eens grondig na te lopen zodat alles in orde was. En dat was ook zo; de auto zag er geweldig uit, en ik verheugde me op mijn rit zoals je je verheugt op een spannende maar tegelijk ook beangstigende belevenis waarvan je weet dat je er een kick van zult krijgen.

Ondertussen reed ik in de geleende Honda waarover ik in een paar dagen een stuk moest schrijven en waarover ik nog geen enkel boeiend feitje kon bedenken. Ik had nog zeker honderdvijftig kilometer te gaan naar York en ik rammelde van de honger. Een pitstop bij een pompstation voor een tussendoortje legde mijn knorrende maag het zwijgen op, en een telefoontje met Mindy doorbrak de verveling. Pats Range Rover zwoegde voort en ik volgde plichtsgetrouw, waarbij het Hondaatje de grote fourwheeldrive weliswaar bijhield maar met, zo vermoedde ik, tamelijk meer herrie aan boord. Dit soort ritten vormen een onontkoombaar onderdeel van mijn werk en je went er wel aan, denk ik. Het biedt je de kans om eindelijk even alleen te zijn met je gedachten, om je hoofd leeg te maken en je voor te bereiden op wat voor je ligt. Rond zeven uur reden we York binnen om vervolgens vreselijk te verdwalen in de wirwar van eenrichtingswegen. Ik heb een jaar of drie in York gewoond en gewerkt, maar ik raak er zonder kaart net zo verdwaald als in Tokyo. Op een vorige werktrip naar de stad had de ploeg me gevraagd een restaurant aan te bevelen om die avond een hapje te eten. Ik had er immers zo lang gewoond, dus ik moest wel een paar suggesties hebben. Ik moest hun geduldig uitleggen dat toen ik nog voor een miezerig loonzakje bij de lokale radio werkte ik daar weliswaar had gewoond, maar er nooit een restaurant had bezocht en slechts de keuken van mijn huurkamer kon aanbevelen voor een blik gore noedels en een lauw biertje. Toen we die avond eindelijk een eetgelegenheid vonden, bekogelden ze me met broodjes. Ze geloofden mijn excuus niet, denk ik, maar dat ik iets had weten te vinden was voor mijzelf ook een verrassing. Ik koester dierbare herinneringen aan mijn tijd in York en realiseer me nu hoeveel ik er heb gemist.

Deze en andere gedachten hadden me bijgestaan bij mijn gefrustreerde pogingen om Pats Range Rover te volgen door de nauwe straatjes van een stad die was gemaakt voor paarden, niet voor bakbeesten van terreinwagens uit de eenentwintigste eeuw. Uiteindelijk vonden we de weg naar ons hotel, parkeerden de wagens in de ondergrondse garage en begaven ons naar de receptie. De filmploeg was er al en had inmiddels gegeten en zich in de bar geïnstalleerd voor een biertje voor het slapengaan. De avond voor een opnamedag al te hard van stapel lopen kan de volgende dag alleen maar tot ellende leiden, die les had iedereen lang geleden al wel geleerd, dus het zou geen al te lang samenzijn worden. We troffen iedereen rondom een paar tafels in een hoek van de iets te felverlichte bar, onder een tv aan de wand waar Sky News and Sport aan stond. Ook het team dat de auto had gebracht was aanwezig. Colin Fallows, de bouwer van de jetcar, zat in een hoek van de blauwe, Breakfast TV-achtige zitbank en ik nam naast hem plaats, erop gebrand meer te weten te komen over wat me de volgende dag wachtte.

Het werd een ontspannen en aangenaam gesprek. Als techneut

en hartstochtelijk bestuurder was Colin iemand met wie ik vast en zeker goed zou kunnen opschieten. Hij had een lange diensttijd bij de RAF achter de rug, waar hij tientallen jaren met straalmotoren had gewerkt, en hij bezat een schat aan verhalen, anekdotes en technisch inzicht aangaande straalmotoren, vliegtuigen en, uiteraard, dragsters. Ik werd verrast en gecharmeerd door zijn rustige manier van doen. Ik had een geestdriftig bravouretype verwacht, maar merkte dat Colin juist tegengestelde karaktertrekken had. Al snel hadden we een aangenaam gesprek over hoe hij de auto had gebouwd en waarom. Ik bekeek hem eens goed, een klein, ietwat gezet mannetje dat meer op een vriendelijke bankdirecteur of kostendeskundige in de bouw leek dan iemand die de gewoonte had om achter het stuur van een dragster te kruipen die hem tot snelheden van meer dan 450 kilometer per uur voortstuwde. Zo zie je maar weer dat je pas iets van mensen kunt zeggen als je met hen hebt gepraat. Toen ik naar de bar snelde om onze drankjes bij te vullen, met voor mezelf slechts een cola, was het barmeisje verrast een van de mannen van *Top Gear* in levenden lijve te zien en ze vroeg me wat we hier deden. Ik vertelde over de dragster op het vliegveld bij Elvington en voelde me onwillekeurig best wel een beetje trots toen ik haar langs mijn neus weg vertelde dat hij over een enorme straalmotor beschikte en binnen enkele seconden naar de 450 kilometer per uur kon accelereren. Ik was natuurlijk aan het opscheppen, wat de anderen niet was ontgaan toen ik met de drankjes terugliep.

Ik glipte vrij vroeg de bar uit om naar bed te gaan, hoewel ik vermoedde dat de rest ook niet al te lang zou blijven hangen. Op mijn kamer stond een hondenmand met een Schotse ruit en een metalen etensbak die was klaargezet voor TG. Mijn hond zou inmiddels weer bij Mindy zitten in plaats van hier naast me op de loer te liggen. Het stemde me treurig, nu ik weer besefte dat ze niet bij me kon zijn, maar ik was ook wel blij haar niet te hoeven uitlaten op het hotelterrein totdat ze klaar was met haar 'avondtoilet'. Ik belde Mindy. TG maakte het goed en zou de volgende ochtend naar de trimmer gaan. De kinderen lagen rustig te slapen en zij zou ook zo naar bed gaan. We wensten elkaar welterusten. Het zoveelste hotel, het zoveelste hotelbed, de zoveelste nacht die ik levend uit een koffer doorbracht en waarin ik de badkamer in trippelde met een toilettas vol tandpasta, scheermessen en miniflesjes shampoo, ontvreemd uit hotels van over de hele wereld. De volgende dag beloofde een spannende te worden en ik verheugde me er enorm op. Nog even en de rit met de jetcar zou alweer achter de rug zijn en ik zou weer naar huis afreizen. Maar eerst slapen.

6

20 september 2006

Ik stak een arm onder het geplisseerde zoomgevalletje langs de rand van het bed en strekte al zoekend mijn vingers. Misschien dat de autosleutels 's nachts van het nachtkastje op de grond waren gevallen en op een of andere manier onder het bed waren beland. Maar ik kon ze niet vinden. Zo-even stond ik al bij mijn kamerdeur, met de tassen hangend aan mijn schouder en met mijn jas over mijn arm, klaar om te vertrekken, toen het tot me doordrong dat er iets ontbrak. Even later duwde ik al hijgend en puffend, met mijn gezicht slechts een paar centimeter van de vloerbedekking, mijn schouder wat meer onder het bed en reikte nog verder de stoffige duisternis in alwaar mijn vingers zo meteen welhaast zeker op een reusachtige, giftige spin zouden stuiten en ik die ochtend niet meer bij het ontbijt zou verschijnen. Maar er viel niets te vinden. Ik trok mijn hand terug, waarbij ik een ietwat pijnlijke schuurplek van de vloerbedekking opliep, en ging weer staan. Op zich ben ik fit genoeg, maar deze vreemde, haastige manoeuvre had me letterlijk de adem benomen, hoewel dit waarschijnlijk net zoveel met spanning als met vermoeidheid te maken had. De tijd drong. Het ontbijt had ik al laten schieten, want ik wist dat ik zo meteen op het vliegveld wel iets kon eten terwijl de crew de boel in gereedheid bracht en we ons voorbereidden op de eerste opnamen van deze dag. Ik moest alleen maar die verdomde sleutels zien te vinden om daarna snel naar de ondergrondse parkeergarage te sprinten, waar ik Pat zou treffen. Ik beende naar de deur en bukte om mijn schoudertas te pakken. Ja, het getuigde van een obsessieve, nerveuze geest, maar het leek me toch verstandig om nog één keer te kijken of de sleuteltjes misschien ergens in de tas verborgen zaten en ik ze bij mijn zoektocht over het hoofd had gezien. En ja hoor, ik vond ze in het opbergvakje aan de voorkant, ingeklemd tussen het bruinlederen etui voor mijn paspoort en mijn zwarte aantekenboekje. Die heerlijke opluchting als je iets vindt waarvan je dacht dat je het kwijt was, gevolgd door irritatie: chaotische sukkel die je er bent. Ik pakte snel mijn weekendtas, hees mijn linnen tas aan mijn schouder, legde mijn bruine leren jas over mijn arm, trok de deur open en beende de gang in. Mijn voeten vervolgden stilletjes hun weg over het felblauwe tapijt en achter me viel de deur met een klap, en een klein rammeltje, terug in het slot. Pat zou al in de garage op me wachten. Ik zette het op een drafje.

Na enig moeizaam navigeren bereikte ons kleine konvooi dan toch vliegbasis Elvington. Aan het begin van de betonnen startbaan hadden we ons kamp opgeslagen en onze verzameling auto's en crewbusjes stond op het tarmac geparkeerd. Het was een open gebied, met in de verte dennenbossen die het vliegveld omzoomden. De lucht was blauw en er stond een licht briesje. Ik parkeerde de kleine Honda, stapte uit en begaf me snel naar het plukje mensen dat zich had verzameld rond wat duidelijk een rijdende hamburgertent of iets dergelijks was. Ik zag Scott, de regisseur, en zei goeiemorgen.

'Alles goed?' vroeg hij. Zoals altijd zag hij er in zijn modieus gekreukte kleren uit alsof hij net uit een nachtclub of van de set voor een tv-commercial kwam.

'Yep. Dit wordt dus de grote dag.'

'De auto al gezien?'

'Nee. Ik ben benieuwd. Waar is Colin?'

'Met de auto bezig. Ze komen zo meteen.'

Ik bestelde een kop thee en een bacon sandwich. Wat eten op locatie betrof hadden we ons een soort simplistische, militaire benadering aangemeten die luidt: kun je eten, doe dat dan, want wie weet is het je enige kans die dag. Ik at mijn sandwich en kletste met een paar jongens van de brandweer. Voor hen zou dit een interessante dag worden. Ze waren uiterst benieuwd naar hoe wij te werk gingen en wat er allemaal bij kwam kijken om een stukje *Top Gear*-tv te fabrieken.

Met een hete kop thee in mijn hand zocht ik Scott weer op en we namen nog even kort de planning door. Er was een hoop te doen, maar voor deze keer konden we ons slechts schikken in het tempo waarin de dingen zich voltrokken. Vandaag viel er niets af te dwingen. Ik moest eerst kennismaken met de bolide en leren hoe ik hem moest besturen. Haastwerk was uit den boze. Er stonden een paar opnamen op de agenda waarin ik het een en ander over de auto zou vertellen en hoe hij was gemaakt, maar we spraken af die pas na afloop te maken. We konden de startbaan tot vijf uur die middag gebruiken, waarna er vanwege geluidsrestricties minder gelegenheid zou zijn om een run te maken. Door een paar stukjes van de reportage pas na het rijden te doen, konden we de dag zo goed mogelijk benutten. Ik regelde nog een kop thee en nam zittend in mijn Honda het script door. Bij een onderwerp als dit kun je eigenlijk maar weinig van tevoren op papier zetten, maar toch konden we alles goed structureren en kenden we de hoofdpunten. De enige stukjes die in de loop van de dag verder ingekleurd dienden te worden, waren mijn reacties op de ritten. We wilden laten zien hoe het aanvoelde, wat er allemaal door mijn hoofd ging en hoe dit zich liet vergelijken met de indrukken van al die andere snelle bolides die ik aan de tand heb gevoeld. Ik belde Andy Wilman in Londen, die zoals altijd druk bezig was in de montagekamer, waar hij toezag op het samenvoegen van de stukjes en beetjes die tezamen het beeld, de sfeer en het gevoel van *Top Gear* bepalen, terwijl hij tussen de bedrijven door de redactie achter de broek zat. Als we op locatie zijn, bellen we elkaar voortdurend. Het is nuttig om een klankbord te hebben dat zich op enige afstand bevindt en dus voor het broodnodige perspectief kan zorgen. Andy benadrukte nog eens om vooral niet gefixeerd te zijn op het aantal kilometers per uur. We waren het erover eens dat dit voornamelijk moest gaan over het lawaai, de acceleratie en de sensatie dat je zelf aan het stuur zat. Zodra mijn eerste rit erop zat, zou ik hem terugbellen.

Voordat ik zelf maar kon plaatsnemen in de Vampire, laat staan aan de bedieningsorganen kon zitten, zou Colin eerst een proefrit maken. Waarschijnlijk was dit de enige manier waarop hij zich gerust kon stellen met de wetenschap dat alles naar behoren functioneerde: het was een praktijkbenadering die je van hem kon verwachten. Het busje, met daarachter de jetcar op sleeptouw, reed ons tegemoet en ik kreeg de bolide voor het eerst te zien. Het verbaasde me hoe lang hij was. Dit leek meer op een top fuel-dragster waar ik als kind al zo verzot op was geweest. Dan zat ik voor de tv en wroette ik in mijn enorme plastic emmer met lego naar de juiste steentjes om een dragster te bouwen die er precies zo uitzag als de Vampire, met zijn ranke chassis, dikke, vette achterbanden en dunne, kleine voorwielen. Maar mijn bouwsels ontbeerden steevast die vreemde, metalen cilindervormige toevoeging vlak achter het hoofd van de bestuurder. Dit was de straalmotor, het hart van de machine en het onderdeel waarom het allemaal ging. Ik had een kleiner, compacter geheel verwacht, maar dit gevaarte zag er groot en technisch uit, en was maar voor één ding gebouwd. Colin was inmiddels ingesnoerd en stuurde de bolide naar de startstreep. Vanaf de rand van het betonnen tarmac keken we van een paar honderd meter toe. Het busje werd losgekoppeld en iets schuin voor de jetcar geparkeerd. Colins technische assistent sprong naar buiten en controleerde en sleutelde wat aan dingen zonder dat ik er iets van begreep, maar waarvan ik vermoedde dat ze toch belangrijk waren. Ons hele team hield op met waar het mee bezig was en keek zwijgend toe. De wetenschap dat een van ons zo meteen aan de beurt zou zijn, maakte de demonstratie er alleen maar interessanter op.

Ondertussen gleden mijn gedachten eventjes naar wat me deze dag te wachten zou staan. Dit was voor mij een nieuwe wereld, met motoren die heel anders werkten dan die ik ken en begrijp. Ondanks de grote afstand kon ik Colin en zijn assistent instructies naar elkaar horen roepen en even later ving ik het onmiskenbare geluid van een startende straalmotor op. Het gejank zwol aan tot een gegier en de assistent liep weg. We wachtten en met het crescendo van de motor steeg ook de spanning. Hete lucht zinderde nerveus om de achterkant van de auto waar de gigantische stuwkracht de heldere herfstochtend aan flarden scheurde. Zonder enige waarschuwing vloog de bolide vooruit. Een steekvlam schoot uit de straalpijp, en het gebulder sloeg ons om de oren. Colin gebruikte de naverbrander, dus dit zou een run op vol vermogen zijn, zo wist ik uit ons gesprek van de avond ervoor. Ik probeerde me voor te stellen hoe het moest zijn om door een motor van tienduizend pk in je stoel te worden gedrukt en je in de tijd waarin je met een gewone snelle auto pas de honderd bereikte naar 480 kilometer per uur accelereerde. Vanaf de zijlijn leek er geen eind te komen aan de acceleratie. Steeds sneller ging het, en zo moeiteloos dat het leek alsof het ding alleen maar sneller zou gaan om ten slotte in het niets te verdwijnen. Maar dan, al een paar tellen na de start, zagen we in de verte de remparachute achter de wagen opbollen waarna het lawaai van de motor wegstierf. De stilte daalde over ons neer toen de parachute, ongeveer een halve kilometer verderop, achter de inmiddels stilstaande bolide zacht op de grond viel. Ik had Colin zijn hobby zien beleven en mijn beurt naderde alras. Dit was uitsloverij in het kwadraat en ik begreep helemaal waarom mensen zoiets doen. Toch kreeg ik een lichte kriebel in de buik. Dit was een gigantische power die deze opeens toch wel kleine bolide in ultrakort tijdsbestek over een zeer korte startbaan had gekatapulteerd.

Het duurde een halfuur voordat de jetcar veilig en wel naar de kop van de startbaan was teruggesleept. Terwijl Colin en zijn team zich over allerlei technische zaken bogen, hingen wij wat rond bij de rijdende hamburgerkraam en dronken thee. De jongens vroegen me hoe ik me voelde, nu ik zo meteen aan het stuur zou zitten.

Ik antwoordde dat ik nerveus was, maar dat het vast ging lukken. Ik heb in mijn leven al te vaak met de spanning in mijn lijf op mijn beurt moeten wachten om nu nog door zenuwen te worden overmand. Je kunt je er maar het beste bewust van zijn, maar je er niet door laten leiden. Nervositeit helpt je vanwege de adrenaline. Het maakt je alert, waardoor je sneller reageert. Maar ben je je zenuwen niet de baas, dan kan je aandacht verslappen. Inmiddels is het gek genoeg iets geruststellends, een vertrouwd gevoel dat ik al jaren ken en dat me terugvoert naar mijn allereerste radioprogramma, of mijn eerste overdreven fietsstunts. Ik schoof mijn zenuwen terzijde en bestelde nog een kop thee.

Al snel was de auto gereed en weer naar de startstreep gesleept. Samen met Colin liep ik naar het voertuig, weg van de filmcrew en het ondersteuningsteam. Straks zouden we de tv-versie van de briefing wel opnemen. Dit was ernst en de tv-camera's konden nu maar beter even achterwege blijven. Van dichtbij zag de Vampire er een stuk strakker uit dan ik had verwacht. Je ziet zo vaak dat dit soort supergespecialiseerde machines technisch goed in elkaar zitten, maar er daarom nog niet jofel uit hoeven te zien. Rally- en raceauto's zien er van een afstandje vaak gelikt uit, maar van dichtbij is het een en al bedrading, een dun laagje verf, klussentape en overal tie-wraps die zich als een legioen kikkervisjes tussen gaten en kieren proberen te verstoppen. Deze auto zag er een stuk verzorgder uit. Maar hij was dan ook vooral bedoeld voor het spektakel, waarbij het uiterlijk een grotere rol speelde dan bij een gewone race. Colin rukte me los uit mijn gemijmer en begon uit te leggen waartoe de bolide in staat was en waarmee dit gepaard ging. We lachten en maakten grapjes terwijl hij uitlegde dat de straalmotor zo gemonteerd was dat de stuwkracht de wagen ook tegen het asfalt drukte. Dit was mogelijk door de straalpijp heel simpel iets omhoog te laten wijzen, zodat de auto niet alleen naar voren maar ook een beetje omlaag werd geduwd. Het nam min of meer mijn vrees weg dat de straalmotor plotseling zijn oude stiel weer op zou pakken om wederom het luchtruim te doorklieven. Ten slotte gaf

Colin aan dat het mijn beurt was om in de auto plaats te nemen. Vanwege de nauwe cockpit moest ik me voorzichtig laten zakken en mijn hoofd eerst naar voren buigen om onder de beschermende rolbeugel te kunnen komen. Ik liet me in de harde kuipstoel zakken en voelde de dichte, brede webstructuur tegen mijn rug. Ik reikte naar achteren en trok de gordels schuin over mijn schouders en borst. Zo meteen zouden ze strak worden aangetrokken om me stevig op mijn plek te houden ingeval het verkeerd zou gaan. Daarna legde Colin de bediening uit. Verrassend genoeg waren het er maar een paar. Een jetcar heeft een motor, een remparachute en een kuipstoel. Omdat de motor niet de wielen aandrijft zijn er geen complexe overbrengingssystemen nodig. Het ding draait gewoon zijn toeren en stuwt de lucht via het gat aan de achterkant naar buiten. Omdat de motor aan de auto vastgeschroefd zit, komt het hele zaakje in beweging. Je hebt dus een knop om de motor op het juiste toerental te brengen, te vergelijken met een volumeknop van een radio. Deze metalen draaiknop, ongeveer zo groot als de onderkant van een theekopje, zat rechts op het rudimentaire dashboard. Hij was niet geverfd en zag er eenvoudig uit. De schaalverdeling rondom gaf de stuwkracht aan in procenten, van nul tot 125 procent, interessant genoeg.

Vlak daaronder, onder de rand van het dashboard, zat een grote, metalen hendel. Colin had uitgelegd dat deze twee functies had: hij zette de motor af en wierp tegelijkertijd de parachute uit. Dit nu vormde mijn belangrijkste remsysteem. Zodra het echt hard ging, zouden de wielremmen helemaal niets uithalen tegen de enorme stuwkracht en was ik dus aangewezen op de remparachute om het hele zaakje tot stilstand te brengen. In het midden van het metalen dashboard zat het stuur. Deze was van het 'vlinder'-type zoals dat ook in dragsters wordt gebruikt. Het waren eigenlijk twee kleine handvatten, zoals van een spade, die parallel aan elkaar aan een metalen middenstuk van ongeveer tien centimeter breed waren gelast. Ik had nog nooit eerder zo'n stuur gezien, maar de vorm, de kleine afmetingen en zakelijke, doelgerichte uitstraling stonden me al meteen aan. Dit was geen stuur dat je op iets alledaags monteerde. Ik liet mijn handen op de twee handvatten rusten. Het metaal voelde koel en op een vreemde manier sensueel aan. Via dit stuur zou alle kracht van die gigantische motor pal achter mijn hoofd in goede banen worden geleid. Ik bekeek de cockpit nog eens goed. Dit was alles wat er te bedienen viel. Er was geen koppelingspedaal, want er was geen koppeling. Er was geen gaspedaal, want ik stelde het vermogen in met de draaiknop om die daarna met rust te laten. Mijn rechtervoet rustte naast de voetrem die ik alleen gebruikte om de jetcar op zijn plek te houden terwijl de motor op gang kwam. Mijn linkervoet zou op een dodemanspedaal komen te rusten die de motor meteen zou doen afslaan zodra ik mijn voet omhoogbracht. Het was bedoeld ingeval van nood. Ging er iets mis, dan zou mijn voet het pedaal niet langer ingedrukt houden en zou de motor afslaan.

Dit was niet het interieur zoals ik me dat had voorgesteld. Ik had me rijen schakelaars verbeeld die allerlei geraffineerde functies bedienden die essentieel waren voor zo'n krachtige machine. In gedachten had ik mezelf vol zelfvertrouwen allerlei schakelaars zien omzetten om de complexe systemen te kunnen bedienen die de Vampire in zijn onverzadigbare honger naar brandstof en lucht voorzagen. Ik zou veiligheidssystemen moeten activeren, meters in de gaten moeten houden; had gedacht al turend nóg meer rijen schakelaars te ontdekken, op elk vlak stukje, met daartussen nog meer zakelijk ogende, onontbeerlijke metertjes en wijzerplaatjes met daarbinnen ook weer wijzerplaatjes. Maar wat ik aantrof, was een groepje bedieningsorganen dat niet onderdeed voor het primaire plastic dashboardje dat ik als kind in de auto met de zuignap tegen mijn vaders rugleuning had gedrukt. Zelfs in een gewone hatchback heb je het drukker met het in de gaten houden van allerlei dingen. Ik was, moet ik eerlijk toegeven, lichtelijk teleurgesteld. Maar het stelde me ook een beetje gerust, want als dit alles was waar ik me op moest concentreren, zou maar weinig me van het sturen en het op tijd tot stilstand komen kunnen afleiden.

Ik tuurde tussen de voorwielen door naar de startbaan die zich voor me uitstrekte, naar de dennenbossen die in de verte de horizon onderstreepten, en probeerde me voor te stellen hoe het zou aanvoelen. Zodra de motor op toeren kwam, zou het kabaal niet te geloven zijn. Ik zou het stuur met beide handen vastpakken en met mijn rechtervoet op de rem de wagen op zijn plek houden. Zodra Colin het teken gaf, zou ik mijn voet van de rem halen en de bolide met onvoorstelbare kracht naar voren voelen schieten. Hoe het onderweg op de startbaan zou aanvoelen, wist ik niet. Zou het soepel zijn en stabiel, of zou mijn hoofd heen en weer worden geslagen waardoor het lastig zou zijn om vooruit te kijken? Zouden de G-krachten mijn hoofd hard naar achteren rukken? Zou ik vanwege het kleine, gekke stuurtje allerlei driftige stuurbewegingen moeten maken om het ding op koers te houden? Ik vroeg Colin hoe ik de naverbrander moest inschakelen. Hij antwoordde dat we ons daar pas in de loop van de dag aan zouden wagen, maar dan zou ik alleen maar het onopvallende metalen knopje boven op het linkerstuurhandvat hoeven in te drukken. Als dat gebeurde, zou een vlam door de straalpijp schieten die de nog niet verbrande kerosine deed ontbranden, waardoor de motor zeg maar een kruising tussen een straalmotor en een raketmotor werd. Het vermogen zou meteen worden verdubbeld. De motor zou op zich al op volle toeren draaien en dus vroeg ik me af hoe het met de timing zat.

'Druk ik hem in nadat ik mijn voet van de rem heb, of pas als ik rij?'

'Je haalt je voet van de rem, en daarna druk je hem in.'

'En als ik mijn voet nog steeds op de rem heb?' Ik wilde geen fouten maken en de motor beschadigen. Misschien dat hij stil zou vallen, of hoe ze dat bij straalmotoren ook noemen.

'Maakt niets uit. Als je deze indrukt, ga je die kant op.' Colin wees naar het eind van de startbaan.

'Oké.' Ik voelde me een jochie van tien.

Voorafgaand aan mijn eerste run zouden we alvast wat stukjes opnemen over de jetcar en over wat er deze dag ging gebeuren. Hoewel we het grootste deel hiervan pas na afloop op zouden nemen, was het belangrijk dat ik voor een paar dingetjes nog fris oogde, voordat ik zwetend en wel in een jetcar over een startbaan zou razen. Het had geen zin om eerst voor de camera te speculeren over hoe het zou zijn om de Vampire te besturen als ik, druipend van het zweet, net mijn eerste rit achter de rug zou hebben. Ik zou in mijn racepak worden gehesen, nog een paar zinnetjes voor de camera mompelen en vervolgens doen waarvoor ik gekomen was: een run maken.

Ook Grant Wardrop, lid van het *Top Gear*-productieteam, had zich die dag bij ons gevoegd. Als irritant aantrekkelijke dertiger die zich op een betrokken en authentieke manier met het programma bemoeide, was hij pas een jaar geleden als assistent-producent bij ons gekomen en was inmiddels hard op weg om producent te worden. Voor hem was het ongebruikelijk om op locatie te zijn, weg van de telefoons en zijn computer, maar hij was zeer nauw betrokken geweest bij de organisatie van dit evenement en voor hem was het nuttig om bij ons ter plaatse te zijn. We kletsten over wat voor leuks ons nog te wachten stond, en hij gaf me een volgepropte tas met daarin een raceoverall, een paar laarzen en handschoenen, en nog eentje met daarin een helm. Ik zei dat ik mijn eigen helm had meegenomen, maar hij stond erop dat ik deze gebruikte. Deze helm, zo verzekerde hij me, was helemaal geschikt voor de klus. Al vroeg tijdens de planning had hij zich gerealiseerd dat dit een tamelijk unieke gelegenheid zou worden, had hij uitgezocht welke helm het beste zou zijn en er eentje gekocht. Nu stond hij erop dat ik hem zou dragen.

Ik kon me nergens omkleden en dus vroeg ik de ziekenbroeders of ik hun ambulance even als kleedkamer mocht gebruiken. Ze vonden het goed, zolang ik hem maar niet volpropte met bloemen en blauwe M&M's. In de auto was het stil. Ik legde het zilverkleurige racetenue op de brancard, met de laarzen eronder en de handschoenen onder de mouwen zodat het geheel op een leeggelopen coureur op een ziekenhuisbed leek. Ik bekeek het pak nog wat aandachtiger. Het was gemaakt van dik, vuurbestendig materiaal en op het label viel te lezen dat dit uit vier lagen bestond. Ik verontschuldigde me tegen de 'coureur' op de brancard en ontdeed hem van zijn handen en voeten, die ik op de grond wierp, waarna ik me gekleed in T-shirt en onderbroek, in het pak hees. Al meteen wist ik dat ik er belachelijk uit zou zien. Gelukkig was het mijn maat, maar zelfs zonder spiegel kon ik wel vermoeden dat het er niet uitzag. De laarzen maakten het alleen maar erger. Ze waren zacht en een beetje te schoon en te gladjes om van een jetcar-veteraan te kunnen zijn. Eerder bedoeld voor de catwalk dan voor het asfalt.

Helemaal onder in de tas zat de nekbrace. Dit is een hoefijzervormig kussentje dat je met klittenband om je hals bevestigt. Hij zit vlak onder de helm en beperkt de bewegingsvrijheid van je hoofd zodat je bij een ongeluk hopelijk niet je nek verrekt en kwetsbare wervels beschadigt. Deze was blauw en voordat ik hem om mijn hals deed, trok ik hem eventjes horizontaal over mijn helm zodat het op een vage hoed leek met een dikke, gevoerde rand. Het is een geintje dat ik al zo vaak op een circuit heb uitgehaald dat de crew, lijkt mij, er nu wel helemaal klaar mee is. Maar ik zat hier nog altijd in mijn eentje en ik denk dat ze niet onder de indruk zouden zijn geweest. Ik trok aan de uiteinden, die met een hard klittenbandgerasp weer van elkaar loskwamen. Daarna deed ik de nekbrace om mijn hals, zoals het hoort. Ik betwijfelde dat de dikke, blauwe ring vlak onder mijn kin mijn toch al lullige voorkomen iets zou ophalen.

De helm was echter helemaal top. Het was een witte Arai, speciaal gemaakt voor de racerij, en hij straalde toch wel kwaliteit uit. Ik rijd al meer dan twintig jaar motor, dus een gloednieuwe valhelm heeft gewoon iets. Ik pakte hem op bij de kinbeschermer en sprong de ambulance uit. Uiteraard werd er gelachen toen ik in beeld verscheen. Met mijn fonkelnieuwe zilveren racepak, blauwe nekbrace en coureurlaarzen leek ik wel een figurant uit een oude *Doctor Who*-aflevering. Ik nam een Superman-pose aan, stelde mezelf voor als de Silver Flash en vroeg of iemand nog even een kop thee kon regelen voordat ik een bosbrand ging blussen en een hond ging redden die in een waterput was gevallen.

De jetcar stond al klaar voor de startstreep. Het was tijd om aan de slag te gaan. Iedereen had inmiddels zijn toegewezen plek rondom de startbaan ingenomen en men was druk bezig de camera's en microfoons in stelling te brengen. Er waren ook kleine digitale camera's aan boord die mijn gezicht en mijn uitzicht zouden filmen. Ze werden gewoon aangezet en verder met rust gelaten door de camera-assistent, die weer snel wegrende om de anderen bij te staan. Normaliter zou dit Paul Bamford zijn geweest, maar die was onlangs gepromoveerd tot cameraman en hoefde zelf dus niet meer te assisteren. De mannen van het geluid, Russell en Barney, controleerden nog even het microfoontje dat op mijn pak was bevestigd en of de voeding was aangesloten, waarna ze samen met de cameramannen hun positie innamen om het gebulder op te nemen zodra de bolide langs zou flitsen.

Wat mij betrof ging het vandaag niet om het filmen. Mijn rol was niet langer die van tv-presentator, maar die van jetcarcoureur. In gedachten liet ik Colins geduldige en grondige uitleg nog eens de revue passeren en ik plaatste een hand op de rand van de cockpit, klaar om in te stappen. Colin stond naast me om me nog eens op de procedures te wijzen en zich ervan te verzekeren dat ik inderdaad van start kon. We kletsten nog even en ik zette een voet op de stoel, zwaaide mijn andere been naar binnen en liet mezelf zakken. Omdat ik nu een helm op had en ik de glimmende verf niet wilde beschadigen boog ik mijn hoofd zo ver mogelijk omlaag om daarna onder de rolbeugel te komen. Ik installeerde me, zorgde ervoor dat de gordels ditmaal voor mijn borst lagen, klaar om te worden aangetrokken. Colin stak zijn hoofd even naar binnen, keek of alles in orde was en deed een stap naar achteren om zijn assistent de gelegenheid te geven me in te snoeren. De gordels werden strak aangetrokken, zo strak dat ik nauwelijks kon ademen. Daarna boog Colin zich weer naar binnen en begon mijn bovenarmen met een paar riempjes te fixeren.

'Waar is dat voor?' vroeg ik.

'Als je verongelukt en over de kop gaat, zorgen ze ervoor dat je armen niet naar buiten zwaaien en verwond raken.'

'Ik wil niet over de kop.'

Ik bekeek de riemen eens goed terwijl Colin ze aantrok. Ik begreep hoe ze mijn armen binnenboord zouden houden. Ik keek opzij naar de dikke rolbeugel en huiverde even bij de gedachte dat een arm tussen zo'n stalen buis en de grond bekneld zou raken.

Colin controleerde de gordels en boog zich weer over de rolbeugel met het verzoek om samen de besturing nog eens door te nemen. Maar deze keer zou het menens zijn. Zodra ik om lucht en vermogen zou vragen, zou de motor daadwerkelijk worden gestart en zou ik voor het eerst van mijn leven een draaiende straalmotor onder mijn vingers hebben. Terwijl ik bewust kalm probeerde door te ademen, doorliep ik nog één keer de voorbereidingen. Zonder kwinkslagen deze keer. Dit was niet het moment voor geintjes. Er heersten slechts kalmte en concentratie. Colin toonde zich tevreden, en we waren gereed voor het echte werk.

Ik verzocht om lucht en vermogen. Colin hurkte ergens onder in mijn blikveld bij de voorzijde van de jetcar, zette een paar schakelaars om en de motor was klaar om te worden gestart. En dat gebeurde, op een teken. De motor achter mijn hoofd, krachtig genoeg om een straaljager door de lucht te laten suizen, ontwaakte en begon te draaien. Ook al wist ik precies wat er allemaal gebeurde, hoe de motor werkte en hoe het vervolgens zou gaan, voelde ik toch een mengeling van opwinding en angst toen het nog eens extra duidelijk werd dat het ding vlak achter me onmiskenbaar een straalmotor was. Het geluid zwol aan tot het vertrouwde gegier zoals we allemaal weleens op een luchthaven hebben gehoord. Maar ditmaal ging ik niet even verzitten om mijn gordel om te doen, waren er geen andere passagiers te bekennen die over het opstijgen en het weer op de plaats van bestemming zaten te kletsen. En verder was er niemand die de macht over deze reusachtige motor had waarvan het volume verder aanzwol tot een oorverdovend, bloeddorstig geraas. Colin stak een duim omhoog en keek me aan. Ik gebaarde dat alles oké was, waarna hij terugliep naar de startstreep, rechts achter me.

Mijn voet hield de jetcar op zijn plaats en ik voelde hoe de motor ertegen vocht. De bolide, tot zo-even nog verzorgd en gekoesterd als een kwetsbare patiënt, had zich getransformeerd tot een wild beest dat slechts door mijn rechtervoet werd beteugeld. Ik voelde zijn oerverlangen zich los te rukken en weg te suizen, de einder tegemoet. Colin gebaarde dat dit het startsein was. Het was zover. Ik haalde mijn voet van de rem. De auto schoot naar voren en ik voelde de bevrijding nu de kracht van de motor eindelijk ongehinderd een uitweg kon zoeken.

De acceleratie was gigantisch, maar het was niet als ik had verwacht. Ik dacht dat ik met duizelingwekkende vaart van de startstreep zou worden gekatapulteerd. Dit was anders. Niet woest of heftig, maar eerder als een simpele overgave aan het onvermijdelijke. Een ferme en aanhoudende duw in de rug, een kracht zo absoluut dat ik me er slechts aan kon overgeven. Maar die kracht nam wel steeds toe. Net als de snelheid. En hoe. Al 13,7 seconden nadat ik mijn voet van de rem had gehaald, was ik de 330 kilometer per uur voorbij. Maar zelf had ik daar geen weet van. Ook al had er een kilometerteller op het dashboard gezeten, denk ik niet dat ik het had aangedurfd er een blik op te werpen. Ik had mijn handen vol.

Tijdens de voorbereidingen was ik het stuurtje als een vorm van versiering gaan beschouwen, gewoon iets om mijn handen op te laten rusten terwijl de motor uitmaakte welke kant we op gingen. Maar in werkelijkheid was ik voortdurend aan het bijsturen, druk bezig om de jetcar op koers te houden. Vanwege het licht gewelfde oppervlak van de startbaan en de zijwind diende ik constant dertig graden tegen te sturen om een rechte lijn aan te houden. Ik had nooit verwacht hoezeer dit nodig zou zijn, en ook niet dat het stuur alles zo haarscherp doorgaf. Misschien kwam het door de motor, de kracht en de herrie aan de achterkant dat ik niet had kunnen vermoeden hoe druk de voorwielen het nog zouden krijgen. Ik ontdekte dat de bestuurder een drukbezet mannetje was, in plaats van een dappere maar verder nutteloze meelifter.

Ik probeerde mijn aandacht op de weg voor me te houden. In no time zou ik de kegels passeren die het punt aangaven waarop ik de motor moest afzetten en de parachute moest uitwerpen om te kunnen stoppen. Maar het was moeilijk te zien. Het oppervlak gaf elk hobbeltje en ribbeltje door naar het stuur, en dus ook naar mijn handen en armen. De wagen glibberde licht en vibreerde vanwege de lucht die rondom door de motor werd aangezogen. De startbaan die onder me door zoefde zorgde voor trillingen via het chassis. Het lawaai overheerste nu alles en trok zich verder niets aan van hoe de auto zich verder gedroeg. Mijn zintuigen werden overvoerd met het aanhoudende gebulder terwijl de motor me richting de horizon lanceerde en de lucht vóór me zich met protest opzij liet drukken.

Al voortrazend kreeg mijn helm er door diezelfde lucht zo van langs dat het wel een orkaan leek. Mijn hoofd werd heen en weer gerammeld, wat mijn desoriëntatie er alleen maar erger op maakte. Heel even vroeg ik me af wat er zou gebeuren als ik de kegels niet zou zien en er eentje zou raken. Bovendien begon mijn vizier ook nog eens te beslaan. Dat kon soms gebeuren, meestal omdat de lucht van je ademhaling nergens heen kan en tegen je vizier gaat condenseren waardoor alles beslaat. Misschien kwam het doordat de nekbrace als een sluitring om mijn hals fungeerde en de uitgeademde lucht dus niet kon ontsnappen. Misschien ademde ik wel te hard met al dat sturen en alle opwinding. Ik deed mijn best om rustig te ademen en voelde mijn slokdarm huiveren terwijl ik rustig en kalm probeerde te ademen. Het vizier besloeg nog meer. Ik kon niet mijn hand van het stuur halen om het ding open te klappen, en zelfs dan nog zag ik het niet zitten om met deze snelheid de wind vol in mijn gezicht te voelen. Maar opeens bespeurde ik door het grijs dan toch de kegels. Dankzij hun felle kleuren waren ze gemakkelijker te zien op deze, voor mij althans, mistige dag. In een fractie van een seconde zou ik ze voorbijflitsen. Dit was het moment.

Ik had me afgevraagd hoe ik mijn rechterhand van het stuur zou halen om de hendel te kunnen pakken die de motor afzette en de parachute uitwierp. Nu zou ik het weten. Terwijl de startbaan met god mag weten hoeveel kilometer per uur voorbijraasde, de straalmotor in mijn rug brulde en schudde, de auto naar links en dan weer even naar rechts schoot, bewoog ik mijn hand van de pistoolgreep van het stuur naar rechts en vond de hendel. Ondertussen omklemde mijn linkerhand rotsvast het stuur. Ik vertrouwde erop. Met mijn rechter greep ik de hendel en mijn vingers bogen zich om het metaal. Ik trok eraan en hij ging soepel naar achteren. De straalmotor veranderde van een gillend monster in een kalmer, gedweeër beest nu het furieuze gehuil plaatsmaakte voor een lange, meer ontspannen zucht. Ik vroeg me af of de parachute was uitgeklapt. Maar opeens schoot ik naar voren op mijn stoel en wist ik dat hij inderdaad was uitgeklapt. De reusachtige, zijden paraplu was uit de metalen buis aan de achterzijde weggevuurd en bezig om met 330 kilometer per uur de lucht te vangen.

Het overhalen van de hendel voelde geruststellend mechanisch en solide aan. In een tijd dat veel belangrijke processen met schakelaartjes en een vingeraanraking tegen een computerscherm in gang gezet worden, was het lekker om aan een grote, metalen hendel te kunnen trekken die duidelijk allerlei goedgesmeerde onderdelen liet bewegen. De ruk van de parachute was ongelooflijk. Op topsnelheid zou een jetcar als deze de bestuurder met 1,8 G in zijn stoel kunnen drukken. Dat is dus 1,8 maal de zwaartekracht. Ter vergelijking: een sportwagen haalt misschien 0,5 G. De enorme parachute kan de wagen echter zo hard afremmen dat de bestuurder met 3,5 G naar voren wordt geduwd. Het benam me dan ook letterlijk de adem terwijl ik tegen de strakke gordels werd geperst.

Maar het gaf me een goed gevoel. Dit was de finale, de laatste scène in een enerverend drama van slechts een paar seconden, maar van zo'n kracht dat het bijna buitenaards leek.

In 9,3 seconden was ik teruggevallen tot een meer alledaagse snelheid van nog geen honderd. Ik stuurde naar links naar waar de crew wilde dat ik zou stoppen. Dit hadden we voor deze eerste run zo gepland. Na eerst de start te hebben gefilmd, zou het team zich naar een afgesproken plek voorbij de finish haasten, waar ik kort zou vertellen hoe het was geweest. Ik had niet de moeite genomen om al iets te bedenken. Dit was zo'n moment waarop je het beste maar zo spontaan mogelijk kon reageren. Het zou waarschijnlijk niet weloverwogen en welbespraakt klinken, maar wel oprecht en eerlijk. Voor de kijker in elk geval heel wat boeiender en persoonlijker dan welke gladde, van tevoren voorbereide reactie dan ook. Op zo'n moment kan de tv de kijker werkelijk meevoeren.

Voor de tweede keer drukte ik op de voetrem, nu om de auto volledig tot stilstand te brengen. De filmcrew kwam al aangerend, met Scott, de regisseur, voorop. Zoals altijd waren ze opgewonden maar professioneel, en de camera's draaiden al. Toen ik zag dat ze een shot hadden, begon ik te praten. Ik flapte er van alles uit, probeerde de opwinding, de euforie te verwoorden, over te brengen hoe het was om je een paar seconden lang geheel en al aan zo'n grillige oerkracht te onderwerpen. Mijn vriend Colin Goodwin had me verteld dat zijn rit in dezelfde jetcar zijn leven had veranderd. Nu wist ik wat hij daarmee had bedoeld en deed ik mijn best om een glimp daarvan op het zwarte, alziende oog van de camera over te brengen terwijl de slappe parachute nog wat nawapperend zachtjes achter de auto op de grond viel en de motor afkoelde in de bries. Het was pas één uur 's middags. Ik wilde nog sneller, nog harder. En ik wist dat die wens nog voor het eind van de dag in vervulling zou gaan.

De overweldigende ervaring had helemaal de adrenalinekick gegeven die ik had verwacht. Maar het was ook een ervaring die deze dag nog meerdere keren zou worden meegemaakt, en er was dus veel werk aan de winkel. Ik diende nog een stuk of zes runs te maken. De jetcar moest eerst naar de startplaats worden teruggesleept alvorens weer aan de tedere zorg van Colin en zijn assistent te worden toevertrouwd. Terwijl de filmcrew zo'n beetje klaar was met de opname van mijn reactie kwamen de twee in hun alledaagse Ford Transit aangereden. Ik klauterde uit de cockpit, schudde wat handen, sloeg een paar jongens op de schouder en praatte nog even met Colin. Hij had al duizenden runs gemaakt met deze wagen. Ik probeerde diep in zijn ogen een glimp van herkenning te ontwaren die me zou vertellen dat we nu een ervaring gemeen hadden en een grens waren overgegaan waarover maar weinig mensen konden meepraten.

We sleepten de jetcar met een touw achter de Transit terug, met Colin in het busje en ik aan het stuur van de bolide. Hij wees me er nog eens op dat ik alert moest remmen om niet de achterkant van het busje te rammen en daarbij de neuskegel te beschadigen. Gek genoeg vond ik de sleep terug achter de Transit bijna net zo enerverend als de heenweg op vol vermogen. Met dit sukkelgangetje drong het nog eens goed tot me door dat dit een zeer speciaal voertuig was dat toebehoorde aan iemand die er flink wat tijd en geld in had gestoken om hem te bouwen en te kunnen besturen. Zonder gênante botsingen bereikten we de startlijn en liet ik Colin en het team met rust zodat ze zich weer konden voorbereiden.

Met de zoveelste kop thee in de hand liep ik op Pat de producent af en vertelde hem over mijn problemen met het vizier. We belden het productieteam in Londen met het verzoek ergens in de buurt een winkel te zoeken waar ze sprays verkochten die condensatie tegengingen. Al na enkele minuten had de bureaugebonden redactie een adresje gevonden en stond er iemand van ons klaar om snel even heen en weer te rijden. Maar ik wist een eenvoudiger en snellere oplossing. Smeer een klein beetje afwasmiddel op het vizier en het resultaat is hetzelfde. Motorrijders doen het al jaren, en het werkt. Hoewel het misschien professioneler oogt om een onderzoeker heen te zenden en even later met een blitse spuitbus weer te laten opduiken, was het sneller en een stuk gemakkelijker om even naar de verkeerstoren te lopen om een flesje afwasmiddel te lenen.

Kort daarvoor was ik na jaren weer begonnen met roken. Het was tijdens een andere *Top Gear*-opnamedag geweest toen we in Alabama door boze rednecks achterna waren gezeten nadat we een paar ietwat botte slogans op onze auto's hadden geschilderd. Ze waren op een domme manier nogal beledigd geweest en hadden ons in hun pick-ups met geweren achtervolgd. We vluchtten door twee staten en stopten pas toen we de veiligheid en relatieve beschaving van ons gereserveerde motel hadden bereikt. Ik besloot die dag met het opsteken van mijn eerste sigaret in drie jaar, en ook nu leek me het een goed moment om hetzelfde te doen. Stilletjes zocht ik de rust en beslotenheid van mijn Honda persauto op, joeg de brand in mijn sigaret en liet me lui achteroverzakken. Mijn hand die de sigaret naar mijn mond bracht, beefde niet. Ik ontspande me een beetje en voelde me goed. Al de hele tijd had ik geweten dat het besturen van de jetcar geen probleem zou zijn, dat ik aanvankelijk nerveus en uiteindelijk euforisch zou zijn en mezelf in de hand zou hebben. En zo was het ook precies gegaan. Met de eerste run achter de rug zou ik alleen maar meer kunnen genieten van wat er nog komen ging.

Er viel nog een hoop te doen. Mijn uitleg over hoe de jetcar werkte, moest nog worden opgenomen, met ook nog wat shots van de wagen in actie. Bovendien moest ik nog leren hoe ik de naverbrander moest gebruiken, en er stond nog een run op vol vermogen in het draaiboek, met tienduizend ontketende paardenkrachten in mijn rug. Maar dit zou alleen doorgaan als Colin oordeelde dat ik er klaar voor was. Ik was er vrij zeker van dat hij me het groene licht zou geven en ik keek ernaar uit. Dezelfde jetcar nogmaals besturen, maar dan met twee keer zoveel vermogen, zou een waanzinnige kick zijn. Ik voelde de zenuwen weer een beetje opkomen en ik knoopte in mijn oren dat de run van zo-even pas de eerste stap op de ladder was geweest. Ik wist dat het allemaal nog veel sneller zou gaan en hectischer zou worden voordat ik weer naar huis, naar Mindy en de kinderen, kon gaan.

Ik belde Mindy even, niet vergetend dat ik moest zien te verhullen dat ik zat te roken. Ze wist donders goed dat ik weer was begonnen, maar ik wist dat ze het niet leuk vond en ik schaamde me. We kletsten over hoe de dag tot nu toe was verlopen. Ik wist dat ze bezorgd was en ik deed mijn best om haar ervan te verzekeren dat het allemaal heel goed te doen viel en dat alles goed geregeld was.

Daarna belde ik Andy Wilman om hem te laten weten dat de eerste run goed was verlopen en ik niet als een razende vuurbal de camera's voorbij was geflitst en midden in York was neergeploft. We maakten geintjes, maar ik hoorde wel dat hij opgelucht was dat alles op rolletjes liep en dat we de boel goed in de hand hadden. Ik vertelde hem over het beslagen helmvizier en de oplossing die we hadden bedacht. Daarin vertrouwde hij me. Ik weet het nodige van die dingen af. En dat erkende hij. We praatten nog even over het besluit om pas na het filmen het over de snelheid te gaan hebben. We waren het erover eens dat dit meer hout sneed en mijn aangeboren competitiedrang onder de duim zou houden.

Het team was klaar met de voorbereidingen en precies op dat moment was mijn tweede peuk op. De walkietalkie in de stoel naast me begon te blaten. Mijn aanwezigheid was vereist, de plicht riep. Ik stapte uit de auto en beende over het tarmac: een man van in de dertig, de droom waarmakend die hij al sinds zijn jeugd had gekoesterd. Vol zelfvertrouwen liep ik naar een straalmotor op wielen die ik ten overstaan van de tv-camera's – en dankzij de inspanningen van de crew ten overstaan van miljoenen tv-kijkers over de hele wereld – zou gaan besturen. Zo vaak kun je jezelf niet op de schouder kloppen in het leven – hoogmoed komt voor de val, en zo – maar terwijl ik lopend over het gladde tarmac de nekbrace over de schouders van mijn zilverkleurige racetenue schoof, grinnikte het trotse jochie van tien in me al van opwinding.

Na nog een peptalk met Colin volgde mijn tweede run. Die verliep goed en was hetzelfde als de eerste. Ik kickte op de power en de snelheid, gaf mezelf over aan de onverbiddelijke, aanhoudende acceleratie van die verleidelijke straalmotor, en deed ik na afloop al stuiterend voor de camera mijn best om over te brengen wat er door me heen was gegaan. En nog eens. Inmiddels was het al halverwege de middag. De crew had de hele ochtend hard gewerkt, net als Colin en zijn assistent. We hadden het begin van het programma op band, plus een aantal runs. Nu was het tijd om de naverbrander te proberen. Maar eerst: lunchen. In schrille tegenstelling tot de lange, alcoholische copieuze maaltijden in de Ivy, waarvan sommigen dagelijks lijken te genieten, behelst een lunch op locatie min of meer het tussen opnamen door in de mond proppen van wat er zoal op een benzinestation te fourageren valt. Voor ons was het dan ook een feest om vast te stellen dat het kraampje dat ons die ochtend van baconsandwiches had voorzien, ook voor hamburgers kon zorgen, en in een tempo waar zelfs een hongerige tv-ploeg niet tegenop kon eten. Het was oprecht hartverwarmend om de jongens zich eindelijk eens aan écht eten te goed te zien doen. En voor mij nóg hartverwarmender om voor in de rij te mogen staan en mijn bestelling voor een hamburger met kaas, uitjes en alles wat er voor de dame achter de metalen toonbank verder te frituren viel.

'Als dit zo doorgaat, worden we nog watjes...' mompelde ik met een mond vol hamburgerbrood tegen niemand in het bijzonder.

Opnieuw belde ik Andy Wilman. Hij wilde voortdurend op de hoogte worden gebracht over het verloop en was opgetogen over het nieuws dat we weer een run hadden gedaan. Ik vertelde hem dat ik nu de naverbrander zou proberen. Hij drukte me nogmaals op het hart dat ik me niet moest laten opjagen, maar ik verzekerde hem dat niemand uit de school had geklapt over hoe hard ik was gegaan en dat ik me geen roekeloze dingen op de hals zou halen.

Terug in de jetcar bekeek ik de drukknop voor de naverbrander. Het is een klein, kaal metalen gevalletje, echt zo'n prulletje dat je jarenlang ergens achter in je keukenla hebt liggen om het ten slotte samen met een paar lege balpennen, paperclips en adaptertjes die zich doorgaans in stoffige hoekjes verzamelen in de vuilnisbak te mieteren. Het was een onbeduidend en eerlijk gezegd nogal goedkope manier om een hoeveelheid power te ontketenen die eeuwenlang als het domein van de goden werd gezien. Een klein, metalen drukknopje van pakweg een centimeter groot, zat boven aan de linkerhandgreep van het vlinderstuur bevestigd. Eén kleine beweging met de duim zou al genoeg zijn.

Colin beschreef het proces, de gevolgen en gewaarwordingen die ik kon verwachten. Een vlam zou door de straalpijp schieten en de niet-verbruikte kerosine laten ontbranden. Daarmee zou het vermogen van de machtige straalmotor onmiddellijk worden verdubbeld. Ik repeteerde de manoeuvre vele keren, net als een bobsleeër die boven aan het circuit als een soort ballerina alvast de bochten van het parcours oefent. In mijn geval waren de handelingen een stuk eenvoudiger: kijk recht vooruit, druk op de knop terwijl ik de voet van de rem haal, een paar tellen wachten, parachute uitwerpen en blij zijn dat je nog leeft.

De startprocedure bij deze run met naverbrander bleef onveranderd. Tot het moment waarop ik het onschuldig ogende zilverkleurige schakelaartje omzette, zou alles hetzelfde zijn. De straalmotor kwam huilend tot leven en zwol aan tot een gierend crescendo. Ik keek even naar Colin, die me een zelfverzekerde glimlach toewierp. Ik haalde diep adem, keek strak voor me uit en zette de schakelaar om terwijl ik mijn voet van de rem haalde. Het geraas achter me was eerder voelbaar dan hoorbaar. Het was meer dan de duw van zo-even, zonder naverbrander. In plaats van de kordate, niet te stoppen acceleratie zoals ik die nu een paar keer had ervaren, schoot de wagen onmiddellijk van zijn plek, maar het vermogen viel terug. Ik wist al meteen dat er iets was misgegaan met de naverbrander. Misschien was hij gewoon gedoofd, zoals een indicatielampje van de boiler van een centrale verwarming?

Bij het eindpunt aangekomen stond Colin al klaar om mijn vragen te beantwoorden. De naverbrander had heel even gewerkt, maar te kort om het juiste effect te kunnen sorteren. Ik had eigenlijk op een 'halve naverbrander' gereden. Dus, terug naar de start-streep voor een tweede kans, deze keer hopelijk met succes.

Dezelfde handelingen, hetzelfde intense lawaai achter me. Weer werd ik overweldigd door hetzelfde verantwoordelijkheidsgevoel: ik voerde het gezag over een straalmotor. Colin zocht zijn plek op en stak een duim omhoog. Ik was ervan doordrongen dat dit een heel andere ervaring zou opleveren. Ik haalde even diep adem, schakelde de naverbrander in en haalde mijn rechtervoet van de rem. Opeens bevond ik me in een totaal ander voertuig. Zo'n ge-bulder en acceleratie had ik nog niet eerder meegemaakt. Ditmaal was er geen sprake van een geleidelijke maar onverbiddelijke op-bouw, maar van een ware ontketening. Vergeleken met de vorige runs was het alsof er pal achter mijn rug een bomexplosie plaats-vond en ik vervolgens richting horizon werd geslingerd. Ik reali-seerde me nu dat de straalmotor zonder naverbrander een aima-bel beest was dat me ferm maar behoedzaam over de startbaan had geduwd, zoals een vader zijn kind in een trapauto. Maar dit, dit was puur geweld.

Niet verrassend misschien, maar ik merkte dat ook mijn herse-nen een tandje bijzetten om met de extra snelheid te kunnen om-gaan. Mijn ogen konden nog steeds dingen registreren en prikkels naar mijn brein zenden dat daarop reageerde. Maar ja, zo zit de mens nu eenmaal in elkaar. Zo'n honderd jaar geleden geloofde men dat reizigers de snelheden die de eerste stoomlocomotieven bereikten niet zouden aankunnen. Men vreesde dat een snelheid die reizen te voet of te paard oversteeg te veel zou zijn voor onze zintuigen. Maar die konden het aan, draaiden niet door, ver-schrompelden niet en nu zoeven we elke dag vrolijk met onze ge-zinsauto over de snelwegen, met vijf tot tienmaal de snelheid die de deskundigen aan het begin van het stoomtijdperk zoveel zor-gen baarden. Het antwoord is natuurlijk dat onze zintuigen zich aanpassen aan de situatie. Net als nu. Ik kan niet zeggen dat het echt veel anders was dan aan het stuur van een snelle sportbolide, maar tegelijkertijd was het toch ook weer anders. Ik merkte dat mijn hersenen en zintuigen op topsnelheid werkten om maar alert te blijven. Al na 17,2 seconden passeerde ik de kegels die de finish aangaven. Ik trok aan de hendel om de motor uit te schakelen en de parachute uit te werpen. Al drieëntwintig seconden nadat ik op dat miezerige knopje boven op het stuur had gedrukt was de run ten einde. Ik had een hoeveelheid power bereden die geen tien Formule 1-auto's samen konden evenaren. Ik voelde me uitgelatener, vitaler dan ik me volgens mij lange tijd had gevoeld. Colin was tevreden, de crew was tevreden, de regisseur incluis, en ik was euforisch. Tijdens deze run had ik 505,97 kilometer per uur gehaald, sneller dan het officiële Britse snelheidsrecord over land, hoewel het altijd officieus zou blijven omdat we geen officials of waarnemers ter plekke hadden. En bovendien zou ik van niemand te horen krijgen hoe snel ik was gegaan, stel dat ik opeens nog iets harder wilde gaan. Uiteraard zou ik dat toch wel proberen.

Terug bij het theebusje werd er opgewonden gekletst over hoe het er voor de toeschouwer had uitgezien en hoe vreemd het voor de jongens was geweest dat degene die de lange, gele vuurpijl in zijn macht had, hun eigen maatje Rich was, die zoiets nog nooit eerder had gedaan. We lachten, rookten, dronken thee en kletsten over de opnamen. Het zag er allemaal goed uit. We hadden zat beeldmateriaal van Colin die me de jetcar liet zien, flink wat shots van mijn eerste pogingen zonder naverbrander en inmiddels ook shots van mijn run op vol vermogen. Ik belde Andy en we waren het erover eens dat dit een lekker ouderwets stukje tv ging worden waarin iemand iets gevaarlijks leert en waarbij het hele gezin kon meekijken. Het was al bijna vijf uur in de middag. We mochten de startbaan tot halfzes gebruiken, waarna lokale afspraken bepaalden dat er geen geluidsoverlast meer mocht plaatsvinden. We overlegden. De jetcar liep lekker, ik had hem goed in de hand, het weer was perfect. Genoeg tijd voor nog één run, zo beredeneerden we.

Terwijl de jetcar weer werd klaargemaakt en de filmploeg zijn posities innam, kletste ik nog wat met de man van de startbaan. Hij zat in een pick-up naast de baan en ik stond naast de motorkap. Van een afstandje bezien zouden we het op deze warme namiddag over van alles en nog wat kunnen hebben gehad. De zon ging al een beetje onder, kleurde de horizon lichtrood en schilderde de pastorale omgeving in een zacht, vredig licht. We vonden allebei dat het weer die dag perfect was geweest en dat de jetcar een schitterend apparaat was. Hij wist al dat we nog één run wilden doen, maar ik wilde er zeker van zijn dat hij zich daarin kon vinden. Ik verzekerde hem dat dit de afsluiter zou worden en het afgelopen zou zijn met de herrie voor vandaag. Weer terug bij de regisseur knoopten we in onze oren dat we nog één lange opname voor de boeg hadden waarin ik om de jetcar loop en uitleg hoe alles werkt. Maar dat, zo vonden we, kon ook na halfzes. De tijd die ons nog restte om herrie te maken konden we maar beter zo goed mogelijk benutten.

Tijd: 17.25 uur

Na het ongeluk meenden de dokters dat hetgeen wat ik me voorafgaand aan het ongeluk nog kon herinneren ongewoon helder was. Misschien, zo vermoedden ze, vormde dit het aaneengeregen product van een actieve verbeelding terwijl ik in coma lag. Zelf blijf ik ervan overtuigd dat ze echt zijn. En ze stroken perfect met de data die door de sensoren aan boord tijdens de hele crash werden gemeten.

Terwijl ik voor mijn laatste run naar de jetcar liep, dacht ik even terug aan een gesprekje dat ik een paar weken eerder met een racemonteur had gehad. Hij had me op het hart gedrukt om nooit met een volle blaas te gaan racen.

'Als je tijdens een race moet pissen, en die kans bestaat, dan kun je bij een crash je blaas scheuren. En dan ben je er al geweest voordat de ambulance bij je is. Waarom denk je anders dat Formule 1-coureurs in hun pak plassen als ze nodig moeten?'

Opeens, op slechts een metertje van de lange, gele sigaar, daagde het me dat ik alle tijd had om nog even te plassen. Ik draaide me om en slenterde naar de blauwe plastic wc-cabine, zo'n honderd meter terug. Ik geloofde niet dat dit een soort voorteken of visioen was van wat me te wachten stond. Ik moest gewoon pissen en dus deed ik dat om me zo meteen met een helder hoofd te kunnen concentreren. Met een lege blaas en een bevrijd geweten liep ik terug naar de jetcar. Die stond naast de startplek en diende door het busje naar de startstreep te worden gesleept. Ik keek nog even naar de bolide terwijl ik mijn nekbrace omdeed. De opname die ik zo meteen nog moest doen, zou gaan over de constructie van de jetcar, bepaald geen alledaagse koek. De remmen waren afkomstig van een Transit-busje. Kijk, veel hadden ze immers niet te doen aangezien de parachute voor de remkracht zorgde. De brandstofpomp kwam van een betonmolen en de stuurinrichting van een Robin Reliant. Dit was wel iets totaal anders dan de moderne, gesponsorde, poenige autosportwereld. En dat maakte het er voor mij alleen maar mooier op. Een vent die precies wist waar hij mee bezig was, had met ervaring en vernuft dit voertuig in een schuurtje geconstrueerd.

Ik zette mijn helm op en liet me in de stuurkuip zakken. Colin zat al in het busje en sleepte de jetcar naar de kop van de startbaan. Ook nu zat ik weer zo strak in het brede harnas ingesnoerd dat het me kortademig maakte terwijl mijn borstkas zich in het nauwe keurslijf schikte. Ik pakte het stuur vast en keek naar mijn blauwe racehandschoenen. Nog één dwaze sprint, plus een verhaaltje voor de camera over het voertuig waarmee het allemaal was gebeurd, en ik kon de Honda weer in voor de rit naar huis.

We waren gereed en Colin begon de startprocedure. Ik verzocht om lucht en vermogen. Ik werd op mijn wenken bediend en de motor kwam tot leven. Langzaam begon de turbine te draaien, en het geluid zwol aan tot het vertrouwde gejank terwijl Colin achteruit stapte en een duim omhoogstak. Met de power op 125 procent wist ik dat dit een run op vol vermogen werd, en dat het genieten zou worden. De angst voor het onbekende was weg, maar de angst voor wat er ging komen was er nog wel, en ik zette mezelf schrap.

De start. Tijd: 17.30 uur en 16,89 seconden

Ik voel dat het zover is. Ik schakel de naverbrander in en haal mijn voet van de rem. Een steekvlam schiet door het roterende inferno van de turbine en bereikt de nog niet-ontbrande kerosine die uit de straalpijp schiet. De toch al brute kracht van de machtige straalmotor wordt meteen verdubbeld en stuwt zichzelf, de auto en mij vooruit.

Verstreken tijd: 14,25 seconden. Snelheid: 463,9 km per uur

Als mijn zintuigen zich aan het tempo hebben aangepast, wordt het me duidelijk dat er iets mis is. Het weerbarstige gevoel van de voorwielen die uit alle macht de één ton wegende bolide op een rechte lijn proberen te houden, is opeens weg.

Verstreken tijd: 14,64 seconden. Snelheid: 459,1 km per uur. Versnelling: 2,1 G

Ik stuur verwoed tegen en lig in de clinch met iets. Later zou ik me herinneren dat ik worstelde om op de baan te blijven en dat ik een soort strijd leverde om door te kunnen gaan terwijl iets me uit alle macht op een ramkoers wilde dwingen.

Verstreken tijd: 14,64 seconden. Jetcar zakt 4 cm, waarschijnlijk vanwege een klapband

Het gevecht had zich opeens flink verhevigd. Het drong tot me door dat er iets verschrikkelijks was gebeurd en dat ik in de problemen zat. Maar wat voor problemen kon ik me niet herinneren.

Opa Leslie Dunsby op zijn motor in de jaren dertig.

Oma Dunsby op haar BSA-zijspan halverwege de jaren twintig.

Opa Leslie Dunsby (tweede van rechts) met zijn maten in het carrosseriebedrijf van Mulliner in Birmingham, 1947. De messcherpe achterkant van een sedan rechts op de foto begint al vorm te krijgen.

Opa George Hammond in zijn RAF-uniform. Hij werkte bij de explosievenopruimings-dienst van de RAF. Een kalme (dat kon bijna niet anders) en zeer dappere man.

Mijn vader, ongeveer vijf jaar, klaar voor een spurt op zijn turbodriewieler.

Ik, twee, thuis aan het stuur van een of ander zwaar vehikel (wat dat betreft is er niets veranderd), en met dezelfde fanatieke blik als bij mijn vader (links).

Ik (rechts) samen met mijn broer Andy. Etenstijd. Zin in een sprintje over het garagepad?

Ik, drieënhalf, met mijn eerste sportwagen, opgekalefaterd door mijn opa, en door mij gepoetst.
Ik laat ze nog altijd graag glimmen.

Met mijn broers – Andy in het midden en Nick voorop – druk aan het onthaasten.

Op mijn achtste, grijnzend voor een schoolfoto. Ja, ik was een kleine rakker!

In soldatenpak, en waarschijnlijk in de problemen. Afgaand op de rondslingerende hamers heb ik net iets gemold.

Met mijn fiets en mijn neef Martin, klaar voor een fietstocht door de Midlands. Maar waar ik van droomde, waren fietsen met motoren erin.

De puberteit is begonnen en eindelijk heb ik een fiets met een motor erin. Een behoorlijk grote, en kapotte, zo bleek later.

Student aan de kunstacademie: lange haren, leren jack, sjekkie. Daaronder draag ik natuurlijk een bloemetjesrok en rolschaatsen.

De eerste tekenen van een lange periode van foute overhemden. En humeurige blikken. Maar misschien had ik net zwaar getafeld.

Kamperen in het Lake District met mijn broer Nick. Hij propt zich vol met taart, ik toon mijn weelderige, borstelige baard.

Terug naar het Lake District, ditmaal op de motor. Het riante fotomodel moet er ergens onderweg vanaf zijn gevallen. Alweer.

Ik toon het adembenemende landschap van het Lake District mijn knobbelknieën. Soms blijkt je zelfbeeld niet helemaal te kloppen met dat wat de wereld van je te zien krijgt…

In werkelijkheid ligt een van de voorbanden totaal aan flarden. De data-apparatuur registreert de klap bij 439,3 kilometer per uur en de jetcar zakt tien centimeter naar beneden alvorens een luchtsprong te maken. Op de videobeelden verheft de voorkant zich na de klap hoog genoeg om ook het andere voorwiel volledig van de grond te tillen.

Verstreken tijd: 15,00 seconden. Snelheid: 449 km per uur. Versnelling: 3,9 G

Ik ben de strijd aan het verliezen. De wagen schiet naar rechts. Naderhand zullen experts vaststellen dat mijn stuurmanoeuvres en correcties ruim binnen de reactiesnelheid vallen die van moderne straaljagerpiloten wordt verwacht. Uit de gegevens blijkt dat ik slechts probeer om in een rechte lijn te blijven rijden. Mijn voet trapt op de rem, zinloos want met een snelheid van 449 kilometer per uur en met nog slechts drie wielen valt er met een gewone rem niets te beginnen. Het is een automatische handeling, meer niet. Al bijna meteen haal ik de voet weer van de rem. Ik ben niet in paniek. Ik vecht nog steeds, maar begin het onderspit te delven.

Verstreken tijd: 15,71 seconden. Snelheid: 373,3 km per uur. Vertraging: 6 G

Mijn laatste herinnering. Terwijl de jetcar naar rechts glijdt, weet ik dat mijn stuurpogingen de boel niet hebben kunnen redden. Ik ga crashen. Ik herinner me de parachutehendel. Ik trek eraan. De jetcar stopt niet, maar begint slagzij te maken. Ik zie nu dat ik naast de startbaan ben beland en dat ik ondersteboven ga. Ik kan niets meer doen. Hierna, zo ben ik er heimelijk van overtuigd, zal het gedaan zijn met me. Een andere uitkomst is niet mogelijk. Ik ben niet bang; mijn leven trekt zich niet aan mijn ogen voorbij, er is slechts een kalme berusting. En ook een vreemde opluchting, omdat ik eindelijk het antwoord weet op de vraag die we ons misschien allemaal weleens heimelijk stellen: hoe zal ik aan mijn eind komen?

Nou, op woensdag 20 september 2006, om exact 17.30 uur en 33,08 seconden, meende ik exact te weten hoe en wanneer mijn leven zou eindigen. Daarna verloor ik het bewustzijn, want de G-krachten van de crash werden te groot om het bewustzijn te kunnen behouden.

Verstreken tijd: 16,17 seconden

Met een snelheid van nog altijd 307,3 kilometer per uur rolt de jetcar op zijn rug. De rolbeugel beschermt mijn hoofd maar ploegt zich in het gras en gedraagt zich nu als een anker waardoor de snelheid in slechts 0,46 seconden terugloopt van 373,3 naar 307,3 kilometer per uur. Mijn hersenen worden naar voren gedrukt, vervormen zich tot iets langwerpigs en botsen tegen de binnenkant van mijn voorhoofd. Door de kracht ervan komen enkele zenuwen te strak te staan en knappen. Dit zou mij verlamd, blind, doof kunnen maken, met als risico dat ik mezelf niet langer zal herkennen. Maar ik ben nu bewusteloos en alles gaat langs me heen.

Een deel van de jetcar raakt het gras en ploegt zich vast waardoor de gehele wagen weer over de lengteas tolt en uiteindelijk een buiteling maakt. Was ik bij bewustzijn geweest, zou ik heel even wat blauwe lucht hebben gezien alvorens weer onder de grond te worden geploegd aangezien de jetcar opnieuw ondersteboven neerploft en het laatste stukje aflegt. Door de massa's modder en steentjes die door de rolbeugel worden opgerakeld, wordt mijn vizier opengeklapt waardoor mijn gezicht wordt blootgesteld. Mijn linkeroog raakt beschadigd, het omringende weefsel wordt kapot gereten. De door de rolbeugel opgelepelde aarde en modder dringen mijn mond en neus binnen. Terwijl mijn hoofd wat naar rechts zakt, loopt mijn helm een deuk op, scheurt en verbrijzelt op de plek waar hij tegen de rolbeugel slaat. Mijn rechterhersenhelft loopt nog meer schade op.

Dan is het voorbij. Slechts vijf seconden nadat de rechtervoorband klapte en ik mijn hopeloze strijd begon om de macht over het stuur niet te verliezen, is de crash ten einde. De jetcar ligt ondersteboven, met de rolbeugel diep in de aarde begraven, met mij erbij. De wielen, nu wijzend naar de hemel, draaien nog terwijl de motor afkoelt. Ik ben nog steeds bewusteloos, maar er zijn dingen gaande. Mijn hersenen, door elkaar geslingerd vanwege de immense G-krachten, zwellen vervaarlijk op. Mijn ademhaling wordt ernstig beperkt door het zand in mijn mond en neus. De riemen die mijn armen fixeren, hebben gewerkt en hebben mijn ledematen, zelfs ondersteboven met 307,3 kilometer per uur, binnen de relatieve bescherming van de cockpit gehouden. Ook de gordels hebben hun werk gedaan en hebben me ondanks de mokerslagen van het rollen en tuimelen over het gras stevig op mijn plek gehouden. Maar ik verkeer in kritieke toestand. Wat mij betreft heb ik mijn eigen dood onder ogen gezien en heb ik voor eens en altijd antwoord gekregen op die ene grote vraag hoe en wanneer het zou gebeuren.

7
Het verhaal van Mindy

'Oké, Ela, over ongeveer een uur ben ik weer thuis. Meisjes, lief zijn en je bord leeg eten, dan ben ik op tijd terug om jullie in bad te doen.'

Ik rende naar buiten naar mijn Land Rover. Verdorie, zoals altijd was ik weer eens iets vergeten. Deze keer mijn amazonepet. Ik duwde de zware eikenhouten voordeur weer open en stoof naar binnen.

'Daar ben ik weer!'

Ela en Izzy lachten naar me. Ela stond met uitgestoken arm en met mijn pet in de hand al klaar.

'Eh... bedankt! Doei.'

Ela was onze Poolse au pair. In juni was ze aangekomen en nu al was ze een geweldige vriendin voor mij en de meiden. Die zomer hadden we de kinderen leren zwemmen in ons kleine, voorheen van kikkers vergeven zwembad. Elke dag na school renden we met ons vieren – Ela, onze vijfjarige Izzy, Willow van drie en ik – met wat speelgoed en handdoeken naar het zwembad en spetterden tot de zon achter de bomen zakte en de optrekkende kou onze lippen blauw deed uitslaan en ons weer de helling af naar het huis en het avondeten dwong.

Ela en ik hebben heel wat avonden voor de buis gezeten, waarbij we op een gegeven moment de film negeerden en over haar vriendje, de gebeurtenissen van de dag en de kwaliteit van de afhaalindiër of -chinees kletsten die we naar binnen schrokten terwijl we een flesje waardeloze rode wijn of een paar biertjes dronken. Ela hielp altijd met de dieren; ze bracht de pony naar de stal of – haar favoriete taak – gaf de (vijf) honden of (drie) katten voer, wat ze elke avond deed. Ze was een knappe meid met donker, bijna zwart haar tot op haar schouders en een olijfbruine huid. Ze lachte altijd en leerde de honden echt vreselijke gewoonten aan, zoals op haar bed springen en slapen, waar ik op zich wel om kon glimlachen, hoewel ik het zo nu en dan met een 'nou, nou' afkeurde.

De kinderen waren gewoonweg dol op haar vanwege de spelletjes die ze met hen speelde en de liefde en zorg die ze die zomer aan de dag legde. Als student fysiotherapie bracht ze haar vakantie bij ons door.

Met de amazonepet (zo'n fijne lichtblauwe) sprong ik dus in mijn Land Rover met negen zitplaatsen (de kinderen hadden hem Lollipop gedoopt), een Defender G4 met een wielbasis van 110 inch en in een schitterend felgele kleur – wat een kar! – en vertrok richting manege om mijn prachtige nieuwe paard te zien.

Ik voelde me duizelig van opwinding! Al mijn hele leven had ik ervan gedroomd mijn eigen paard te bezitten. Maar daar was het dus altijd bij gebleven: een droom. Tot Richard me een paar jaar geleden voor de kerst een paard cadeau gaf. Ze was fantastisch, maar toen ik haar een tijdje niet bereed omdat ze een veulen kreeg en het speende, verloor ik de moed. Tegen de tijd dat ze weer mee uit rijden genomen kon worden, voelde ze dat mijn zelfvertrouwen verdwenen was. Daarom had ik haar verkocht, waar ik helemaal kapot van was totdat Jenni, een vriendin van me, voorstelde om eens te gaan kijken bij een geweldig paard dat volgens haar volkomen betrouwbaar was en me mijn zelfvertrouwen terug kon geven.

Vóór deze dag had ik twee keer op hem gereden, en bij het laatste bezoek had ik besloten om hem te kopen. Vandaag was mijn eerste 'les' op hem. Dit was echt een prachtig dier. Hij had jarenlang op internationaal niveau wedstrijden gereden en iedereen binnen het wereldje van de springconcoursen kende hem en zijn reputatie, maar de eigenaars, vertelde Jenni me, wilden dat hij naar een 'rusthuis' ging. Ze vonden dat hij op zijn zestiende wel genoeg had gedaan en een meer ontspannen leventje verdiende. Ik kon hem heel goedkoop krijgen, want ik zou met hem geen wedstrijden rijden. Thomas was een Belgisch warmbloedpaard (heel chic); hij was een meter vijfenzeventig lang en had een kastanjebruine tint met een witte bles op zijn hoofd en drie witte sokken. Na één blik wist je al dat hij een bijzonder dier was. Ik meet nog geen een meter vijfenvijftig, en hem alleen al bestijgen was een hele toer aangezien het zadel zich op ongeveer dertig centimeter boven mijn hoofd bevond, maar eenmaal 'aan boord' wist ik dat ik op het allerbeste paard zat.

Ik parkeerde de auto achter de burelen van de rijschool (mijn toekomstige paard was tijdelijk uitgeleend aan een van de docenten daar die hem had omgeschoold voor de dressuur, en ze had goed gepresteerd met hem). Thomas bewoonde een grote stal in een U-vormige binnenplaats, die werd omringd door ongeveer vijftien paardenboxen. Terwijl ik door het hek de binnenplaats op liep, zag ik hem heel rustig in de verre hoek staan, met witte zwachtels om zijn benen gewikkeld (wat men doet, zo ontdekte ik, voordat een dressuurpaard wordt getraind). Zijn vacht glansde in het zonlicht, en opnieuw viel het karakter van dit paard me op. Hij was als een olieverfschilderij, de definitie van kracht en schoonheid in rust. Het besef dat ik op het punt stond hem te gaan berijden was een beetje eng, maar tegelijk ook heel opwindend. Hij was geweldig groot, en op-en-top de aristocraat.

Thomas is wat in ruiterkringen bekendstaat als een 'schoolmeester'; hij weet precies hoe je hem om een bepaalde beweging of taak dient te vragen. Vraag het onjuist, en hij negeert je gewoonweg. Of erger nog, hij blijft stokstijf staan. Ik, daarentegen, was een 'blije rauzer'; elke cent die ik met krantenlopen had verdiend, was in rijlessen gaan zitten, en ik had eindeloos poep geruimd in ruil voor een paar lessen van tien minuten op de rug van een ruwharige pony, maar ondanks al die inspanningen was mijn techniek waardeloos en van een heel andere wereld dan deze Ferrari onder de paarden. Ik liep op hem af en kon mijn wufte schoolmeisjesgrijns niet onderdrukken.

Het was ongeveer halfzes en de zon scheen nog warm op mijn rug toen ik het graseilandje in het midden van de plaats overstak. Overal om me heen bevonden zich leerlingen en paarden, maar die zag ik eigenlijk niet toen ik mijn hand omhoogbracht en Thomas' zachte, witte neus aaide.

'Hallo, brave jongen.'

Wauw! Wat een moment, eindelijk was hij van mij. Dit fantastische dier, met een onberispelijk stamboek en een paspoort met meer landenstempels dan het mijne, was mijn eigendom! Ik maakte mijn pet vast en trok mijn handschoenen zo snel mogelijk aan.

'Steuntje?' klonk een stem achter me.

'Eh... ik denk van wel, en jij?' Ik lachte. Daarna: 'Een, twee...'

'Mindy! Mindy! Telefoon voor je.'

'Wat?'

Mijn mobieltje deed het niet op de binnenplaats, en daarom had Ela de ruiterschool gebeld.

'Mindy, het gaat om Richard. Hij heeft een ongeluk gehad, je moet Andy bellen.'

'God, nee!' Ik sprintte naar de auto. Alles leek veel te langzaam te gaan. Het was nog geen honderd meter naar mijn auto, maar het leek wel een kilometer. Het sleuteltje in het portier leek het slot niet te pakken. Ik had drie pogingen nodig. Toen het portier eindelijk openging, gooide ik mijn pet af, sprong achter het stuur en stak de sleutel in het contactslot, schakelde in z'n achteruit en trapte het pedaal tot op de bodem in. Telefoon! Telefoon! Mijn mobieltje had geen bereik. O, nee! Nee! Ik vloog bijna letterlijk de autodrempels over.

Eindelijk verscheen er weer een signaal op de mobiele telefoon en daarmee mijn voicemail en gemiste oproepen van Andy Wilman.

Ik belde hem onmiddellijk, maar hij was in gesprek. Hij probeerde mij net te bellen.

'Aargh!' brulde ik terwijl de tranen over mijn wangen stroomden.

'Nee! Nee! Niet weer, laat het alsjeblieft niet waar zijn!'

Terwijl ik de hoofdweg op draaide, ging de telefoon; het was Andy.

'Mind, Richard heeft een ongeluk gehad.'

'Je bedoelt dat ie gecrasht is? Hoe erg is het?'

'Ja. Luister, het is oké, hij beweegt zijn armen en benen. Ze brengen hem naar het ziekenhuis in Leeds. Ik zie je daar.'

Ik slaakte een wanhoopskreet: 'Nee, het is niet oké, Andy. Jezus! Hij heeft nog steeds last van een whiplash van het vorige ongeluk.'

Nog maar zes weken daarvoor had Richard een ernstige whiplash opgelopen tijdens een stunt met een busje dat na een smak omhoog was gestuiterd. Hij had vreselijke pijn gehad. Ik had echt geen idee hoe erg dit ongeluk was geweest, maar toen Andy zei 'Ik zie je in Leeds', wist ik dat het ernstig was. Hij reed erheen vanuit Londen. Hij was niet bij de shoot geweest.

Mijn hoofd tolde terwijl ik met tranen die mijn ogen vertroebelden langs de bomen zoefde. Ik weet nog dat ik naar een reusachtige eik midden in een veld keek. Hij zag er vredig, fris en vol leven uit, en mijn hart brak. Misschien was mijn wereld, onze wereld nu wel ingestort... was onze prachtige boom geveld. Ik knipperde met mijn ogen en was weer terug in de werkelijkheid; met de boord van mijn T-shirt veegde ik mijn ogen droog. Ik ademde diep in en belde Richards moeder Eileen. Het leek wel een eeuwigheid voordat ze opnam. Laat haar in godsnaam thuis zijn, smeekte ik inwendig, en niet weg, niet nu. De gedachte dit verschrikkelijke nieuws op haar mobieltje, op straat of op het werk, te moeten overbrengen was onverdraaglijk. Zij en Alan, Richards vader, woonden in Leatherhead, Surrey, in een goed onderhouden bungalow met daarachter een klein bosgebied. Ze werkten allebei als consultant bij een liefdadigheidsorganisatie en waren altijd druk in de weer. Als ze niet werkten, waren ze aan het doe-het-zelven, in de tuin bezig of Callie, hun dierbare colliebastaard, aan het uitlaten.

Gelukkig nam Eileen eindelijk op. Zoals altijd klonk ze opgewekt, maar binnen enkele tellen was ook haar wereld veranderd. Haar eerste gedachte was aan haar kleinkinderen.

'We komen wel op de meisjes passen,' zei ze.

Richards vader bood aan me naar Leeds te rijden, maar dat zou betekend hebben dat ik drie uur op hem moest wachten tot hij in Gloucestershire was. Ik bedankte hen, maar zei dat ik gewoon zelf moest gaan, en dat begrepen ze. We spraken af contact te houden.

Toen ik had opgehangen, barstte ik weer in tranen uit, ik schreeuwde, veegde mijn gezicht af... en pleegde het volgende telefoontje. Nu naar mijn moeder terwijl ik langs het pompstation reed.

'O, nee. Och, lieverd, nee!' Ze maakte zich al een poosje zorgen over die 'gekke dingen' die Richard in zijn hoofd haalde. Arme mam heeft in haar leven al genoeg ellende meegemaakt om te weten dat dingen ook fout kunnen gaan.

Haar eigen tienjarige zoontje Tim was doodgereden door een 'roekeloze' automobilist. Tim hield zijn moeders hand vast in het bushokje voor zijn school toen de man op hen in reed. Hij werd uit zijn moeders greep gerukt en tegen een lantaarnpaal gekwakt. Ze zag alles gebeuren, en ook zijn laatste blik naar haar voordat hij stierf. 'Die dingen gebeuren,' heeft ze altijd gezegd, 'ze gebeuren gewoon.' Ze heeft gelijk.

Nu zei ze slechts: 'Rij voorzichtig. Beloof het me, alsjeblieft. Laat me weten wat ik kan doen en bel me zodra je kunt, schat.'

Meer hoefde ze niet te zeggen, meer hoefde ik niet te horen. Zo kalm, zo lief. De tranen stroomden weer over mijn wangen. Ik had nog maar weinig tijd. Ik moest mezelf zien te herpakken.

Terwijl ik onze laan insloeg, belde ik Katrina, onze persoonlijke assistente. Ze was altijd bereikbaar. Ze werkte pas vier maanden voor ons, maar had zich nu al bewezen als een intelligente meid, vlug van begrip, die ons hielp met logistieke zaken rondom Richards hectische werkagenda. Ik wist dat ik op haar kon rekenen.

Het was inmiddels bijna zes uur in de avond. Ik vertelde haar vlug wat er was gebeurd en beloofde dat ik haar op weg naar Leeds weer zou bellen. Ze was van streek, maar wist intuïtief dat ik haar nodig zou hebben.

Terwijl ik de laatste bocht rondde, had ik me vermand. Ik had immers ongeveer drie minuten om me voor de kinderen zo normaal mogelijk te gedragen. Ik opende het hek en reed verder. Sloot het hek weer en parkeerde voor de deur. Ik rende de trap op en riep Ela. Ze had op me gewacht en de meiden beziggehouden. Op het moment dat ik een koffer op het bed wierp, kwam ze de slaapkamer binnen.

'O, Ela, ik moet naar Leeds, ik weet niet precies wat er is gebeurd. Ik weet niet wanneer ik terug ben. O, god!' De tranen biggelden weer over mijn wangen terwijl ik allerlei belachelijke spullen in de koffer wierp. Ela keek me zwijgend aan terwijl ook bij haar de tranen over haar wangen stroomden.

'O, Mindy!' Ze omhelsde me, en even leunde ik tegen haar aan en huilde. Maar er was verder geen tijd voor emoties, ik moest ervandoor.

Ik had eigenlijk geen idee wat ik deed. Wat moest ik inpakken? Een broek en sokken, die had hij altijd nodig; een ochtendjas, in ziekenhuizen heb je altijd een ochtendjas nodig. Mijn toilettas, schoon ondergoed voor mij en een reservetopje. De ochtendjas nam de kleine koffer al bijna helemaal in beslag, maar ik liet hem er wel in. Die was voor hem. Hij zat lekker. Dat zou hij fijn vinden.

Ik deed de koffer dicht en rende van onze slaapkamer naar mijn werkkamer. De computer stond aan. Ik stuurde Richards agent een e-mailtje:

Richard heeft een ongeluk gehad. ERNSTIG.
Ik ben op weg naar het ziekenhuis. Bel me.

Het leek weer een eeuwigheid te duren eer het geluidje van 'verzenden' opklonk. Ik zat te wiebelen op mijn stoel. 'Kom op, kom op!'

Zodra het was verzonden, rende ik via de overloop naar Ela, die mijn koffer al de trap af droeg. Ik keek op mijn horloge: halfzeven! O, lieve god! Ik moet gaan, ik moet gaan!

De meisjes waren in de speelkamer.

'Izzy! Willow!' riep ik. Ik deed mijn best niet al te gehaast te klinken. Ze verschenen op de gang en keken me allebei nieuwsgierig en vol verwachting aan. Ik snotterde, maar glimlachte wel.

'Papa is weer met een auto gebotst.'

'O, niet weer!' Izzy sloeg haar ogen ten hemel.

'Ja, helaas wel. En hij heeft wat kleren gescheurd, dus ik moet erheen om hem wat nieuwe te brengen,' legde ik uit.

'O, oké,' zei Willow. 'Hij is een dommerd.'

'Ja, lieverd, dat is ie.' We gaven elkaar een knuffel. Willow was zo makkelijk. Ze was nog maar drie. Maar nadat ze naar de keuken was gehuppeld, keek Izzy me doordringend aan. Haar ogen vulden zich met tranen en ik begon ook weer. Ik ging op mijn knieën zitten, nam haar frêle schouders in mijn handen en keek haar recht in de ogen.

'Het komt wel goed. Echt. Ik hou van je. Kom op, Izzy.'

Ze knikte, met haar duim in de mond, en sloeg haar armen om me heen. 'Ik hou van je, mammie.'

Terwijl die kleine meid daar op de donkere houten vloer stond, met haar ogen vol tranen en haar dappere gezichtje dat ertegen vocht, gaf ik haar een stevige knuffel. Ik had geen idee hoe vaak we dit moment weer zouden beleven, en wat er die dag door dat pientere hoofdje ging, zal ik wel nooit weten... maar ze wist dat er iets vreselijks was gebeurd met haar papa. Haar geweldige papa.

Het was tijd om te gaan. Ik pakte de autosleutels en zag Richards reservemobieltje op tafel liggen. Ik griste het mee, samen met mijn reserve-gsm en alle opladers die ik zag. Ik vloog naar buiten, maar realiseerde me dat mijn Land Rover te langzaam en te opvallend zou zijn. Als autojournalist heeft Richard regelmatig auto's van fabrikanten te leen om ze te beoordelen, en die dag was er zo'n auto afgeleverd. Ik wist dat ik in extreme omstandigheden verzekerd was, dus ik rende terug, ruilde de sleuteltjes om en wierp alles behalve de telefoons en handtas in de kofferbak.

De meisjes stonden op het stoepje voor het huis, beiden iets te bedeesd. Ik rende terug en kuste hen.

'Tot snel. Ik weet zeker dat het niet lang zal duren.'

'Ben je vanavond weer terug, mammie?' vroeg Izzy.

'Nou, vanavond misschien niet, maar ik laat het je zo gauw mogelijk weten, en vanavond bel ik je om welterusten te zeggen. Oké, lieverd?'

'O, oké.' Ze deed zo haar best om dapper te zijn. Haar lippen trilden, en toch wist ze te glimlachen. We wisten allebei dat ze zich groothield voor haar kleine zusje.

'Dag, mammie,' zei Willow, een beetje verward door de situatie.

Ik moest me omdraaien, want anders zouden ze me zien huilen. Daarna rende ik naar de auto. Ik vertrouwde op Ela. Ik wist dat ze goed voor de twee zou zorgen. Ondertussen moest ik naar Leeds zien te komen. Naar Richard.

Terwijl ik het hek uit reed, gebeurde er iets. De tranen kwamen weer opzetten, maar nu slechts eventjes; deze keer kreeg ik er vat op. Ik moest me concentreren. Ik moest nadenken. Huilen had helemaal geen zin, zo zag ik niets van de weg en wat zouden we daarmee opschieten? Ik herinner me dat ik een paar keer diep in- en uitademde en hardop tegen mezelf zei: 'Kom op, kom op. Hou daar in godsnaam mee op.'

Er lag een blikje cola in de auto en ik nam een paar slokken. Ik deed mijn oortje in en belde Katrina. Ik moest het een en ander organiseren en ervoor zorgen dat alles werd geregeld.

'Ik heb een testauto geleend. Kun jij de fabrikant even bellen? Bij *Top Gear* hebben ze het nummer wel; leg maar uit wat er is gebeurd. Het ophaaladres zal veranderd moeten worden.'

Katrina vertelde me dat een van de tabloids al met Richards agent had gebeld. Ze wisten dat hij was gecrasht. Hoe? Hoe gebeurt zoiets?! Ik verzocht Katrina om te checken hoe het met alle andere kranten zat; ik wist dat Richard zou willen dat ik de situatie beheersbaar hield. Zelf schreef hij voor de *Daily Mirror*; ik moest de redactie laten weten wat er aan de hand was. Hij stond erop dat zijn werkgever altijd op de hoogte diende te zijn.

Terwijl ik Katrina aan de lijn had, hoorde ik mijn mobieltje piepen; het waren Jeremy en Francie Clarkson. Ze waren op weg naar een etentje. In dit stadium waren we ons allemaal nog niet bewust van de ernst van het ongeluk. Francie was heel meelevend, ze was een van de weinigen die zich echt kon inleven in wat ik doormaakte.

'Dit is waar ieder van ons bang voor is; je ergste nachtmerrie,' zei ze terwijl Jeremy haar bijviel op hun handsfree telefoon. Ze stonden erop dat ik hen zou bellen als ze iets konden doen. Ik herinnerde me onze vakantie met hen op het eiland Man: onze dochtertjes waren dol op hun kinderen, en het was voor ons allemaal heerlijk ontspannen geweest, Richard had zelfs voor het eerst in jaren geschilderd. Hij genoot ervan en maakte echt mooie dingen, maar had nog maar weinig gelegenheid om zich te ontspannen en zich op zijn favoriete hobby te storten. Tijdens ons korte verblijf had hij Jeremy verrast met een prachtige aquarel... ik vroeg me af of hij ooit weer zou kunnen schilderen.

Ik dwong mezelf op te houden met dit soort gedachten. In het verleden had hij wel vaker ongelukken gehad – meer dan genoeg. Hij had zich de taaiste vent ter wereld getoond. Als ik hem dan in het ziekenhuis opzocht, waar hij met een paar bulten, blauwe plekken en een schaapachtig gezicht rechtop in bed zat, was hij een en al excuses. 'Het spijt me, ik heb het een en ander kapotgemaakt...' Dan gaf ik hem een knuffel en een kus en gingen we gewoon weer door waar we gebleven waren.

Daarna drong de werkelijkheid pas echt goed tot me door. Katrina had net teruggebeld om te zeggen dat alle kranten het verhaal volgden. Het ongeluk was groot nieuws. Terwijl ik met haar praatte, hoorde ik het BBC-nieuws op de radio.

'*Top Gear*-presentator Richard Hammond heeft een ernstige crash gemaakt in een jetcar. Op een vliegveldje even buiten York ging het voertuig over de kop. Hammond is in kritieke toestand naar het algemeen ziekenhuis in Leeds overgevlogen. Zijn vrouw Mindy is nu onderweg naar het ziekenhuis.'

'Kritieke toestand? Kritiek?!!' Dat woord had niemand gebruikt tegen me. En hij is over de kop gegaan! 'O, nee! Nee!' Ik gilde zo hard dat ik sterretjes zag. Katrina was bang dat ik een ongeluk zou begaan. De beelden in mijn hoofd waren afschuwelijk. Ik had de jetcar nooit gezien. Wat ik voor me zag, was de *Bluebird*, voordat die in de jaren zestig over de zoutvlakten in Utah raasde. Ik denk dat mijn brein zich geen betere voorstelling kon vormen, en ik beeldde me in dat hij over de kop sloeg en met hoge snelheid verder gleed. Ik stelde me Richard in dat ding voor, volkomen machteloos, en ik werd misselijk. Ik vroeg me af in wat voor toestand hij zich bevond. Ik duizelde van de rampscenario's. Ons huis stond te koop. Nou ja, misschien zouden we er maar moeten blijven wonen en het een en ander moeten aanpassen. Als hij verlamd was, zouden we de woning geschikt moeten maken voor een rolstoel; keukens kun je laten ombouwen; badkamers ook... Ik zou een heel snelle rolstoel voor hem kopen. Het zou wel goed komen. Als hij niet meer kon praten, zou ik een prachtige computer voor hem kopen. Voor alles is een oplossing, je kunt alles overwinnen. Blijf gewoon in leven. Toe, lieve Heer, ik smeek u, hou hem alstublieft in leven voor me.

De telefoons piepten onophoudelijk met berichten die binnenkwamen. Op het scherm van allebei mijn mobieltjes stond '*sms full*'. Ik kon niet reageren, ik kon de berichten zelfs niet lezen. Ze gingen voortdurend. Ik nam niet altijd op, moet ik toegeven. Je hebt bepaalde vrienden bij wie je je hart uitstort, bij wie je je laat gaan. Die luxe kon ik me nu niet veroorloven. Ik moest naar Richard. Als hij me kon zien, moest hij me positief en sterk zien.

Snel belde ik naar huis. Ik moest de meisjes welterusten zeggen. Ik herinner me dat ik vrolijk deed tegen hen. Ela, de schat, had spelletjes met hen gespeeld en hen beziggehouden. Ze maakten het goed.

Van die autorit kan ik me maar weinig herinneren. Het geheugen is zoiets bizars. Ik weet dat ik een paar keer met Richards ouders sprak, hoewel ik me niet precies kan herinneren wat er werd gezegd. Ik weet nog dat ik Richards mobieltje aanzette voor het nummer van zijn hoofdredacteur bij de *Mirror*. Katrina had nog niets van de krant vernomen, ze hadden geen contact gezocht. Ik vond dat ik hen moest bellen. Dat zou Richard willen.

Toen ik verbinding kreeg, stond ik perplex: uit respect hadden ze me niet gebeld. Ze wilden ons gewoon lucht geven. Ik was geroerd. 'Richard is een vriend,' waren de woorden van zijn hoofdredacteur. 'Als we iets kunnen doen, wat dan ook, bel ons dan, oké?'

Ze wensten me het allerbeste, en ik beloofde contact te houden.

Leden van het *Top Gear*-team belden me. Suzi van productie vroeg me of ze iets konden doen. Ik bedankte haar, maar nee, niemand kon iets doen tenzij ze de klok een paar uur konden terugdraaien.

Het moet de zwartste avond zijn geweest. Niet in termen van verdriet of ellende – hoewel het natuurlijk echt een afschuwelijke reis was – maar juist omdat ik me nog goed kan herinneren dat ik naar de lucht keek, en die leek zwarter dan zwart. Ik zag alleen autolampen en lantaarnpalen. Geen landschap. Geen gebouwen. Alles was zwart. Niets was belangrijk, of een aanblik waard. Slechts objecten die je moest mijden om je weg te kunnen vervolgen. De langzaamste, langste weg. De autonavigatie toonde een geschatte aankomsttijd en het aantal nog te rijden kilometers. Dat laatste leek maar niet minder te worden. Het leek wel een wreed, duivels spel. Ik voelde me als een muis die wilde vluchten voor een bloeddorstige kat die boven op mijn staart stond; mijn benen krabbelden wanhopig om vooruit te komen in een vergeefse poging om mijn bestemming te bereiken.

De radiobulletins zonden het nieuws weer uit. Ik zette de radio uit. Ik schreeuwde naar de auto voor me om opzij te gaan. Het verkeer hield me op, en Andy Wilman belde regelmatig om te horen waar ik was. Hij zou er eerder zijn dan ik. Ik wilde geen moment stoppen, hoewel mijn blaas op springen stond. Bij een benzinestation ging ik toch maar aan de kant; het was de meest naargeestige plek die ik ooit had gezien. Ik zag een groepje stoere knapen met capuchons tegen hun snelle auto's geleund staan. Ik parkeerde de overduidelijk zeer dure auto zo dicht mogelijk bij het gebouw en liep snel in de richting van de toiletten, via een deur om de hoek van een ingesloten binnenplein. Er brandde geen licht. Alles was gesloten, behalve de openbare wc's in de verre hoek. Op de deur naar de 'Dames' hing een klein, geel plastic bordje 'gesloten wegens reiniging'. Binnen flikkerden de lampen. Het leek wel een scène uit een goedkope rampenfilm. Terwijl ik me naar die deur haastte, gilde elke vezel in mijn lijf om te keren en terug naar de auto te gaan, maar ik had geen tijd om op zoek te gaan naar een ander pompstation, en mijn blaas kon niet langer wachten. Ik liep door en zei hardop: 'Oké, dus nu word ik beroofd. Geweldig.' Maar weet je, bij de deur aangekomen was er bij mij geen twijfel: zelfs als het hele zootje tuig daarbuiten me had willen aanranden, zou ik hen allemaal tegen de grond hebben geslagen. Het was zo'n zeldzaam moment waarop de vastbeslotenheid van je afstraalt.

Terug bij de auto stapte ik langzaam en vastberaden in, waarna ik rustig wegreed. Reikhalzend keken ze me na. Mijn hart ging tekeer. Zodra ik uit het zicht en weer op de donkere weg was, trapte ik het gaspedaal in en zuchtte opgelucht. Ik had nog een flink eind te gaan, en de telefoons rinkelden en piepten maar door.

Eerder had ik al het ziekenhuis gebeld, maar daar was men natuurlijk terughoudend met informatie. Ik had allebei mijn nummers achtergelaten terwijl ze bij de BBC navraag deden naar mijn gegevens.

Het probleem was dat ik constant in gesprek was. Ik hield op met telefoontjes beantwoorden, tenzij het Andy Wilman was of Richards ouders, want ik wachtte wanhopig op nieuws van het ziekenhuis. Vervolgens kwam 'anoniem' aan de lijn. Ik nam op en een mannenstem klonk: 'Hallo, spreek ik met mevrouw Hammond?'

'Ja, met wie spreek ik?' vroeg ik eerst nog wat argwanend, het kon net zo goed een journalist zijn.

'Hallo, mevrouw Hammond, ik ben een van de dienstdoende verpleegkundigen van A & E in Leeds.'

'O, hallo.' Mijn stem brak. Ik wilde met hem praten, ik wilde meer weten over Richard, maar tegelijkertijd was ik doodsbang.

'U zit nu aan het stuur?'

'Ja, ja, ik zit op de weg. Kunt u me vertellen hoe hij het maakt?'

'Niet terwijl u rijdt. Kunt u even stoppen?'

'Nee, ik zit op de snelweg.'

'Oké, maar kunt u ondertussen ergens stoppen, zodat ik u over een minuut of vijf terugbel?'

'O god, oké.' De tranen smoorden mijn stem.

Ik reed door en speurde de weg af voor een afslag, een plek waar ik kon stoppen. Op de vluchtstrook kon niet, dat was gevaarlijk. Richard stoorde zich aan mensen die dat deden. Ik moest blijven rijden.

De man belde terug. Dit gebeurde drie keer, en ik kreeg bijna een zenuwinzinking. De reden dat ze niets wilden vertellen was dat ze bang waren dat ik een ongeluk zou kunnen krijgen als ze me het nieuws overbrachten terwijl ik reed. De vierde keer belde een vrouw. Ik gilde het uit van frustratie.

'Hoor eens, vertel het me verdomme nu maar want anders knal ik sowieso ergens tegenop!'

'Oké, oké. Uw man heeft een klap tegen zijn hoofd gehad en heeft ernstig hersenletsel opgelopen.' Snel gevolgd door een: 'Alles goed met u?'

Ernstig hersenletsel, twee woorden die je nooit in verband zou brengen met iemand van wie je houdt. Ze snijden door je ziel, slaan in als een granaat. Een kwetsuur aan de hersenen. Niet het hoofd, nee, de hersenen. En ernstig. Het was alsof alles tegelijk kwam. Mijn hoofd tolde: 'Over de kop geslagen, gecrasht, kritiek, hersenletsel.'

Mijn man, mijn Richard, geknakt? Het kon gewoon niet waar zijn.

'O, god! O, god!'

'Waar zit u ergens?' vroeg de vrouw in haar zachte Leeds-accent. Ik had geen idee. Ik was gewoon blijven rijden. Urenlang. De kilometers waar maar geen einde aan kwam. Het was de langste autorit van mijn leven. Ik keek om me heen voor iets bekends; ik herinnerde me vaag een bord.

'Manchester. Ik denk Manchester; kan dat kloppen?'

'O, dan hoeft u niet meer zo ver. We bellen u over een kwartiertje weer om te kijken waar u dan ergens zit. Weet u zeker dat u het redt?'

'Ja, ik red me wel.' Ik beefde. Ik hield van die stem. Ik wilde die warmte en vriendelijkheid als een zachte wollen sjaal om me heen slaan, en mijn ogen sluiten voor de werkelijkheid.

Ik was rillerig en huilerig; nee, ik treurde. Mijn waanzinnige, grappige, moedige, mooie, lieve man bevond zich daarginds. Maar misschien was het Richard niet meer. Wie weet zou het nooit meer Richard zijn. We zouden het wel redden. Het zou goed komen. Wat er ook gebeurde, we zouden het doorstaan.

'Goed. Zo is het wel genoeg.' Ik weet nog dat ik dat hardop zei. Snotterend veegde ik mijn gezicht af en ademde een paar keer diep in en uit. Ik was er nu bijna, eindelijk.

Andy Wilman belde. 'Hallo, alles kits?'

'Ja. Prima.'

'Waar zit je ergens?'

'Nog een kilometer of vijftien te gaan.'

'Goed, luister...' Hij sprak zo zacht, zo aardig, zo zorgzaam. 'Er staan hier een hoop tv-ploegen, pers en weet ik veel wat, dus we moeten je via de achteringang binnen zien te loodsen, oké?'

'Ja, oké.'

'Bel me zodra je in de buurt bent, dan gids ik je binnen.'

'Oké, tot straks.'

'Goed zo, meisje.'

We spraken op zachte en sombere toon.

De laatste kilometers vermande ik me. Ik veegde mijn gezicht af, snoot mijn neus en trok mijn harnas aan, klaar voor de strijd. Het

114

zou beresterk moeten zijn, dat harnas. Op dat moment wist ik het nog niet, maar ik zou het vele maanden moeten dragen.

Ik weet nog dat ik bij het omslaan van de laatste hoek naar de achterkant van het ziekenhuis en bij het parkeren dacht hoe deprimerend, donker en treurig het er allemaal uitzag. Ik bleef nog een paar minuten in de auto zitten toen ik opeens Andy over de weg snel op me af zag lopen. Zoals altijd liep hij er slordig bij; een enorme flodderbroek en een grijs T-shirt met daaroverheen een wit overhemd. Onverzorgd grijs haar en een stoppelbaard van een paar dagen. Ik opende het portier en glimlachte flauw terwijl hij me omhelsde.

'Wat een dag, hè?' zei ik.

Hij was opgelucht. Hij dacht echt dat ik zou zijn uitgestapt om hem een optater te geven, maar ik wilde alleen maar naar Richard toe.

Andy werd op de hielen gevolgd door een veiligheidsmedewerkster. Ze waren beiden gespannen. We bevonden ons in een zijstraat, en de pers was overal. Andy wilde me snel en ongezien naar binnen smokkelen.

Ik had bagage meegenomen, een koffer achter in de auto, maar die kwam niet met mij het ziekenhuis in.

Parkeerde Andy de auto of deed de veiligheidsmedewerkster dat? Ik kan het me allemaal niet meer herinneren. Iemand heeft de auto weggereden en hem op een veilig plekje weggezet. Ik werd het ziekenhuis binnengeleid, dat enorme, donkere gebouw. Ik had een mooie ingang verwacht, met felle lampen en veel glas, maar voor me bevond zich een akelig ogend, bakstenen moloch. Ik zag de deur niet eens. Ik keek de weg af. Die was van dat knobbelige, ruwe teermacadam dat ik me uit mijn jeugd herinnerde; als je viel, haalde dat spul de huid van je handen en knieën open en bleven er kiezels en zand in de wond achter. Ik bibberde. Ik vond het hier maar niets.

Ik weet niet meer hoe we het gebouw in zijn gekomen, maar binnen zag het er oud uit. Naarmate we verder liepen, werd het lichter en nieuwer. De vloeren waren niet meer van steen, maar bestonden uit vloerdelen, linoleum en tegels. Het ging steeds meer op een ziekenhuis lijken en ernaar ruiken.

Ik was als verdoofd. Er werd weinig gepraat. Het tempo was gehaast. We liepen een hoek om en ik zag twee rijen liften recht tegenover elkaar. Standaard ziekenhuisliften. Met bruine metalen deuren. Ik denk dat Andy nog steeds bij me was. Ik weet nog dat ik me veilig voelde, dus hij moet wel bij me zijn geweest. Ik hoorde eigenlijk niets. Het was alsof ik me onder water bevond. Wat mensen om me heen zeiden of deden, was irrelevant. Ze hadden een sirene naast me kunnen doen afgaan, ik zou het niet hebben gemerkt. Ik bewoog me op de automatische piloot. Ik had geen idee hoe ik bij hem kon komen of zelfs waar hij was, maar ik was dichtbij. Elke bocht, elke stap, bracht me dichterbij.

De lift stopte. We liepen door een gang. Aan het plafond hingen bordjes. De namen van de afdelingen. We bleven staan. Dubbele deuren. Een intercom.

Ik voelde mijn hart in mijn keel. Andy liep met me mee. Het was alsof we op de maan liepen; alles was in slow motion.

We liepen door een paar deuren. Aan weerskanten van een binnengang waren kamers. We sloegen een hoek om. Voor ons weer een paar deuren. Binnen was het licht gedimd. Naast de deuren stond een verpleegkundige; ze glimlachte naar me. Andy ging stilletjes weg... Ik was alleen.

De verpleegkundige zei iets. We liepen door. Ik zag een gordijn dat om een bed rechts van me was dichtgetrokken. Lag hij daar? Nee. We liepen verder. Piepgeluiden. Ik hoorde apparaten. Intensive care. Langs de gordijnen; het volgende bed. Dit was hem. Aan beide kanten van het bed rijen apparaten. Eentje pompte lucht in zijn longen; infusen in beide armen; monitors aan zijn borst en hand. Zijn gezicht geel van de bloeduitstortingen, op zijn voorhoofd een bizarre bult zo groot als een vuist en zijn linkeroog was vier keer zo groot als normaal en dieprood.

In zijn gapende mond zat een buis, die door een verband om zijn hoofd op zijn plek werd gehouden. Hij lag stil. Geen teken van leven. De enige beweging kwam van het beademingsapparaat als dat leegliep en zich weer volzoog. Ik liep naar hem toe, vocht tegen de tranen en kuste zijn wang.

'Hallo, mijn lieverd.' De tranen drupten van mijn kin, maar ik glimlachte half. Hoe afschuwelijk het ook was, en hoe wanhopig je het je misschien kunt voorstellen dat het moest zijn, ik wist dat hij er nog was. Ik wist honderd procent zeker, zonder enige twijfel, dat hij er was. Gebroken, moe, uitgeput. Maar de geest van deze man, die net zo taai en stoer is als iedere strijdende held in een sprookjesboek, verkeerde slechts in een sluimertoestand... hij was niet dood. Ik moest gewoon op hem wachten.

Richards verpleegkundige stond erop dat ze een kop thee voor me haalde. Ze zat aan het voeteneinde van zijn bed, aan een lessenaar, met een soort enorm klembord met gegevens van al zijn tests en bewegingen. Ze nam alles regelmatig op en bracht alles in kaart. De hoeveelheid zuurstof in zijn bloed; bloeddruk; hartslag en observaties. Maar het grootste deel van de tijd zat ze gewoon aan het voeteneind en tuurde ze over haar 'lessenaar' naar hem, naar de apparaten. Als een beschermengel met de kracht om het leven te herstellen, mocht het even haperen; een fantastische, warme, vriendelijke vrouw met kort, blond haar en een aardig gezicht. Ik voelde me direct gerustgesteld door haar aanwezigheid. Ze straalde kalmte uit. Ik vertrouwde haar.

Ik nam het kopje thee aan, maar sloeg de sandwiches af die iedereen hier leek te willen aanbieden. Een kopje thee en een sandwich: wat zijn wij Britten toch voorspelbaar in een crisis.

Ik speurde Richards gezicht af. Ik had eigenlijk een echte puinhoop verwacht. Sneeën, blauwe plekken, bloed. Maar daar was niets van te zien. Ik zag dat zijn gezicht opgezwollen was; met van dat afschuwelijke geelgroen dat je meestal aan de rand van een blauwe bloeduitstorting krijgt. Alleen was de bloeduitstorting bij hem niet aan de buitenkant te zien. Dit zag er veel ernstiger uit.

Zijn linkeroog zag er echt akelig uit. Het leek met de minuut verder op te zwellen. Om zijn neusgaten zat veel geronnen bloed, met stukjes aarde. Hij oogde precies als Richard, alleen leek het alsof hij zelf heel ver weg was. Dit was slechts een omhulsel, dat wachtte op Richards terugkeer.

Het is heel raar om een scène te beleven die je in tv-drama's al zo vaak hebt gezien. Je krijgt het gevoel dat een situatie van deze omvang gewoon niet echt kan zijn... Het klopt gewoon niet.

Daar zat ik dan, met zijn slappe hand in de mijne... een hand die je kon knijpen, strelen, betasten, maar die letterlijk voor geen millimeter reageerde. Fysiek aanwezig, maar ook weer niet. Het was zo bizar, zo onwerkelijk, zo afschuwelijk.

De apparaten deden me denken aan mijn vader in diens laatste levensdagen. Een paar jaar daarvoor was bij hem kanker geconstateerd. Hij had een nier verloren, daarna zijn blaas. De chirurgen hadden snel ingegrepen, en hij had een brief gekregen met de bevestiging dat zijn onderzoeken positief waren. Toch had hij zich ziek en misselijk gevoeld. In het ziekenhuis ontdekten ze dat zijn lever zo ernstig door kanker was aangetast dat het niet meer te opereren was. Hij had nog een halfjaar te leven. Maar die nacht viel hij in het ziekenhuis uit zijn bed. We vermoeden dat hij dacht dat hij kon opstaan; hij wilde zo graag naar huis. Had ik me toen gerealiseerd hoe weinig tijd hij nog had, dan zou ik hem hebben meegenomen. We denken dat hij bij de val zijn heup kan hebben gebroken, want hij had in elk geval veel pijn.

Ik ben nooit zo het 'zorgzame' type geweest, maar zijn laatste drie nachten en twee dagen zat ik bij hem en depte het vieze bruine vocht op dat uit zijn neus druppelde, uit zijn mond kwijlde en uiteindelijk uit zijn ogen sijpelde. Ik loste mijn moeder af, totdat ze uitgeput was. Ook zijn zus – mijn tante Betty – was er. Met ons drietjes in zijn kleine kamer, kijkend hoe hij stierf. Voor mijn zus Sarah, die diabeticus is, werd het te veel en ze kon niet naar het ziekenhuis komen. Zij en pa hadden een heel goede band, terwijl ik tot mijn vaders dood altijd een moeilijke relatie met hem had. Naarmate zijn ademhaling moeizamer werd, keken ma en tante Betty elkaar even aan. Het was elf uur in de avond.

'O nee, Bert. Niet vandaag, niet vandaag,' zei mijn moeder snikkend.

Het was de sterfdag van hun zoon Tim.

'Kom op, Bertie, hou het nog iets langer vol,' zei mijn tante. En hij reageerde. Hij nam een monumentale hap lucht en bracht zichzelf weer op gang. Tot de volgende avond hield hij het vol toen mijn zus eindelijk arriveerde.

Ze liep zijn kamer in en binnen enkele tellen nadat hij haar stem had gehoord, tilde mijn vader, die dagenlang niet had bewogen en wiens ogen door dat vieze bruine spul dat overal uit sijpelde dichtgekoekt hadden gezeten, zijn hoofd op van het kussen, opende zijn ogen, keek en glimlachte naar ieder van ons, liet zijn hoofd weer zakken en stierf. Zijn gelaatsuitdrukking, in ontspannen toestand altijd met neerhangende mondhoeken en een wat narrige manier van doen, zag er opeens heel anders uit. Een blik van pure verwondering en blijdschap zoals ik die nog nooit eerder had gezien. Terwijl hij heenging, glimlachte ik door mijn tranen heen, want waar hij ook ging, hij leek opgewonden. Waar het mij echter om ging, was dat hij kon horen. De hele tijd dat hij buiten bewustzijn was, was hij zich bewust geweest van wat er om hem heen in de kamer gebeurde. Het klopt wat de artsen in dit soort situaties zeggen. Het gehoor werkt nog. En daarom was ik me daar nu, bij Richard, zo ongelooflijk van bewust. Juist omdat hij geen teken gaf zich ook maar ergens van bewust te zijn, was ik van plan zo positief mogelijk te blijven. Voor het geval dat.

Elk halfuur deed de verpleegkundige testjes en vroeg ze Richard om bepaalde dingen te doen. Zijn ogen openen was de eerste opdracht. Daarna zijn naam zeggen. Ze legde haar wijsvingers in zijn beide handen en vroeg hem erin te knijpen, daarna om met zijn tenen te bewegen. Er gebeurde niets. Ze praatte op strenge en harde toon tegen hem. Nog altijd niets. Daarna...

'Ik moet je nu toch een beetje pijn gaan doen, Richard.'

Ze legde me uit dat ze een reactie van hem moest meten, en om hem zover te krijgen zou ze met haar zaklampje stevig op een drukpunt tussen zijn wenkbrauw en zijn neus drukken. Het deed hem duidelijk pijn, maar zijn reactie was niet geweldig. Hij wist eventjes met zijn oogleden te trillen... verder weinig. Ze hield zijn oogleden omhoog en scheen in elk oog om zijn respons te controleren... hij gaf geen krimp en zei niets. Ook toen ze wilde dat hij in haar vingers kneep, gebeurde er niets. Dit was allemaal niet bemoedigend. De realiteit van een leven met iemand die in dit stadium niet vooruitgaat, is beangstigend. Wat moet je in vredesnaam doen? Hoe ga je daarmee om? Ik wilde er niet over nadenken. Ik twijfelde er niet aan dat dit slechts het eerste stapje was op weg naar herstel. Het was nog vroeg. Ik kon me nu nog geen zorgen maken. Hij had gewoon tijd nodig.

Ik weet nog dat de verpleegkundige me zijn kaart liet zien en alles uitlegde, en dan stelde ik mezelf daar helemaal op in. Ik concentreerde me, zoog de informatie op, verwerkte en doorgrondde het en borg het ten slotte op totdat ik het nodig zou kunnen hebben. Ik wilde niet weten wat zijn kansen waren, wat de prognose was. Ik kende hem: hij schopte, hij vocht terug. Want echt, als iemand zich hier doorheen kon slaan, was het Richard wel. En dan zou ik bij hem zijn.

Op de plek van het ongeluk was het ambulancepersoneel verrast geweest dat hij nog ademhaalde. De klep van zijn helm was opengeduwd en vervolgens met aarde gevuld toen zijn hoofd zich in de grond boorde. Zijn mond en neus zaten vol aarde en zijn linkeroog was een puinhoop.

Richard was volledig buiten westen. Ze verwijderden zoveel mogelijk modder uit zijn mond en neus voordat ze met de zogenaamde 'Glasgow Coma Score', een meetmethode, zijn toestand verifieerden.

Het werkt als volgt: de GCS heeft als minimumwaarde drie (slecht) en als maximumwaarde vijftien (goed). Het bestaat uit drie elementen: de beste oogbewegingsreactie, de beste verbale reactie en de beste motorische reactie.

Een comascore van dertien of hoger duidt op licht hersenletsel, negen tot twaalf op gemiddeld letsel en acht of minder op ernstig hersenletsel.

Richard scoorde een drie.

Sinds het ongeluk hebben we met het medisch personeel van de traumaheli gesproken, dat op die dag dienst had, en ik zal nooit vergeten wat een van hen tegen me zei.

'Wanneer je op zo'n plek aankomt en de patiënt ziet, zie je doorgaans meteen of hij het gaat overleven of niet.'

Ik verwachtte dat hij ging zeggen: 'O, natuurlijk wisten we dat hij het zou redden.'

Maar in plaats daarvan vertelde hij me: 'Weet u, hij was er echt slecht aan toe. Ik dacht niet dat ie het zou halen.'

Eenmaal weer bij bewustzijn bleef Richard in de jetcar terwijl hij instructies kreeg hoe hij het team kon helpen om hem uit dat ding te bevrijden zonder dat hij verder letsel opliep. Volgens aanwezigen keken zijn ogen in tegengestelde richtingen; hij negeerde alles wat tegen hem werd gezegd, maar toen hij de stem van een lid van de *Top Gear*-filmploeg opving, gehoorzaamde hij. Ze merkten dat de enige manier om hem te laten meewerken was dat als iemand van *Top Gear* de instructies van het medisch team herhaalde.

Een hoofdletsel is iets vreemds en onvoorspelbaars. De impact wordt niet meteen gevoeld, wat de reden was waarom Richard, eenmaal uit het wrak bevrijd, protesteerde dat hij nog een opname moest doen, maar op weg naar het ziekenhuis werd hij gestaag agressiever. Zijn hersenen zwollen op.

In het ziekenhuis werd hij volledig onder narcose gebracht. Dit zou voorkomen dat hij nog meer hersenletsel opliep. De medicatie werd snel stopgezet, waardoor de sedatieve werking stopte, maar tegen die tijd sorteerde het hersenletsel al effect. Er was geen duidelijke grenslijn tussen bewust en onbewust, en we moesten gewoon maar toekijken en afwachten hoe hij zou herstellen, en wat voor definitieve schade er zou kunnen zijn.

Richards hersenen waren gekneusd en er was sprake van bloedingen. Op zijn voorhoofd groeide een vuistgrote bult, te wijten aan vocht dat vanuit zijn kwetsuur naar voren vloeide. Zijn rechtervoorhoofdskwab had de grootste schade opgelopen. Dit deel van de hersenen is betrokken bij herkenning, het vermogen om afstanden te schatten, besluitvorming, probleemoplossing en je karakterstructuur. Hij had zenuwcellen in zijn hersenen beschadigd. Door de kracht van de klap waren ze overrekt en geknapt. Dit soort verwondingen zie je niet op een CT-scan; stille wonden die buitengewoon ondermijnend zijn. De schade kan uiteenlopen van verlamming, blindheid of doofheid tot depressies, woede of attaques.

Ons werd verteld dat hij misschien wel nooit meer de oude zou worden. Sommige patiënten herkennen hun dierbaren niet meer of veranderen na dergelijk letsel hun hele manier van leven en laten dan gewoon hun gezin in de steek; hun eigen karakter is in zo'n geval voor altijd veranderd.

De toekomst was, op z'n best bezien, dus onzeker.

8

Het algemeen ziekenhuis van Leeds

De herinneringen van die nacht, en ook van de dagen daarna, zijn erg warrig.

Misschien komt het door de shock, door al die verschrikkelijke gebeurtenissen in zo'n kort tijdsbestek.

Het was heel merkwaardig. Ik had al snel door dat als een van de apparaten op hol sloeg en er een alarmsignaal klonk, dit kwam doordat een sensor van zijn vinger was gegleden, en daarom raakte ik niet in paniek. Ook was ik gewend geraakt aan de dagelijkse routine. Ik wist hoe de koffieautomaat werkte, kende de verpleegkundigen inmiddels en voelde me tamelijk op mijn gemak in deze omgeving. Mijn man lag naast me en was nog altijd aangesloten op al die apparaten. Voor zover ik het kon bekijken, zou de toekomst er voorlopig zo uitzien. Ik had het aanvaard, zoals je doet in zo'n situatie, want er niet in berusten zou volkomen zot zijn en in paniek raken al even zinloos.

Nick, Richards jongere broer, arriveerde om halftwee 's nachts. Het was zo fijn om hem te zien. Gek toch eigenlijk dat mijn gedachte toen was dat ik het zo leuk vond dat hij van zo ver was gekomen. Het ging om zijn broer, verdomme; natuurlijk was hij meteen gekomen!

Nick woonde in Tunbridge Wells. Hij had zijn vrouw Amanda en zijn twee jonge dochtertjes Lottie en Clemmie thuisgelaten en was meteen in de auto gestapt. Jaren geleden, toen hij nog niet getrouwd was, en Richard en ik net een paar maanden iets met elkaar hadden, was hij de eerste aan wie ik bij Richard thuis, in Wendover, werd voorgesteld. Bloednerveus was ik die avond geweest, en toen we met elkaar kennismaakten, verbaasde het me hoe weinig hij op zijn broers leek. Nick was lang en slank, met blond haar en keurig gekleed... Ik vreesde even dat hij misschien wat stijfjes zou zijn, maar ik herinner me nog dat naarmate de middag verstreek en het avond werd, we allemaal op de grond zaten en van een glas rode wijn genoten: Nick met de kop van mijn collie in zijn schoot terwijl hij me op allerlei hilarische verhalen vergastte en gekke rijmpjes opdiste. Richard, Nick en ik lachten ons een breuk. Hij herinnerde zich elk rugbylied dat hij ooit had gehoord en zijn repertoire was enorm. Jarenlang hadden hij en Richard, platzak, hun vakanties al wandelend in het Lake District doorgebracht. Ze waren elkaar naar de keel gevlogen, waren samen dronken geworden en hadden samen goede en slechte tijden beleefd. Ik had al snel door waarom Richard zo dol op hem was, en ik kon het alleen maar met hem eens zijn.

Nick werkte in de City van Londen, en had al net zo weinig vrije tijd als Richard. We maakten vaak grapjes over zijn 'volwassen' baan in het bankwezen en Richard stak de draak met hem... belde hem midden op de dag op zijn mobieltje in de hoop dat Nick net in een belangrijke vergadering zat en met het schaamrood op de kaken de vieze praatjes van zijn broer moest aanhoren.

We hadden elkaar al een tijdje niet meer gezien. Hij liep naar me toe, en ik zag dat hij er bleek uitzag. Maar hij bleef kalm terwijl hij me een knuffel gaf en bij het bed ging staan. Ik legde hem uit wat er was gebeurd en Nick hoorde het aan. Ik heb geen idee hoe het voor hem moet zijn geweest. Ze waren erg dik met elkaar en waren als twee durfals en poetsenbakkers opgegroeid. En opeens was het gedaan met de lol. Er viel opeens niets meer te lachen, er was alleen nog maar angst en vrees.

We bleven eventjes bij Richard zitten voordat hij me meetrok. We vroegen de verpleegkundige wanneer het volgende onderzoekje plaatsvond. Gerustgesteld dat alles goed zou gaan, liepen we naar beneden.

Ik moest er even tussenuit, en Nick ook, denk ik. Ik had mijn mobieltje bij me, mocht er iets gebeuren.

Richard op zijn kamer achterlaten was moeilijk. Mijn gedachten gingen met me aan de haal. Als hij zich verroerde, een arm bewoog of zijn hoofd wat draaide en ik er niet bij zou zijn, zou ik me vreselijk voelen. Maar ik had even een andere omgeving nodig en Nick was goed gezelschap, en echt heel bijzonder. Hij was heel erg geschrokken, maar verwerkte de schok door juist de handen uit de mouwen te steken. Hij pleegde telefoontjes, sprak met iedereen en was vanaf het moment van zijn binnenkomst al meteen een soort wandelend hoofdkwartier. Vraag me niet hoelang hij aan de telefoon hing, maar hij zorgde ervoor dat iedereen op de hoogte was van hoe het met Richard ging.

Onderweg naar beneden had hij een pakje sigaretten gekocht. Op een binnenplaatsje aan de achterzijde staken we er een op. Geen idee waar we het over hebben gehad. Ik herinner me dat de sigaret ongelooflijk goor smaakte, maar toch pafte ik door. Ik beefde, was bang en had iets nodig om mezelf bezig te houden. Roken hielp. Ik was sterker als ik rookte. Immers, toen we nog jong waren, gingen we juist aan de sigaret om er maar cool en stoer uit te zien. Het gaf me steun, denk ik.

Toen we weer naar de intensivecareafdeling liepen, was het tijd voor meer onderzoek. Richard was inmiddels iets vooruitgegaan, zo bleek.

Om ongeveer halfvijf in de ochtend arriveerde Richards andere broer Andy, met zijn vrouw Andrea uit Devon. Ze hadden hun jonge kinderen, Henry, Eleanor en Edward, bij Andrea's ouders ondergebracht. Andrew was leraar en ontwikkelde lesmateriaal. Hij was dol op zijn werk en zowel hij als Andrea maakte lange dagen om te helpen met de toneelclub en schoolreisjes. Ze waren nog maar pasgeleden verhuisd naar Devon en voor hen was de rit naar het ziekenhuis dan ook het langst geweest. Hoe langer de rit, hoe erger het is. Ze waren dan ook uitgeput. Nick en ik begroetten hen en ik weet nog dat toen ze Richard voor het eerst zagen ze nogal verbaasd waren dat er bijna geen ernstige externe verwondingen te zien waren. Tijdens zo'n lange rit naar het ziekenhuis heeft je verbeelding alle tijd om met je aan de haal te gaan, en ik weet zeker dat ze verwachtten dat hij er een stuk meer gehavend bij zou liggen. Andy en Andrea probeerden me over te halen om eventjes wat te gaan rusten of te gaan eten. Ik aarzelde, wilde hem nog altijd niet alleen laten, maar stemde toe om met Nick naar beneden te gaan.

Andy en Andrea bleven nog ongeveer een uur bij Richard voordat ze in een hotel in de buurt zelf wat gingen rusten. Ze waren allebei kapot en vochten vast en zeker met hun eigen emoties nu ze hem hadden gezien. Ze zouden de volgende ochtend weer terugkomen.

Richards oom Brian, een gepensioneerde zakenman uit Harrogate, verscheen op de afdeling. Hij kwam heel even kijken hoe het met zijn neef stond en zou daarna verslag uitbrengen bij Richards ouders. Die zaten helemaal in Gloucestershire, en ook al belden we hen zo vaak mogelijk, de gesprekken waren kort. Ik weet zeker dat Brian als hun waarnemer fungeerde.

Die nacht waren James May en Jeremy Clarkson allebei van Londen naar Leeds gereden. Jeremy was tijdens een etentje gebeld met het bericht dat Richards toestand aanmerkelijk was verslechterd en nu levensbedreigend was.

Hij was opgestaan van tafel met de simpele mededeling dat hij naar Leeds moest. Zijn vrouw Francie maakte zich zorgen dat hij misschien alleen maar in de weg zou lopen en dat hij verder niets zou kunnen doen. 'Ik wil er zijn voor Mindy,' had hij slechts geantwoord. En hij was er voor me.

James had het nieuws over het ongeluk op de radio gehoord, had daarna de tv aangezet en had het vol ongeloof nog eens gehoord. Ook hij was meteen in zijn auto gestapt.

Brian Klein, de studioregisseur van *Top Gear* zat in een restaurant toen zijn dochter hem belde met het slechte nieuws. Brian, een van de liefste en oprechtste mannen die ik ken, verliet de tafel, begaf zich naar het dichtstbijzijnde station en stapte op de trein naar Leeds. Elaine Bedell, contactpersoon bij de BBC voor het programma, was al ter plaatse. Ze was vlak na Andy gearriveerd.

Toen ik de receptie van het ziekenhuis binnen liep, vlak bij de tearoom, zag ik dat de hele club een hoek had geconfisqueerd. Iedereen was verdiept in de ochtendkrant. Het was echt van de zotte: op alle kranten was Richards crash voorpaginanieuws en de tv-zenders hadden de hele nacht nieuwsbulletins uitgezonden. Thuis in Gloucestershire hadden de media zich in de plaatselijke kroeg verschanst. Niet dat men hun de weg had gewezen, maar ze hadden al snel ontdekt waar we woonden, en hadden hun kamp opgeslagen.

Ik herinner me nog haarscherp het moment waarop de verpleegkundige Richard bij haar onderzoekje een beetje pijn toebracht en hoe hij erop reageerde. Het was angstaanjagend om te zien. Zijn ogen rolden bijna in hun kassen terwijl hij ze probeerde te openen, zijn armen sloegen wild in het rond en zijn handen grepen alles vast wat ze tegenkwamen. Hij trok sensoren los, graaide naar het infuus, ondertussen zo gedesoriënteerd dat hij nauwelijks zijn hoofd omhoog kon brengen. Maar de taaie vechtersbaas in hem leefde nog, klaar om tot de laatste snik door te vechten. Het was kort maar heftig. Toen hij een beetje gekalmeerd was, verrichtte de verpleegkundige haar onderzoek en maakte aantekeningen. Hij probeerde te reageren op bevelen, maar het zag er niet goed uit. Hij kreeg zijn ogen niet open, kon niet spreken. De verpleegkundige voelde een bijna onzichtbare beweging van zijn rechterhand. Zijn voeten lagen stil. Het was alsof je naar een kind keek dat leerde lopen. Je concentreert je op zelfs maar de kleinste verbetering, je bijt jezelf vast in de gedachte dat het gaat lukken. Terwijl ik daar zat, bad ik stilletjes en voelde me wanhopig.

Bij het volgende onderzoek was de toestand verslechterd. Ook nu reageerde hij niet, en dus diende ze weer een pijnprikkel toe. Ditmaal lukte het hem om een infuus uit zijn arm te trekken en bijna sloeg hij de verpleegkundige in het gezicht. Het was zo schokkend – hij had zijn zelfbeheersing volledig verloren, niet in de boze, afgemeten, agressieve, maar juist in letterlijke zin: van enige lichaamscoördinatie was totaal geen sprake. Zijn hersenen kregen de bevelen naar het lichaam maar niet op orde en er was nog iets… Terwijl de verpleegkundige met een zaklampje in zijn ogen scheen, aanschouwde ik voor het eerst de verschrikkelijke janboel van wat voorheen zijn linkeroog was geweest. De externe kneuzingen waren inmiddels paarsachtig en zwart. Telkens als de verpleegkundige een ooglid optrok om met haar zaklampje het oog te beschijnen, was ik teruggedeinsd. Nu hield ik mijn ogen open en kon ik vanaf waar ik zat de boel bekijken. Er was geen oogwit. Alles was rood. Erger nog, de pupil viel niet te onderscheiden. Het was slechts een donkere, klonterige massa in het midden. Ik zal het nooit vergeten. Het leek wel slow motion en ik schrok me te pletter. Ik keek ernaar, verwerkte het, wilde huilen, maar dacht: het is maar een oog. Gewoon maar een oog. Hij heeft er twee. Hij redt het wel. Hij kan best met één oog toe.

Ik denk dat dit het moment was waarop ik aanvaardde dat het niet anders was.

Hij zei niets, maar bromde slechts. Even in de vingers van de verpleegkundige knijpen ging hem nog steeds moeilijk af. Echt zorgwekkend was dat de linkerkant van zijn lichaam niet op prikkels reageerde. Zijn overige reacties vertoonden lichte verbeteringen, maar de linkerkant van zijn lichaam was in feite verlamd, en mij was al verteld dat vooral de rechterkant van zijn hoofd, die de linkerlichaamskant motorisch aanstuurt, de grootste klap had gekregen.

Elke minuut aan zijn bed was als een eeuwigheid. Op de intensive care had je geen tijdsbesef. Ik had totaal geen idee of het nu dag of nacht was, en ik wilde het ook eigenlijk niet weten. Mijn wereld lag hier voor me, in dat bed, aangesloten op al die slangetjes en sensoren. Maar ook al reet het mijn ziel aan flarden, ik was vastberaden om zo positief mogelijk te zijn. Ik kende Richard immers. Zodra hij het gevoel kreeg dat hij iets aan het missen was, deed hij nog meer zijn best om weer aan te haken. Ik ging weer naast hem zitten. De verpleegkundige kwam binnen en gebaarde me de gang op.

'Heeft iemand u al verteld wat er aan de hand is?'

'Pardon?' Ik begreep het niet.

'In de kamer hiernaast.'

'O. Eh, nee.'

Ze legde me uit dat de jongen in het bed naast Richard, en waar de gordijntjes rond diens bed al waren dichtgetrokken, op het punt stond te overlijden. Zijn familie was al gebeld, en die avond zou hij sterven.

'O, nee. Wat afschuwelijk!'

Ik ging weer zitten, nam Richards linkerhand in de mijne en een paar uur lang hoorde ik de verschrikkelijke geluiden die een mens maakt wanneer het leven langzaam uit hem wegglipt. Het gereutel in de keel, de ademhaling die steeds zwakker wordt, en dan nog die verdrietige blikken in de ogen van de rouwende familieleden, een paar meter bij me vandaan, die elkaar aankijken.

Ik keek naar Richards uitdrukkingsloze gezicht, een gezicht dat ik zo goed kende. Elk prachtig vierkant centimetertje, maar nu levenloos, totaal beroofd van levenslust. Daar zat ik dan te luisteren naar iemand die een paar meter verder lag te sterven, terwijl ik met al mijn wilskracht mijn man probeerde aan te moedigen om in leven te blijven.

Toen in het andere bed het gevreesde moment daar was, ging het niet onopgemerkt voorbij. Toch gebeurde er iets heel vreemds. Ik voelde opeens een koude tocht die even bleef hangen, als van een geest, alsof de ziel van de jongen nog even aan Richards bed verscheen. Het duurde ongeveer een seconde of twee. Daarna was het weg. Voor mij was het alsof hij me hielp om Richard aan te moedigen vol te houden, wie weet om hem te vertellen dat zijn tijd nog niet gekomen was. Maar daarna verdween het, net als de arme nabestaanden van de jongen, die verslagen en verbonden in verdriet de gang op slenterden.

Terug op de afdeling verzochten de verpleegkundigen de bezoekers de kamers te verlaten zodat ze hun werk konden doen. Toen ik terugkeerde zag ik dat er een nieuw bed was neergezet en dat het ziekenhuispersoneel alweer elders aan het werk was. De dood moest voor hen een alledaags verschijnsel zijn, zo realiseerde ik me. Ik vroeg me af hoe ze toch zo vrolijk konden zijn als er iemand zojuist was gestorven, maar ik vermoed dat het voor hen de enige manier is om normaal hun werk te kunnen doen. Je raakt echt onder de indruk van zulke mensen.

Ik zocht mijn vertrouwde plek naast Richard weer op. Ik was al snel gewend geraakt aan de sensoren op zijn lichaam en ik ging zo zitten dat ik niet in de weg zat van alle draadjes en slangetjes. Ik voelde me zo overbodig. Normaliter ben ik zo druk in de weer voor hem, en ik was nog nooit eerder in zo'n vreemde situatie beland. Ik kon slechts bidden en afwachten. Het ziekenhuispersoneel had ons gewaarschuwd dat de achtenveertig uur na het ongeluk cruciaal zouden zijn. Daarna zouden we meer weten in hoeverre hij een hersenbeschadiging had opgelopen. Het is typisch iets wat je liever niet wilt weten: je probeert optimistisch te blijven terwijl je de kille werkelijkheid op de loer voelt liggen.

Zijn toestand verbeterde iets. Hij wist zowaar een vinger van zijn rechterhand op te tillen. Een ongelooflijke doorbraak! De opluchting was enorm. Eindelijk had een prikkel vanuit zijn hersenen dan toch de juiste bestemming bereikt. Ik weet nog dat ik dacht: íéts werkt dus! Als het ene werkt, zal ook het andere gaan werken.

Ik was euforisch. Ook de volgende twee onderzoekjes wezen op een lichte verbetering, alsof hij alweer aan de beterende hand was. Maar om ongeveer vier uur 's nachts verslechterde zijn toestand en ging het snel bergafwaarts. Hij had gewoon geen zin meer, deed niet meer zijn best. De verpleegkundige en ik wisselden een veelbetekenende blik uit.

'Het gaat niet goed, hè?'

'Het is niet best,' gaf ze toe.

Ze had weer een pijnprikkel toegediend, maar ditmaal zonder

resultaat. Voor het eerst kreeg ik echt het gevoel dat ik hem aan het verliezen was.

'Richard! Richard!' Inmiddels schreeuwde ze zelfs tegen hem.

'Mag ik het eens proberen?' vroeg ik. 'Zoals ik altijd doe als hij dronken is?'

'Doe wat je kunt, schat.'

Ik keek even om me heen naar de andere bedden. Er lagen nog drie andere patiënten op deze afdeling.

'Ik ben bang dat ik de anderen wakker maak,' zei ik.

'Geeft niet. Ga vooral je gang.'

Haar toon maakte het voor mij wel duidelijk dat ze net zo bezorgd was als ik.

Ze hield haar wijsvingers in zijn slappe hand, maar er gebeurde niets. Niets.

Ik haalde diep adem, boog me dicht naar hem toe en schreeuwde: 'Richard, knijp in die vingers! Knijp verdomme in die vingers. Het is belangrijk!'

De tranen stroomden over mijn wangen. Allebei stonden we over hem heen gebogen. Allebei keken we naar zijn handen. Op het moment dat ik ophield met roepen, zag ik zijn vingers heel even bewegen. Allebei zijn middelvingers! Ah! De opluchting was zo gigantisch! Ik dacht dat ik bijna flauwviel. Nog nooit eerder was ik zo blij geweest dat we nooit tegen elkaar schreeuwen, want ik weet zeker dat hij nu behoorlijk geschrokken moest zijn. De weinige keren dat ik echt tegen hem uitvaar, is wanneer hij met zijn vrienden naar de kroeg is geweest en hij zijn roes op de bank heeft liggen uitslapen. Als ik hem dan wakker wil schudden, wordt hij chagrijnig, en dus is schreeuwen de enige manier om hem alsnog het bed in te krijgen. Naderhand heeft hij me toevertrouwd dat hij zich moe voelde, en dat er een heerlijke, makkelijke uitweg was, dat hij gewoon heerlijk kon wegdrijven... lekker ontspannen... Vertrekken. Dat wilde hij doen: vertrekken. Alsof hij een spelletje speelde, vertelde hij. Dat hij zelf de spelregels had bepaald en dat hij zichzelf heerlijk liet meevoeren naar die behaaglijke plek. En dat hij opeens werd wakker geschud. Op een of andere manier klikte het ergens in zijn hoofd dat hij in de problemen zat. Het drong tot hem door dat hij mij doodsangsten had aangejaagd en dat hij onmiddellijk moest ophouden met dat spelletje. Hij was een stoute jongen die een standje had gekregen, die zich moest vermannen en flink moest zijn.

Het is, denk ik nu, niet toevallig dat we zeggen dat mensen zichzelf 'erdoorheen slaan', want dat is precies wat Richard heeft gedaan. Hij sloeg zichzelf erdoorheen, dwars door die onzichtbare muur terug deze wereld in. Maar ondanks dat heeft hij dingen ervaren die hem zelfs nu nog achtervolgen. Hij heeft verteld over de ongelooflijke vastberadenheid en kracht die het vereiste om zichzelf weer het hier en nu in te 'trekken'. Afgaand op hoe hij het beschreef, leek het of je plat op de grond ligt en je jezelf alleen met je vingernagels kunt voortslepen. Terugglijden of blijven hangen betekende een wisse dood of blijvende invaliditeit. Ik ben zo blij dat hij alles op alles heeft gezet, hoe uitgeput hij ook was.

Na nog een paar onderzoekjes was hij bekaf, en had ik de tijd om wat telefoontjes te plegen.

9
Hij gaat niet dood

Ontroerd en opgewonden verliet ik de ziekenzaal en ik drukte op de knop voor een lift. Toen even later de metalen deuren open gleden, stond Andy Wilman me aan te kijken. Hij had een asgrauw gezicht.

Ik glimlachte naar dat trieste, verfrommelde hoopje mens. 'Hij heeft allebei zijn handen bewogen,' zei ik.

'O, god!' Hij barstte in tranen uit en sloeg zijn armen om me heen. Samen daalden we af in de lift. Hij voelde zich zo verantwoordelijk, maar niet alleen dat: hij hield van Richard. Ze waren vrienden.

Hij vermande zich en zei: 'Waar ben ik mee bezig? Ik hoor jou te steunen, niet andersom!'

Het deed er niet toe. Richard had gereageerd. Er was iets wonderbaarlijks gebeurd.

Ik belde iedereen. Ik had al een paar keer met Richards ouders gesproken, en het was me gelukt om dagelijks met de meisjes te bellen, maar opeens had ik behoefte om hun stemmen te horen. Ik had ze vreselijk gemist.

Buiten, in het rokersgedeelte, belde ik naar huis. Richards moeder nam op. Ik vertelde haar het goede nieuws, en ze was dolblij. We praatten bij over Richards vooruitgang en kletsten over de meisjes. Ze was het met me eens dat de tv en radio uit moesten zijn als de kinderen binnen waren. We wisten niet zeker hoe er over zijn toestand zou worden bericht, dus dat moesten we omwille van de meisjes in de hand houden. Tegelijkertijd wisten we allebei dat de uitslag erg onzeker was. We hadden het over de vooruitzichten alsof alles positief was, maar ondergingen samen stilzwijgend de nachtmerrie van al die vreselijke prognoses. Uit vrees voor miscommunicatie over papa's toestand wilden we hen niet naar school of de crèche brengen.

Ik praatte heel even met Izzy en Willow. Ze vroegen allebei of ik al naar huis kwam. Het was moeilijk om vrolijk tegen hen te doen, maar ik deed mijn best hun uit te leggen dat papa me nog iets langer nodig had en dat ik snel weer thuis zou zijn. Bovendien hadden ze opa en oma over de vloer, en dat was dikke pret.

Het was heftig om met Izzy te praten. Ze was zo slim, had alles in de gaten. Ze hield zich duidelijk groot voor Willow, maar ze wist dat er te veel drukte werd gemaakt. Ik was weggegaan, ik had ze nooit zo achtergelaten, en daar keek ze dwars doorheen. Izzy wist dat ik dingen verzweeg, en het was voor ons allebei wel duidelijk dat ze mij wilde ontzien. Ik vertelde haar dat ze het fantastisch deed. 'Wees lief voor opa en oma.' Maar bij het afscheid nemen beefde haar tot dan toe zo vrolijke stem. Ze vermande zich en zei: 'Hier is Ela.'

Ik sprak eventjes met Ela en vroeg haar om Izzy goed in de gaten te houden. Ik bedankte haar en vroeg haar om de kinderen blij te houden. Ze vormde voor hen de normale, stabiele factor en was hun vriendin.

Richards moeder vertelde me dat er tv-ploegen en verslaggevers om het huis stonden. Toen ze met de meisjes naar de heuvel naast de achtertuin waren gegaan om daar voor de afleiding te gaan picknicken, hadden ze die persmensen zien staan. Ze stelde me nogmaals gerust dat de kinderen het prima maakten, en we spraken af elkaar zo snel mogelijk weer te spreken.

Dit was de eerste keer dat we aan den lijve zo veel media-aandacht ervoeren. We hadden in ons huis in de vallei altijd een rustig leventje geleid. Mensen wisten wel waar Richard woonde, en de kinderen in de schoolbus keken 's ochtends altijd of ze hem op de oprit zagen staan, maar er werd geen poeha over gemaakt. Verdrietig genoeg moesten Richards ouders hiermee om zien te gaan, en dit was zelfs een nog vreemder wereldje voor hen. De pers was daar niet om het lastig voor hen te maken, ze deden gewoon verslag, het was hun werk. Maar voor de ouders van iemand die in het ziekenhuis op sterven lag, en die voor diens kinderen de verantwoordelijkheid hadden genomen, was dit een extra, moeilijk te verdragen last.

Ik belde mijn moeder om haar te laten weten dat Richards toestand was verbeterd. Ze vertelde me dat ze de hele avond tv had gekeken en naar de verslagen had geluisterd. Ze wilde dat ik wat ging slapen.

'Dat zou ik niet kunnen, ma. Ik ben niet moe. Ik moet erbij zijn als hij zijn ogen opendoet.'

'O, natuurlijk. Probeer dan een makkelijke stoel of iets te vinden om naast hem in slaap te sukkelen, lieverd, oké? We bidden allemaal voor hem, dat weet je toch, hè? O, ik hoop dat hij er weer bovenop komt. Pas goed op jezelf, ja?'

'Doe ik. Bedankt, ma. Ik hou van je. Dag.'

Mijn moeder wilde graag wat doen. Ze had aangeboden om Richards ouders bij ons thuis te helpen met de meisjes, maar de schat rijdt geen auto en is halverwege de zeventig. Even op visite bij ons, met kinderen, honden en alle hectiek, is vaak al een uitputtingsslag voor haar en ze slikte inmiddels pillen tegen een te hoge bloeddruk. Ze begreep dat haar rol als steun aan de andere kant van de lijn ook belangrijk voor me was. Ik had haar net zo hard nodig als de kinderen mij nodig hadden. Even welden de tranen weer op, en ik veegde ze weg.

Toen ik Richards bed naderde, werd ik opgewacht door iemand van de directie van het ziekenhuis. Ze vermoedde dat het *Top Gear*-team in de ontvangstruimte weinig privacy zou hebben en bood in de oude vleugel van het ziekenhuis een vergaderkamer aan die we als trefpunt konden gebruiken. Ze wilde me graag laten zien waar iedereen was. Daarom liet ik Richard met tegenzin alleen en maakte samen met haar de lange wandeling naar het oude gedeelte van het ziekenhuis.

Ze praatte voortdurend, maar ik kon alleen maar opletten hoe we liepen om de route te onthouden. Ik ben ervan overtuigd dat ziekenhuispersoneel vergeet dat elke verdieping er hetzelfde uitziet tenzij je goed op de namen van de afdelingen let; en we gingen zo vaak links- en rechtsaf, steeds weer een andere gang in. Ik maakte me echt ongerust, voelde me helemaal verdwaald; en het was alsof ik met een elastiek vastzat aan Richards bed. Met elke stap rekte het verder uit, richting breekpunt. De scheiding was bijna fysiek pijnlijk, en toch stond ik machteloos. Deze arme vrouw met haar geanimeerde gebaren en uitgelaten aanpak wist niet dat ze me pijnigde; ik liep uit vrije wil met haar mee, maar wilde me het liefst omdraaien en me door het elastiek terug laten trekken. Ik leek kilometers verwijderd van Richard. Het was afschuwelijk.

Eindelijk waren we er dan. Ik herinner me vaag dat ik naar binnen liep. Het was er ongewoon stil, en er zaten mensen om een salontafel die volstond met koffiebekertjes: een aantal halfleeg en koud, andere vers en dampend heet. Er lagen gedeeltelijk opgegeten pasteitjes en donuts. Iedereen had zijn eetlust verloren. Andy Wilman was er; hij wilde een persvertegenwoordigster van de BBC naar ons huis in Gloucestershire sturen. Jeremy en James waren er, samen met bijna iedereen van het *Top Gear*-productieteam.

Ik zei iedereen gedag en nam plaats op een vrije stoel. Het was een vreemde ervaring. Ik deed mijn best te glimlachen en positief te zijn terwijl ik over Richard vertelde en hun vragen beantwoordde. Iedereen wilde hem zien, vooral Jeremy en James. Kijk, het zijn gewoon allemaal goede vrienden, snap je?

Overal lagen kranten. Richards ongeluk was voorpaginanieuws. Ik wilde de foto's van de jetcar niet zien. Toch moest ik gewoon kijken.

Maar ik kon niet lang blijven, mijn gedachten waren elders. Ik wilde bij Richard zijn. Ik vond het vreselijk om van hem gescheiden te zijn. Het vergde al mijn zelfbeheersing om met iedereen te praten en vragen te beantwoorden.

Zodra het kon, rende ik de vergaderzaal uit en het stenen trapje af, keek even om me heen en zocht mijn weg terug naar het nieuwe gebouw. Ik vertraagde iets, volgde de stroom van mensen die leken te weten waar ze heen gingen, sloeg een hoek om en zag tot mijn opluchting een bekende tunnel die de oude met de nieuwe vleugel verbond. Ik begon weer te rennen, langs de receptie naar de liften en naar Richard.

Toen ik weer op de afdeling was en naar Richards vredige gezicht keek, praatte de verpleegkundige me bij over wat er in mijn afwezigheid was gebeurd, en plotseling begon ik hevig te beven. Ik voelde me licht in het hoofd en echt rillerig. Ik viel bijna tegen de muur.

'Voel je je wel goed, schat?' vroeg ze.

'Eh, ik denk dat ik maar beter iets kan eten.'

Hoewel ik absoluut geen trek had, was het tijd om het advies van de verpleegkundigen ter harte te nemen. Ze hadden me allemaal aangeraden om in een van de restaurants iets te eten of een snack uit een automaat te trekken, en hadden me gewaarschuwd dat ik echt moest eten, want anders zou ik mezelf nog tegenkomen. En dat was dus gebeurd.

Ik nam weer plaats bij Richard en naast me werd een kop zoete thee neergezet. Ik voelde me zo schuldig, zo belachelijk. Daar zat ik dan, naast mijn comateuze man, omringd door een zaal vol behoeftige patiënten in de IC, en die fantastische verpleegkundigen bekommerden zich om een of andere domme muts die was vergeten te eten. Zelfs met hun belachelijke werkdruk maakten ze zich zorgen om mij. Ik vermoed dat het door hun zorginstinct komt. Ze zeggen toch altijd dat het een roeping is? Misschien word je wel geboren als verpleegkundige, niet gemaakt. Alleen nog een paar jaar wat bijschaven en ze zijn perfect.

Inmiddels begon Richard iets meer te reageren. Hij mompelde iets en deed echt zijn best om zijn vingers en tenen te bewegen. Het grootste probleem was om hem na elke beweging weer te ontwarren. Er waren zoveel infusen, buisjes en monitors, en hij deed zo ruw zonder zich bewust te zijn van de knopen waar hij zichzelf in legde.

Om acht uur in de ochtend droeg Richards verpleegkundige haar wacht over aan Jim. Ik vond het vervelend om haar te zien weggaan. Ik maakte me ongerust over deze nieuwe verpleegkundige. Ik kende hem helemaal niet, en hij mij niet. Toen hij me meteen vroeg om mijn stoel wat verder van het bed te schuiven en me kapittelde omdat ik de zuurstofsensor weer om Richards vinger had geschoven, begonnen we daarmee ook niet echt met een goede verstandhouding. Hij was een oudere man met een bril en licht grijzend haar, heel recht voor z'n raap, en ik kreeg al meteen de indruk dat hij geen flauwekul duldde. Zijn eerste testjes met Richard waren de vreselijkste tot dan toe. Richard reageerde niet al te best, en daarom gebruikte Jim de 'ik zal je toch wat pijn moeten doen'-regel.

'O, doe dat alsjeblieft niet,' smeekte ik. 'Daar heeft hij een hekel aan.'

Na de pijnprikkel spartelde Richard als een gek. Hij hees zich in een zitpositie, en twee andere ziekenbroeders kwamen meteen aangerend. Richard greep met zijn rechterhand de buis van het beademingsapparaat en begon hem los te rukken. Hij kokhalsde en bood weerstand tegen de twee verpleegkundigen terwijl hij nog steeds bezig was de tweeënhalve centimeter dikke buis uit zijn keel te trekken.

Het tweetal probeerde wanhopig hem in bedwang te houden. Ik kwam overeind. De tranen liepen over mijn wangen. 'Nee, Richard! Nee!'

Maar zijn instinct had het overgenomen. Er zat een buis in hem die hij eruit wilde hebben, en niemand die hem tegen ging houden. Jim riep naar de andere verpleegkundigen: 'Laat hem los! Als je hem tegenhoudt doet ie zichzelf alleen maar meer pijn.'

Ze lieten hem los, en Richard kokhalsde als een dier dat zijn voedsel uitbraakt. Maar daarbij rukte hij het buisje steeds een beetje verder naar buiten. Het was echt heel eng. Ik had het idee dat ik toekeek hoe mijn man zelfmoord pleegde. De buis had zijn longen laten functioneren, en nu wilde hij ervan af. Ontzet keek ik toe met mijn handen voor mijn mond geslagen. Mijn blik gleed van Richard naar Jim, maar de verpleegkundige kon niets uitrichten. Het leek wel een eeuwigheid te duren voordat de buis eindelijk uit Richards mond kwam. Hij was wel dertig centimeter lang. Richard hoestte en kreunde, viel achterover en was buiten bewustzijn.

Ik vroeg Jim wat er zonder het apparaat zou gebeuren.

'We moeten hem in de gaten houden en kijken of hij zonder kan.'

O, god! Ik zat daar ik weet niet hoe lang te staren naar zijn borst, naar de monitors. Ik wilde hem niet alleen laten, geen seconde. Zijn ademhaling was erg zwak; zijn borstkas bewoog nauwelijks. Ik staarde naar hem en wanneer ik dacht dat hij niet meer ademde, sprong ik overeind. En opeens, helemaal onverwacht, bewoog zijn rechterarm. Hij tastte rond onder de lakens en zijn hand vond wat hij zocht.

Ik keek naar Jim. Hij straalde. 'Hij is een vechter. Dat willen we zien.'

Ik glimlachte terug, opgewonden dat het Richard was gelukt om zijn arm te sturen. 'Een vechter?'

'Ja,' legde hij uit, 'dat zie je vaak bij mannen met dergelijk letsel. Ze vallen terug. Hij is weer een jongetje. Hij gaat terug naar de basis en hij checkt even of zijn belangrijkste lichaamsdeel er nog is.'

'Dus het is een goed teken?'

'O ja, een heel goed teken.'

Ik glimlachte naar Richards zachte, nog altijd uitdrukkingsloze gezicht en kuste hem op de wang. Dat laatste ging gemakkelijker nu het beademingsapparaat weg was, maar het was wel vreemd omdat ik bang was dat ik hem pijn deed. Hij zag nog steeds geelgroen van de kneuzingen; en natuurlijk reageerde hij niet.

De specialist verscheen met een neurochirurg. Ze bestudeerden zijn röntgenfoto's en maakten zich zorgen om een 'luchtzak' in zijn kaak. Ze wilden nog een MRI-scan doen om de verkleuring in zijn hersenen te onderzoeken, want hij had lichte verhoging.

Ik wilde niet dat hij wegging. Ze kwamen hem halen, en het leek wel een scène uit een film. Ik kreeg te horen dat hij over ongeveer veertig minuten terug zou zijn en dat was het dan: weg! Stel dat er in dat tijdsbestek iets gebeurde, dat hij opeens verslechterde en ik er niet bij was, of dat hij bijkwam, wat dan? Het was vreselijk. Maar ik kon niets doen. Ik moest het gewoon accepteren, rustig de zaal verlaten, naar beneden gaan en daar maar kettingroken en sterke koffie drinken totdat hij terug was; en de hele tijd iedereen bijpraten en positief blijven.

Richard herstelde niet spectaculair, maar hij had wel geprobeerd zijn ogen open te doen voor Jim en heel kleine bewegingen met zijn tenen en vingers te maken. Toegegeven, de linkerkant was nog steeds zwakker, maar hij reageerde wel een beetje. Jim had de optometrist opgeroepen om naar Richards linkeroog te komen kijken. De specialist was ongerust, omdat het er vrij akelig uitzag. Het ooglid was inmiddels bijna helemaal zwart, en dieppaars en rood om de rand. Het oog was zo opgezwollen dat Jim het amper open kreeg om tijdens de onderzoeken even in Richards ogen te schijnen.

Ik mocht Jim wel. Hij was heel anders dan de eerste verpleegkundige, maar niettemin een goede vent. Wat de artsen zeiden, nam hij soms met een korreltje zout; hij zat al wat langer in het vak dan de meesten van hen. Wanneer een van de jonge artsen hem voorstelde om een van Richards infusen te verwijderen reageerde Jim bevestigend, maar zodra de arts weg was, wendde hij zich tot mij.

'Dat ga ik dus niet doen,' zei hij. 'De idioot. En dan? Er morgen weer een in die arme drommel prikken?'

En hij had helemaal gelijk, zo bleek later. Het probleem was dat je met Richard nooit wist hoe lang iets vast zou blijven zitten.

Toen Richard die ochtend weer bij bewustzijn was, wilde hij de katheter verwijderen. Eigenlijk was dit al zijn tweede poging. De eerste keer had ik zijn hand vastgepakt en tegen hem geroepen: 'Nee, Richard, laat dat ding met rust!'

Maar de tweede keer was hij me te snel af. Weer een vreemd ding in zijn lijf waar hij dat niet wilde. Hij greep naar het buisje en gaf er een ruk aan.

'Richard, nee! Niet doen!'

Ik wilde zijn hand pakken, maar hij duwde me weg. Ik zag nu dat hij zijn goede oog iets open had.

'Hallo,' zei ik op vriendelijke toon.

Hij keek me recht aan, maar er was absoluut geen sprake van enige herkenning. Het was een blik van totale desinteresse. Ik werd niet eens opgemerkt. Het was verschrikkelijk. Het buisje dat hij had losgetrokken, lekte over het bed en de vloer. Jim zei dat ik maar een kop koffie moest gaan halen terwijl hij Richard verzorgde.

Ik liep naar de toiletten op de gang van de intensive care, deed de deur dicht en op slot; ik ging op de wc zitten en huilde.

'Waar ben je?' fluisterde ik met mijn hoofd in mijn handen. 'Kom alsjeblieft terug.'

Buiten hoorde ik stemmen. Ik moest mezelf vermannen, naar beneden gaan: koffie, sigaretje.

Ik ademde diep in, veegde mijn gezicht af en liep de gang weer op; ik sloeg mijn ogen neer tot ik bij de liften was. Iedereen leek te weten wie ik was, iedereen staarde.

De vingersensor naar de monitor waar het zuurstofpercentage in zijn bloed op af te lezen was, ging er altijd als eerste aan. Ik weet zeker dat deze ergens in zijn hoofd irritatie wekte, en hij vond gewoon dat het ding weg moest. Telkens als het hem lukte, ging er een vreselijk irritant alarm af. Ik raakte behoorlijk bedreven in het weer aansluiten van dat ding. Maar de infusen, daar was ik pas echt bang voor. De verpleegkundigen waren het zo gewend om met al die apparaten om te gaan dat ze er heel ontspannen over deden, maar ik had al in een vroeg stadium geleerd dat een gebroken naald buitengewoon gevaarlijk is; het laatste wat Richard kon gebruiken was een afgebroken naald in zijn arm. Hij bleek vrij goed in het uittrekken van die dingen, zelfs als ze met een lading chirurgische tape waren vastgehecht.

Dan was er het zuurstofmasker. Die had hij gekregen na zijn radicale afwijzing van het beademingsapparaat. Hij had meer zuurstof nodig en daarom vlogen Jim en ik de hele tijd om het bed heen om het maskertje opnieuw vast te maken. Uiteindelijk dacht Jim dat het met kleine buisjes in Richards neusgaten misschien beter zou werken. Dus bracht hij die aan. Hij had gelijk, hoewel we nog steeds moesten vechten om ook die in te houden.

Ondertussen groeide ons optimisme. Richard was uit zichzelf zijn ledematen gaan bewegen. Toegegeven, het was om een bepaald lichaamsdeel te betasten of, zijn favoriete bezigheid, in zijn neus te peuteren. Maar het was een fantastische vooruitgang.

Ter verdediging van Richard moet ik er wel bij zeggen dat zijn neus door het ongeluk vol modder zat, dus het kon hem worden vergeven dat hij de boel schoon wilde pulken. Samengekoekte aarde en bloed in je neus, dat moet wel een vervelend gevoel zijn, en zijn intuïtie wilde dat hij het verwijderde.

Hij had inmiddels een hekel aan de observaties, de dagelijkse testjes. Hij raakte echt geïrriteerd als hij werd gedwongen een beetje wakker te worden, maar Jim was tamelijk streng. Richard slaagde erin beide handen en voeten iets te bewegen en hij mompelde zelfs een paar keer.

Aangezien Richard zich had omgedraaid, was ik naar de rechterkant van het bed gelopen; ik streelde over zijn voorhoofd, en hij bewoog zijn hoofd licht, draaide zich een beetje om naar mij en mompelde iets. Ik barstte bijna in huilen uit, zo verrast was ik.

'Sorry, schat?'

Hij herhaalde het, en ik verstond alleen het woord 'versnellingsbak'.

Ik wist meteen waar hij aan dacht. Slechts een paar dagen daarvoor was er iets met mijn gele Land Rover. Ik wist zeker dat het om het koppelingspedaal ging, maar volgens Richard was het de versnellingsbak. De plaatselijke dealer had de Land Rover ter reparatie meegenomen en me erover gebeld.

'Nee, het was de hoofdcilinder,' zei ik.

'O, oké.' Hij ging weer slapen.

Ik kreeg een brede grijns op mijn gezicht. De tranen rolden over mijn wangen. De doos tissues naast me was bijna leeg, en dus gebruikte ik mijn mouwen. Deed er niet toe. Op dat moment deed niets ter wereld er iets toe, behalve hij. Hij had iets gezegd, hij had zich een stukje van het leven herinnerd, van zijn wereld, onze wereld.

Nog geen uur later zei hij opnieuw iets.

'Waar staat de auto?'

Hij had zijn ogen nog dicht, en ik wist dat hij slechts half bij kennis was, maar opnieuw communiceerde hij en herinnerde hij zich iets wat in zijn dagelijkse leven belangrijk was.

'Welke auto?' vroeg ik.

'De Morgan.'

'Die staat in de garage.'

'Waar?'

'Thuis.'

Hij glimlachte flauw, knikte en was buiten bewustzijn. Ik wilde het van de daken schreeuwen! Het was verbazingwekkend: hij sprak! We hadden een gesprek gehad, maar zo kort, zo hartverscheurend kort. Daarna was hij onmiddellijk teruggevallen. Het moet een enorme inspanning voor hem zijn geweest.

Helaas toonden de volgende onderzoeken aan hoezeer hij zichzelf had uitgeput. Hij reageerde totaal niet.

10
Hallo, schat

Ik weet niet hoe de dag verliep, maar wel dat Andy en Nick het 's avonds tijd vonden dat James en Jeremy hem zouden zien. Ze zaten al zo lang beneden geduldig te wachten en de verpleegkundigen waren het erover eens dat Richard baat kon hebben bij het horen van een paar vertrouwde stemmen. Nick ging hen halen en ook Andy Wilman kwam mee. We probeerden opgewekt te zijn en Jeremy deed zijn best om niet geforceerd te doen. Hij zat naast Richard en peperde hem in dat hij totaal niet kon autorijden. Het was precies zoals Jeremy zich doorgaans gedroeg en een van Richards mondhoeken vertrok zich eventjes tot iets wat op een glimlach leek. Jeremy was opgetogen. Het moedigde de anderen aan om nog meer te dollen, en ook de meer dan bezorgde Andy keek weer iets hoopvoller uit zijn ogen.

Maar iedereen begon moe te raken. Andy Wilman en James overlegden of ze terug naar het hotel in Leeds gingen, dat door de BBC was geregeld, en ik geloof dat Nick vanwege zijn werk naar een hotel in Harrogate moest. Ook hij wilde het liefst blijven, maar dat zou gekkenwerk zijn. Bovendien was er in het ziekenhuis nergens plek om even te kunnen slapen.

In de wachtkamer op de gang wilde ik samen met Andy en Andrea net wat Chinees eten bestellen toen opeens de deur openvloog en Jeremy naar binnen stormde.

'Mindy, kom! Hij is bij kennis! Hij zit rechtop in bed!'

'Wat?'

'Kom!'

We renden door de gang, met Andy en Andrea vlak achter ons. Jeremy was zichtbaar aangeslagen.

'Het was ongelooflijk! Hij opende zomaar zijn ogen!'

We stormden door de openslaande deuren naar binnen en daar, op de rand van het bed, met de haren door de war en zijn gezicht onder de blauwe plekken zat mijn lieve man. Toen ik euforisch en ongerust tegelijk bij het bed was aanbeland, keek hij me met een sullige grijns en zijn goede oog halfopen recht in de ogen.

'Hallo, lieverd.'

Hij herkende me! Hij herkende me! O, goddank! En wat heerlijk om die blik weer te zien. Die ondeugende dekselse, lieve blik waarvan ik betwijfelde of ik die ooit weer te zien zou krijgen. Hij zag er echt uit als een bokser die na zijn overwinning en veel te veel drank uit een diepe roes was ontwaakt.

'Hallo, schat,' reageerde ik. Het was zo'n kick om hem recht in de ogen te kijken terwijl ik het zei.

Hij moest plassen, en stond erop naar de wc te gaan. Er werd een steek aangeboden, maar dat vond hij niks. Hij wilde écht plassen, zoals het hoorde. Samen met een zuster ondersteunde ik hem bij een elleboog en terwijl een andere zuster het infuus op wieltjes meeduwde, gingen we naar de wc. Richard was verbaasd over zijn gebrekkige coördinatie maar bleef me grijnzend aankijken.

'Hallo!' En een paar seconden daarna nog eens. 'Hallo!'

Ik glimlachte zo breed uit dat ik vreesde dat mijn gezicht nooit meer de oude zou zijn.

'Van hetzelfde.'

Het was echt alsof je met een dronkenlap te maken had. We moesten mee de wc in, want anders zou hij onderuitgaan. Maar hij moest er niets van hebben dat de verpleegkundige ook mee naar binnen ging, en dus moest ze beloven dat ze niet zou kijken. Ik weet nog dat ik hem waarschuwde. 'Dit gaat pijn doen, hoor,' zei ik, me herinnerend dat hij de katheter had weggerukt.

'O, shit!' Opeens verwrong zijn gezicht van de pijn. Hij knipperde met zijn ogen en leek behoorlijk geschrokken. Het was alsof hij op de automatische piloot functioneerde; iets doodnormaals als even een plas doen was tot zijn grote verbazing opeens een behoorlijk lastige operatie geworden.

Daarna schuifelden we terug naar zijn bed. Hij glimlachte naar iedereen, zei iets tegen Jeremy, begroette James met 'Hallo, zakkenwasser', glimlachte en viel flauw.

Uiteraard greep ik meteen de telefoon! Ik pafte buiten een sigaretje met de bende, en daarna zochten we de afdeling weer op. In het halfduister keken we toe terwijl de verpleegkundige, slechts bijgelicht door een klein bureaulampje op haar tafeltje, haar aantekeningen bijwerkte.

De anderen namen afscheid en ik raadde Jeremy aan naar huis te gaan. Francie zou de volgende dag vertrekken en ik wist dat hij terug moest rijden naar Oxfordshire om voor de kinderen te zorgen. Maar hij bleef gewoon zitten, met de armen over elkaar.

'Bedankt, Jeremy. Je bent echt waanzinnig tof geweest, maar moet je niet eens terug?' vroeg ik.

'Nee. Ik ga helemaal nergens heen totdat jij eindelijk eens wat gaat slapen.'

'Ik red het wel zo, hoor.'

'Nou, ik ook.' Opstandig sloeg hij zijn benen over elkaar.

'Kom op, Jeremy. Je moet nog helemaal naar Oxfordshire. Zo meteen val je nog in slaap achter het stuur.'

'Ik val nooit in slaap achter het stuur. Dat soort dingen overkomt mij niet.'

Ik wist dat hij gewoon zou blijven zitten totdat ik iets deed, en dus stemde ik toe om op de slaapbank in een van de wachtkamers wat te gaan slapen.

De verpleegkundigen zorgden voor een paar dekens en een kussen, en ik bedankte Jeremy nog eens voor zijn steun alvorens hij weer op huis aan ging.

Ik was nog ongeveer twee uur bezig met het versturen van zoveel mogelijk sms'jes. De batterijen raakten al leeg en dus kon ik niet iedereen bereiken.

De slaapbank vulde bijna het hele kamertje. Door het lattenraampje boven in de deur kon ik schimmen langs zien lopen, verpleegkundigen en bezoekers, allemaal aanwezig om het handjevol doodzieke patiënten in de kamer verderop bij te staan. Zittend op de rand van het bed, met een flesje mineraalwater bij de hand, controleerde ik of ik al mijn mobieltjes had uitgezet. Ik voelde me zo alleen. Weliswaar was ik eraan gewend om vaak alleen te zijn – vanwege zijn werk was Richard was vaak van huis – maar dan wist ik dat ik hem altijd kon bellen wanneer het nodig was. Hij vormde een deel van mijn wereld, ook al was hij niet bij me. Hier was het omgekeerde het geval. Hij was nog geen vijftien meter bij me vandaan, maar hij had net zo goed op Mars kunnen zitten. Ik miste zijn aanwezigheid. Ik voelde me leeg.

Wanneer hij weg was, spraken we elkaar voortdurend. Het was een bron van vermaak voor de filmploeg. We belden elkaar steevast voordat we gingen slapen, vaak draaiden we dan op precies hetzelfde moment elkaars nummer. Dat laatste belletje was zo belangrijk voor ons twee. Zelfs als hij in het buitenland zat, of nog laat aan het filmen was, en je dus tot in de kleine uurtjes moest wachten, sloeg hij nooit een keer over.

Misschien stuurde ik daarom wel zoveel sms'jes; om maar een beetje contact met iemand te kunnen hebben. Ik miste hem heel erg en toch wist ik dat ik slaap nodig had. Ik probeerde te denken aan de vorderingen die hij had gemaakt, om me te ontspannen.

Na een paar uurtjes te hebben gedut zocht ik de afdeling weer op. Iedereen was blij dat ik wat had kunnen rusten en dus werd er wat minder aan mijn hoofd gezeurd.

Ik had al met Richards ouders gesproken over hun bezoek. Ze zouden per auto naar Leeds worden gebracht, waar ze in hetzelfde hotel konden overnachten als de andere familieleden. Die ochtend vertrokken ze. Ela bleef achter bij onze dochters, vijf honden en drie katten, hun collie en de pony die ze verzorgen, maar ze vond het fijn om te kunnen helpen.

Rond acht uur die ochtend werd Jim afgelost door een andere verpleegkundige. Hij informeerde haar over Richards toestand om er daarna met verve aan toe te voegen: 'Geschatte snelheid zo rond de 320 kilometer per uur.'

De onderzoekjes gaven een bemoedigend resultaat. Zijn lichaamsreacties waren sterk verbeterd.

Het leek haar een goed idee om zijn tanden te poetsen, wat gebeurde met een blauw, vierkant sponsje van ongeveer tweeënhalve centimeter, dat aan een stokje was bevestigd. Ze wilde het in zijn mond duwen, maar hij hield zijn tanden op elkaar.

'Zal ik het eens proberen?' bood ik aan.

'Ja, hoor. Prima.'

Ze reikte me de vreemde sponzige lolly aan en ik wilde hem in Richards mond duwen.

'Kom op, schat, doe eens open.'

Hij deed zijn mond een klein beetje open en het lukte me om het sponsje heel eventjes langs zijn tanden te halen.

'Donder op!' mopperde hij binnensmonds.

'Ik poets alleen maar even je tanden,' zei ik zacht.

Hij opende zijn ogen en keek me aan alsof hij me wilde vermoorden.

'Donder op!'

Ik glimlachte naar de verpleegkundige, maar eigenlijk kon ik wel janken. Hij herkende me niet, keek dwars door me heen. Hij was alles weer vergeten.

De specialisten werden erbij geroepen en gingen meteen aan de slag. Ze bekeken de röntgenfoto's van zijn hersenen, die aan een grote, rechthoekige lamp aan de muur tegenover zijn bed waren geklemd. Mompelend bespraken ze verscheidene punten, en kwamen vervolgens verslag uitbrengen. Het leek of Richard last had van zijn rug, wat hen zorgen baarde. Maar na de foto's te hebben bekeken, leek hij verder geen verwondingen te hebben.

Gegeven zijn herstel van de afgelopen vierentwintig uur zouden ze hem in de loop van de dag naar een gewone zorgafdeling over-

brengen. Dit was goed nieuws, eindelijk voelde ik dat hij echt vooruitging.

Na zijn grote toiletexpeditie was hij heel stil geweest. Zo nu en
dan had hij zijn ogen geopend, maar had hij geen blijk van herkenning gegeven. Het leek de verpleegkundige een goed idee om nu
hij half bij bewustzijn was een van de katheters in zijn linkerhand te
verwijderen.

Alles wat op zijn lichaam zat moest stevig worden bevestigd.
Zijn infusen zaten met zeer kleverig chirurgisch plakband vast. De
arme verpleegkundige deed haar best om heel voorzichtig de tape
van zijn hand los te trekken. Het leek hem niets te deren, totdat hij
plotseling met de ogen nog altijd dicht 'Rot op!' snauwde.

Ze liet zijn hand niet los.

'Ik moet het plakband verwijderen, Richard,' zei ze zacht.

'Rot op!'

'Nou zeg! Dat is niet aardig.' Ze probeerde het nog eens.

'Rot op. Nu! Au!' Hij trok zijn hand weg, deed even zijn ene oog
open en keek ons woest aan.

We keken elkaar aan en trokken een gekke bek.

'Nou, hij voelt zich dus al wat beter,' zei ik met een grijns tegen
de verpleegkundige.

Bij het volgende onderzoek lag hij nog steeds dwars. De verpleegkundige moedigde hem aan om met de hand waar de katheter
nog in zat in haar vinger te knijpen.

'Au...' kermde hij zacht met de ogen stijf dicht.

'Kom op, Richard. Knijp in mijn vingers.'

'Nee,' antwoordde hij koppig.

'Kom op,' moedigde ze hem aan.

'In godsnaam! Au!' zei hij geïrriteerd, en hij rukte zijn hand met
de katheter erin weg van haar.

'Volgens mij is dat een zere plek,' zei ik.

De verpleegkundige was het met me eens. 'Sorry, Richard. Ik zal
er niet meer aanzitten.'

Het interesseerde hem verder niet. Met zijn ogen nog steeds

dicht trok hij een gekke bek en draaide zich op zijn zij, met de rug naar ons toe. We gingen verder met het losmaken van alle infusen, sensoren, draden en slangetjes die inmiddels een kluwen hadden gevormd.

Ik liet hem eventjes alleen terwijl de verpleegkundigen hem gereedmaakten voor de overplaatsing naar de gewone zorgafdeling. Het was heerlijk om de apparaten van de intensive care achter ons te laten en hem even later gewassen en gekamd weer te zien. Het bed was verschoond, met frisse witte lakens. Met nog maar één infuus in zijn arm en een tijdelijk geblokkeerde katheter in zijn hand was hij klaar voor de reis.

Zijn kussen was een beetje opgeschud en hij moet een paar minuutjes bij bewustzijn zijn geweest. Dat weet ik, want toen ik koffie had gehaald en even later weer terugkwam, zaten zijn lakens, kussenovertrek, borst, een van de verpleegkundigen en de muur onder de donkerrode spetters. Hij wilde eens kijken wat er zou gebeuren als hij aan dat gekke, kleine schroefje op de rug van zijn hand draaide. (Het was het kraantje van het slangetje dat zijn ader voedde.) Ik denk dat we daar nu op tamelijk illustratieve wijze wel achter waren.

We bereikten de zorgafdeling. Ik zag eruit als een zombie, en hij als mijn meest recente slachtoffer. De verpleegkundige verontschuldigde zich tegenover haar collega's voor de ogenschijnlijk schokkende toestand van haar patiënt.

In het verleden had ik wel vaker intensivecareafdelingen bezocht, en was ik min of meer voorbereid geweest op wat ik kon verwachten. Maar deze afdeling was nieuw voor me. Dit was echt even schrikken. Het leek de plek waar ze alle echt zieke patiënten onderbrengen die niet langer een eigen verpleegkundige nodig hebben, zoals op de intensive care. Hier zie je een dwarsdoorsnede van de ergste aandoeningen. Ik zag al meteen dat Richards naaste buren via een buisje in de keel ademden en dat een arme knaap hier al anderhalf jaar lang aan bed gekluisterd was. Hij had zo'n blije, positieve instelling dat ik mijn ogen niet kon geloven.

De verpleegkundigen op deze afdeling waren een stuk levendiger. De gedempte toon op de intensive care was hier overbodig, en al meteen had je het gevoel dat deze club echt van het werk en elkaars gezelschap genoot.

Richard was nogal verwonderd over de reis. Een paar keer zei hij iets tegen de verpleegkundige in de trant van: 'Het spijt me dat ik er een beetje een troep van heb gemaakt.'

Hij gedroeg zich helemaal als het stoute schooljochie dat op zijn donder had gekregen terwijl hij tegelijkertijd probeerde te snappen waar hij was. Telkens weer keek hij me even aan om gerustgesteld te worden.

Hoewel ik niet zeker weet of hij wel wist wie ik was, denk ik toch dat iets in hem het gevoel gaf dat ik te vertrouwen was. Ik was immers voortdurend bij hem geweest, en dus vermoedde ik dat hij daar steun in zocht.

De BBC had een auto geregeld om Richards ouders op te halen en naar Leeds te brengen. Eerder dat jaar hadden ze een behoorlijk naar auto-ongeluk gehad, en gegeven de huidige situatie was het alleen maar goed dat iemand anders vier uur lang achter het stuur zou zitten.

Ik had Nick een sms gestuurd om hem op de hoogte te brengen van Richards verhuizing. Hij keerde terug vanuit Harrogate en pendelde de hele tijd van en naar de afdeling terwijl hij met iedereen praatte en voortdurend dingen regelde.

Richard had nog steeds geen idee wat er allemaal aan de hand was of waar hij was. Zijn kortetermijngeheugen was een zootje en hoewel hij dan weer helder was en dan weer niet, keek hij Nick en mij aan, zei hallo en viel weer weg.

Andy en Andrea waren vertrokken om hun kinderen op te halen, maar wilden zo snel mogelijk weer terug zijn. Nick zou Amanda en zijn dochters ophalen.

Zelf leek ik die dag alleen maar trappen op en af te lopen. Er waren veel bloemen, kaarten en brieven van mensen die met ons meeleefden. Echt overweldigend. Er waren zoveel bloemen bezorgd dat ik de mensen van het ziekenhuis vroeg of ze het erg vonden ze in een apart kamertje te zetten. Het waren er gewoon te veel voor naast Richards bed, maar misschien dat hij ze nog kon zien.

Toen ik weer op de afdeling was, heerste er consternatie onder de verpleegkundigen. De hoofdzuster kwam snel op me af gelopen. 'Ik zeg het je maar even, maar deze deur houden we nu op slot.' Ze wees naar de deur van het kleine vertrek waar Richard lag. 'Het is iets te dicht bij de toegangsdeur van de afdeling en we zijn anders bang dat de media binnenglippen.'

'O, dank u. Dat is heel aardig, maar ik weet zeker dat hij het wel aankan, hoor.' Het was nogal gênant en ik vroeg me af of het wel nodig was.

Ze legde uit dat ze gewaarschuwd waren door de mensen van de interne beveiliging en dat ze nu een bewaker bij de ingang van de afdeling hadden geposteerd.

Richard was opeens groot nieuws, zo realiseerde ik me, en niemand wist eigenlijk precies hoe hij eraan toe was. Gelukkig kwam Stuart Ross, zijn specialist, die dag nog langs en hij raadde me aan een persverklaring op te stellen zodat iedereen daarna op de hoogte zou zijn. Hij was een kalme, gezag uitstralende man. Heel vriendelijk, maar ook duidelijk iemand die een belangrijke functie te vervullen heeft. Hij legde uit hoe hij met het nieuws naar buiten zou treden en het stelde me gerust om hem over Richards vooruitgang te kunnen vertellen. Het leek erop dat het hele medische team zowel verbaasd als opgetogen was over de vorderingen die hij maakte.

Toen Richard weer even bij bewustzijn was, vertelde ik hem dat zijn ouders onderweg waren. Met een verslagen blik keek hij me aan.

'O nee, ik zie er niet uit.'

Ik glimlachte naar hem. 'Nou, dat valt best mee, hoor. Echt.'

Telkens als hij even helder was, vroegen we hem of hij wist waar hij was, of wat hem overkomen was. Hij begreep min of meer dat hij in Leeds was, en als je dan vroeg: waar precies? antwoordde hij:

'In het ziekenhuis.' Maar waarom hij daar lag, wist hij niet. Ik legde hem uit dat hij een ongeluk had gehad.

'Je méént het,' reageerde hij kalmpjes, alsof hij me in de maling nam, en hij keek me ongelovig aan.

Ik vertelde hem over de vele kaarten en bloemen die hij had gekregen, maar het drong niet echt tot hem door en nog altijd keek hij me met het kussen in zijn rug wezenloos aan.

'Je bent gecrasht, schat,' fluisterde ik.

'Echt waar?' Zijn wenkbrauwen schoten omhoog en hij leek vaag geïnteresseerd. 'Zag het er goed uit?'

'Hm-hm. Behoorlijk heftig,' antwoordde ik.

'O.' Zijn aandacht werd nu getrokken door een passerende verpleegkundige met een kop-en-schoteltje in haar hand.

'Trek in een kopje thee?' vroeg hij met een glimlach.

'Ja. Laten we een kopje thee nemen. Ik regel het wel.'

Hij glimlachte naar me. 'Dank je.' Het klonk te beleefd. Hij praatte tegen me als tegen een onbekende. Hij was weer moe, en zijn blik werd erg glazig.

Tijdens het bezoekuur bleef het bloemetjesgordijn rondom zijn bed gesloten om niet te veel aandacht te trekken. Maar eerlijk gezegd zou het voor vastberaden speurneuzen, zodra ze eenmaal binnen waren, een makkie zijn om hem te vinden.

Op deze afdeling leek de bekende blauwgroene ziekenhuiskleur te overheersen, de kleur van ziekenhuisuniformen, gedweilde vloeren. Bij elke in- en uitgang waren sprays om de handen mee te ontsmetten. Telkens als ik weer zo'n spray zag, dacht ik terug aan Richards programmaserie *Should I Worry About...?* voor de BBC van een paar jaar geleden. Een van de afleveringen ging over moeilijk te genezen infecties, met schokkend resultaat. Om doodziek in een ziekenhuis te belanden is op zich al verschrikkelijk, laat staan als je tijdens je herstel ook nog eens een levensbedreigend virus oploopt.

Richards bed stond vlak bij een raam, en de verpleegkundigen waren zo attent geweest om de gordijnen dicht te trekken uit vrees voor persfotografen. Maar daardoor waren de andere patiënten van hun uitzicht beroofd. Ik weet zeker dat als je aan je bed gekluisterd bent, zo'n uitzicht een stuk belangrijker wordt dan de draagbare tv die voor iedere patiënt beschikbaar is.

Ook hier was het een en al jovialiteit onder het verzorgend personeel. Hoe vervelend het werk soms ook mocht zijn, hun grappen en de glimlach op hun gezicht zorgden voor een goede sfeer, ook onder de patiënten. Ik weet zeker dat hun positieve instelling een belangrijke factor is geweest bij het herstel van velen van hen, Richard inbegrepen.

Toen ik weer binnenkwam met de kopjes thee vreesde ik dat Richards ouders er elk moment konden zijn en hoopte ik maar dat hij wakker zou blijven.

Andy Wilman had me verzekerd dat hij hen bij de ingang zou opvangen. Hij wilde dat Richards ouders zich op hem konden afreageren. Dat was nodig, vond hij. Ze hadden het recht om stoom af te blazen, en hij bood zich vrijwillig aan om de zondebok te zijn. Ik kletste wat met Nick en we vonden het een belachelijk plan. Nick zou ervoor zorgen als eerste beneden te zijn. Andy was net als wij door een diep dal gegaan, en het was echt niet zo dat hij verantwoordelijk kon worden gehouden voor Richards ongeluk, zelfs al vond hij het zijn plicht om de schuld op zich te nemen.

Toen zijn ouders arriveerden deed Richard zijn uiterste best om zich te gedragen als de zoon die ze het liefst voor zich wilden zien. Hij zat rechtop in bed, glimlachte en maakte grapjes. Voor zijn vader en moeder was het een hartverwarmende aanblik, hoewel ze doodongerust moeten zijn geweest. Gelukkig was hun zoon, hoewel duidelijk verwond, bij bewustzijn. Helaas werd het na ongeveer drie minuten wel duidelijk dat hij meteen weer vergat wat hij zei. Richard herhaalde zichzelf voortdurend en bleef maar doorpraten over een enkel onderwerp. Dan vroeg hij: 'Zijn jullie met de auto?' Ze antwoordden dat iemand voor hen had gereden, waarna hij een heel verhaal tegen me ophing over hoe belangrijk het was dat

154

je mensen bedankte voor hun gulheid. Vervolgens nam hij een slokje thee, en vroeg: 'Hoe zijn jullie hier gekomen?' Zo draaide hij in kringetjes rond. Ik was er inmiddels aan gewend en van tevoren had ik de mensen al gewaarschuwd. Zolang je zelf het gesprek leidde en over het verleden of over grote plannen voor de toekomst praatte, bleef zijn aandacht er behoorlijk goed bij en leek hij volledig hersteld te zijn. Zoals ook toen Mark Thompson, de algemeen directeur van de BBC, binnenglipte om hem even te zien.

Richard kan zich het bezoek totaal niet meer herinneren, maar ik zal het nooit vergeten. Ik vertelde hem dat de directeur op bezoek zou komen, en eerlijk gezegd geloofde hij me niet. Uiteindelijk drong het dan toch tot hem door dat ik de waarheid sprak en werd hij helemaal opgewonden.

Mark werd via de achteringang binnengelaten. Hij woonde elders in Leeds een conferentie bij, en vond dat nu hij hier toch was hij het niet kon maken om niet eventjes bij Richard langs te gaan. Andy Wilman rende rond als een kip zonder kop om ervoor te zorgen dat alles op rolletjes liep, en toen de directeur dan eindelijk verscheen, waren we allemaal goed voorbereid. Richard zat met een grijns rechtop in bed. Hij raakte helemaal geanimeerd, besprak zo driftig allerlei programma- en toekomstideeën met Mark dat het bijna gênant werd. Ik wilde tussenbeide komen, en zeggen: 'Hij is echt heel ziek, hoor. Ik weet dat het voor u heel anders lijkt, maar hij heeft een hersenbeschadiging opgelopen. Dit is gewoon acteerwerk. Echt!'

Richard maakte er een ongelooflijke show van, en terwijl ik Mark weer naar de deur begeleidde, merkte hij op hoe geweldig Richard was geweest. Ik was het met hem eens, maar heimelijk maakte ik me zorgen.

Toen ik even later weer terug was, was Richard een stuk rustiger. Hij praatte nog wat met zijn ouders en zag er opeens uitgeput uit. Ze hadden het snel door en maakten aanstalten om te vertrekken en hun hotel op te zoeken.

Vlak na het afscheid viel hij in slaap. Ik ging naar beneden, zette mijn mobieltjes aan, rookte een sigaret en belde iedereen die om nieuws verlegen zat.

Ik belde Ela met de vraag of ze die zondag Izzy en Willow naar Leeds wilde begeleiden. Izzy had net haar verjaardag gevierd en voor dit weekend hadden we thuis een groot feest gepland. In plaats daarvan zouden we al haar neefjes en nichtjes nu in het hotel uitnodigen en daar, nadat ze haar papa in het ziekenhuis had bezocht, haar verjaardagsfeest alsnog vieren. Niet echt wat ze voor haar zesde verjaardag had verwacht, maar zo wist ze in elk geval dat haar papa dichtbij was.

De verpleegkundigen wilden Richard naar een zijkamertje verplaatsen zodra er een vrijkwam. Gelukkig gebeurde dat al snel. Het had even nodig om alle spullen over te plaatsen, maar dit was duidelijk een veel betere oplossing.

De laatste uren op zaal was het een komen en gaan geweest van bezoek. Het leek wel of iedereen er was. Op een middag, vlak voor de verhuizing, zaten we net met Richards ouders aan het bed wat te kletsen toen opeens James May binnen kwam vallen en op me af liep.

'Eh... hallo. Sorry dat ik even stoor, maar... eh... de BBC heeft bericht dat Richard volgens een krant eerder dit jaar een rijverbod voor drie maanden opgelegd heeft gekregen.' Hij keek me vragend aan. 'Hoe moeten ze reageren? Het klopt toch niet, hè?'

'Nee, het klopt niet, en vraag maar namens mij waar ze het gore lef vandaan halen om zoiets te durven beweren.'

James grijnsde. 'Ah. Uitstekend. Ik dacht al dat je zoiets zou zeggen. Ik zal het doorgeven. Toedeloe.'

'Dank je. Doei!'

Tegen vieren, het was de eerste dag dat Richard in zijn nieuwe privékamertje lag, zat ik op het bed toen hij zei: 'Dit is echt heerlijk zo. Je bent echt heel lief.'

'Dank je,' reageerde ik.

'Maar ik moet er nu vandoor,' zei hij licht verlegen.

'Hoe bedoel je?'

'Ik moet nu echt weg. Ik moet mijn vrouw weer zien.'

Dat was schrikken!

'Nee schat, ík ben je vrouw.'

'Nee, je mag er wezen, maar mijn vrouw is een Française.'

Heel even schoten duizenden gedachten door me heen: heeft ie iets met een Française? Gaat hij stiekem vreemd? Maar ik zette het meteen van me af.

'Echt, ik ben je vrouw.'

'Maar dat kan niet. Ik heb het veel te leuk met jou. Je bent veel te leuk om getrouwd te zijn.'

Poeh.

'Nou, bof jij dan even?'

Ik glimlachte en kuste hem terwijl hij als een ondeugende schooljongen lag te grijnzen. Daarna verliet ik de kamer even om wat koffie te gaan drinken terwijl de verpleegkundigen hem weer onderzochten, een procedure die inmiddels wat was uitgebreid met vragen stellen, temperaturen en bloeddruk meten.

Alex, een van de programmavoorbereiders bij *Top Gear*, was samen met Andy Wilman naar de afdeling gekomen. Ik liep de gang op om met hen te praten.

'Alex wordt jouw slaafje,' deelde Andy me met een grijns mee.

Ook op Alex' gezicht prijkte een grijns.

'Wat je maar wilt, je zegt het maar. Het is aan Alex om het te regelen.'

Mijn ogen gleden van Alex naar Andy, en terug.

'Kan ik niet aan beginnen,' zei ik.

'O, jawel,' stelde Andy nadrukkelijk. 'Hij heeft nu even niets omhanden. *Top Gear* ligt stil. Hij heeft een opdrachtgever nodig. En dat ben jij!'

'Wat je maar wilt,' zei Alex nog eens met een glimlach.

'Te gek.' Ook ik grijnsde nu. 'Slipjes.'

Ze keken me allebei verbaasd aan en schoten in de lach. Maar het was geen grap. Ik had razendsnel meer slipjes nodig! In alle haast om de koffers te pakken had ik mezelf nogal karig toebedeeld. De arme Alex kreeg een aardig boodschappenlijstje mee: slipjes, beha's, T-shirts, een spijkerbroek, sokken, douchegel en shampoo. Ook moest hij voor Richard wat kleren kopen, want die waren op het vliegveld zoekgeraakt, op zijn cowboylaarzen na, die ik vanuit de intensive care had meegenomen.

Alex noteerde alles, inclusief de maten. Arme Alex. Hij was als voorbereider van opwindende, flitsende tv-opnamen bij *Top Gear* gekomen, en moest nu in een chique lingeriewinkel slipjes kopen voor de vrouw van de presentator. Alex is een te gekke vent, een twintiger die al een tijdje voor *Top Gear* werkt. Ik heb hem al honderden keren aan de telefoon gehad over shoots en opnamekwesties, maar dit was onze eerste echte ontmoeting, en hij kon al meteen mijn maten noteren.

We verschansten ons bij een zijdeur om niet in de weg te staan. De gang was een drukke verkeersader. Achter de desk, op het centrale punt tegenover de deuren naar de hoofdafdeling, waren altijd wel een paar verpleegkundigen te vinden. Op de gang was het voortdurend een drukte van belang: met bedden die verplaatst werden; dokters, patiënten, bezoekers en verpleegkundigen, soms wandelend en grapjes makend, soms rennend naar een spoedgeval. De doorgang waar we stonden was iets verscholen en bood toegang tot twee voorraadkasten. We deelden de plek met drie rolstoelen en een paar plastic stoeltjes die op elkaar waren gestapeld. Terwijl we praatten, zag ik haar voor het eerst. Een lieve, aardige oudere vrouw met een verschrikkelijke jaap boven op haar hoofd die met een paar behoorlijk stevige krammen dicht werd gehouden. Hij was ongeveer negen centimeter lang. Het zag eruit alsof iemand met een dikke donkerrode viltstift dwars door het donzige grijze haar een kromme lijn over haar hoofd had getrokken. De dikke, zware krammen deden je denken aan een of ander macaber griezelverhaal. Ik weet niet hoe het haar vergaan is, maar het was duidelijk een lelijke wond en het was zo'n treurig gezicht om haar een beetje gebogen en ondersteund door een verpleegkundige heen en weer te zien schuifelen terwijl ze haar linkerarm gestrekt hield, ze haar wijsvinger en duim tegen elkaar wreef en ondertussen zachtjes 'poes, poes, poes', riep en om elk hoekje koekeloerde. Ik kon slechts vermoeden dat ze naar haar kat op zoek was geweest, en ze daar nu gewoon mee doorging. Ze had zo'n teer, vriendelijk gezicht dat je zelden tegenkomt. Ik stelde me voor dat ze ooit heel mooi was geweest. Haar huid leek zacht maar vermoeid, en ze was tamelijk klein en tenger. Ik wilde haar het liefst tegen me aan drukken, haar naar huis brengen en voor haar zorgen. Ze moet op z'n minst achter in de zeventig zijn geweest, en al toekijkend trokken er allerlei emoties door me heen: mededogen, sympathie, en bezorgdheid... Was haar gedrag het gevolg van die hoofdwond, of lag er een of andere ziekte aan ten grondslag?

Hoe aandoenlijk ze ook was, zou ik het aankunnen als Richards eigen verwondingen zijn greep op de werkelijkheid zo zouden ondermijnen? Hoelang zou zijn herstel nog voortduren?

Het was tijd om hem weer op te zoeken zodat de jongens weer aan de slag konden: Andy met alles wat met *Top Gear*, de media en de BBC te maken had, en Alex met zijn slipjesjacht in Leeds.

De volgende dag hadden we het druk. Nu Richard opeens bij bewustzijn was en kon praten, was het begrijpelijk dat iedereen hem wilde zien. Zijn broers Andy en Nick waren al teruggekeerd met hun gezin en uiteraard waren zijn ouders ook weer van de partij. Toch was er een ernstig probleem. Richard vergastte iedereen die aan zijn bed verscheen op een uitstekende versie van de Richard die hij dacht dat ze wilden zien. Hij hing de perfecte gastheer uit, babbelde met iedereen, informeerde naar hun gezondheid en hoe het ermee stond, waarna hij weer stokte. Dan begon hij zichzelf te herhalen, raakte in de war en praatte hij vooral in kringetjes rond. Ik kon wel zien dat hij naarmate de dag vorderde steeds meer in de war raakte, en dat hij doodmoe werd.

Ik liet hem eventjes alleen om de hoofdzuster te helpen met wat dingetjes die nog onduidelijk waren. Toen ik even later weer binnenkwam, zag ik tot mijn grote schrik dat hij al op en neer wippend op zijn knieën zat, met zijn handen om zijn achterhoofd geslagen en zijn gezicht diep in de kussens verborgen.

'Je hoofd? Pijn?'

'Ja. Godsamme, help me! Au!'

Ik rende meteen naar de verpleegkundigenbalie.

'Hij heeft pijn. Verschrikkelijke pijn.'

Twee verpleegkundigen renden met me mee. Het was afschuwelijk. Hij leed zoveel pijn dat ik zijn gezicht niet eens meer herkende. Ze deden wat morfine in de katheter en ik bleef bij hem totdat het middel begon te werken.

Terwijl hij in slaap dommelde, zagen de verpleegkundigen hoe ongerust ik was.

'Komt de dokter snel?' vroeg ik.

'Ja. Ze zijn nu hun ronde aan het doen. Wilt u ze spreken?'

'Ja, graag.'

Ik liet me moedeloos op de stoel naast Richard zakken en zag hoe zijn gezicht, dat hij met zijn handen probeerde af te schermen, langzaam veranderde, de pijn en spanning geleidelijk aan wegebden en hij wegdreef in een meer dan welkome slaap.

Vreemd eigenlijk hoe uitputtend het is om degene van wie je houdt in zo'n ellendige toestand te zien. Je beleeft elke seconde mee, veracht elk onaangenaam moment, probeert de situatie je wil op te leggen: nu is het over. Toen hij eindelijk in slaap viel, werd ik misselijk. Ik rilde en snakte naar frisse lucht. De verpleegkundigen stelden me gerust en trokken er onevenredig veel tijd voor uit om me over te halen zelf ook wat te rusten dan wel Richard eventjes alleen te laten. Maar ze wisten natuurlijk heel goed hoe moeilijk dat was. De hele tijd dat hij bij kennis was, wilde ik dat hij wist dat hij niet aan zijn lot was overgelaten en hij de hele tijd een vertrouwde persoon in de buurt had.

Toen hij ontwaakte, kwam de arts langs. Hij stelde Richard aller-

Het meisje op wie ik
verliefd werd.

The Gunpowder Plot, Exploding the Legend: het opblazen van een op ware grootte nagebouwd House of Lords voor de zender ITV. Dit doe ik voor mijn werk. Min of meer.

Met de hand aan de klopper van de premier.

We dronken thee. Ik heb niets gemorst.

DEZE BLADZIJ: aan het werk in de *Top Gear*-studio.
HIERNAAST (met de klok mee): met twee ouwe lullen; een typische filmdag; aan het stuur van de Renault F1 in 2007 die de kampioenschappen won. Na vijf ronden moest ik al de pits in om de banden opnieuw te laten opwarmen. De keuze viel uiteindelijk niet op mij; Andy Wilman, *Top Gear*-redacteur, eindproducent en het Brein; Andy legt uit wat ik voor de stunt met de verlengde limo moet doen; kijkend tijdens mijn eigen *Five O'Clock Show* op ITV naar hoe de twee slechtste achteruitparkeerders van het land aan het worstelen zijn met mijn met de hand gemaakte Morgan Roadster.

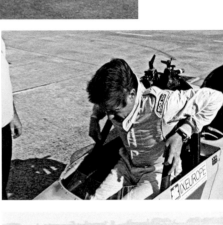

Vliegbasis Elvington, 20 september 2006.

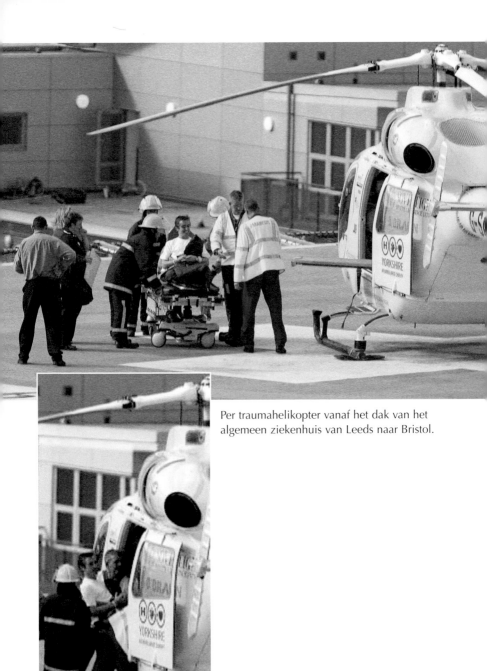

Per traumahelikopter vanaf het dak van het algemeen ziekenhuis van Leeds naar Bristol.

lei vragen en bekeek zijn kaart. Hij was recht door zee en zakelijk, en bedankte hem voor zijn tijd. Ik liep met hem de gang op, waar hij bevestigde dat Richards toestand verslechterd was. Hij raadde aan hem weer aan het infuus te leggen en hem de komende tijd absolute rust te geven. Vanwege het vele bezoek waren zijn hersenen overbelast geraakt, en voortaan zou het bezoek streng aan banden worden gelegd. Hij adviseerde me bij Richards bed te blijven en om alleen naaste familieleden toe te laten, en niet langer dan een kwartier.

Richards vastberadenheid om iedereen die op bezoek kwam een paar gezellige momenten te bezorgen, had zijn tol geëist. Helaas was hij goed in acteren en de indruk wekken dat hem niets mankeerde. Hij kon zo'n beetje iedereen om de tuin leiden, en ik wist dat hij het ook bij de verpleegkundigen probeerde.

Bovendien maakte ik me zorgen over een gesprekje dat zich nu al talloze keren had afgespeeld. Dat ging zo:

Richard: 'Weet je wat me nou echt tof lijkt?'

Ik: 'Nee, wat dan?'

Richard: 'Samen met jou daar...' hij wees naar de vensterbank, 'van een biertje en een sigaretje genieten.'

Ik: 'Dat kan niet, Richard. Dit is een ziekenhuis en jij bent patiënt. Je mag hier helemaal niet roken, en bier is hier echt niet te krijgen.'

Richard: 'Ach, kom op. Jij weet daar best aan te komen. Dat weet ik gewoon. En er zitten Marlboro Lights in mijn tas.'

Hij rommelde in zijn Billingham-cameratas.

Ik: 'Ik kan geen bier regelen. Dit is een ziekenhuis. En je hebt helemaal geen sigaretten. Echt niet.'

Richard: 'Wel waar. Ik weet nog dat ik ze hier had opgeborgen.'

Ik: 'Nou, dat is dus mijn schuld. Ik heb er ook een paar opgestoken.'

Richard: 'Nee, ik weet gewoon dat ze hier zitten. Ik heb ze zelf gezien.'

Ik: 'Nee, Richard. Roken is hier nergens toegestaan.'

Richard: 'O, maar moet je horen. Weet je wat me dus echt tof lijkt?'

Ik: 'Nee. Wat lijkt je echt tof?'

Richard: 'Om samen met jou op dat balkon een biertje te drinken en een sigaretje te roken.'

Ik: 'Nee, schat, dat kan niet. Het mag niet en we zitten zonder.'

Richard (rommelend in zijn tas): 'Ik weet dat hier ergens nog een pakje Marlboro Lights moet zitten.'

Ik: 'Nee, die zijn weg, ben ik bang. Zal ik een kopje thee gaan halen?'

Richard: 'Ja. Oké. Moet je horen, waarom nemen we onze thee niet mee naar het balkon, en roken we er een sigaretje bij?'

Ik: 'Omdat we geen sigaretten hebben en omdat er helemaal geen balkon is.'

Richard: 'Wel waar. Daar. En ik heb nog een pakje Marlboro ergens in mijn tas zitten.'

Hij pakte zijn tas weer en begon de zijvakjes te controleren.

Ik: 'Richard, geen balkon, geen sigaretten. Duidelijk?'

Richard: 'Ach, kun je niet even iemand vragen of we vijf minuutjes naar buiten kunnen? Toe dan. Voor één sigaretje maar.'

Ik: 'Als ik thee ga halen, vraag ik het wel.'

Telkens als dit gesprek weer de kop op stak, moest ik ervoor zorgen dat het op een positieve noot eindigde alvorens ik hem alleen kon laten. Want anders kon het weleens gevaarlijk worden, gezien zijn indruk dat het raamkozijn aan de buitenkant een balkon was. Het andere risico was dat hij inderdaad een paar sigaretten zou vinden en ze gewoon zou opsteken! Hij had ze niet, maar ik had er wel een paar in mijn jaszak. Maar al bij de eerste keer verborg ik ze buiten de kamer en ik besloot al snel om zelf niet meer te roken zodat de geur ervan niet meer zijn eigen verlangen zou prikkelen.

Het sigarettengesprek kon wel tien minuten of langer duren alvorens weg te ebben... en werd regelmatig weer opgepakt, maar dan met kleine wijzigingen. De beste versie was halverwege de middag.

Richard: 'Ik zat net te denken, weet je wat echt heerlijk zou zijn?'

Ik: 'Nee. Wat dan?'

Richard: 'Dat we gewoon naar buiten kunnen lopen, lekker de natuur in en dan samen onder een dikke boom zitten. Jij en ik.'

Ik: 'Hmmm. Dat zou leuk zijn.'

In gedachten schilderde ik een romantisch plaatje van ons tweeën... ontspannen achteroverleunend tegen een dikke eik, glimlachend naar elkaar in het gespikkelde zonlicht; hij in een spijkerbroek en een overhemd met de bovenste knoopjes los, en ik in een lange rok die ik tot boven mijn knieën heb opgetrokken. Lachend naar elkaar met onze gebruinde gezichten en verwarde haren.

Richard: 'Hmm. Met een lekkere fles witte wijn in het beekje, om koel te houden.'

Ik: 'O, heerlijk.'

Richard: 'Hmm. En een pakje Marlboro Lights.'

Ook Nick had een dergelijke vreemde ervaring. Ik had hem even met Richard alleen gelaten om wat te kunnen bijpraten. De arme Nick had het zo druk gehad met redderen dat hij zijn broer nauwelijks bij bewustzijn had kunnen zien.

'Dus, wat zijn je plannen voor volgende week?' had Richard hem gevraagd. 'Ik zit dan in Londen. Waarom pakken we dan niet ergens een biertje en eten we wat bij de Indiër?'

'Niks daarvan, jochie,' had Nick geantwoord. 'Jij moet hier nog een tijdje blijven en beter worden. Maar zodra het wat beter met je gaat, dan zeker.'

Richard: 'O. Hoelang moet ik hier nog blijven liggen dan?'

Nick: 'Nou, dat weten ze nog niet precies. Weken, misschien maanden.'

Richard knikte. 'Zo, hé.' Hij keek wat om zich heen, ogenschijnlijk de informatie verwerkend, en keek Nick weer aan.

'Dus, even over volgende week: dan zit ik in Londen. Zin om dan een biertje te pakken?'

Je kunt je wel voorstellen dat een ernstig hoofdletsel je psychologisch evenwicht verstoort. Voor Richard betekende het dat hij bij elk toiletbezoek mijn aanwezigheid moest verdragen. Bij het plassen duldde hij geen pottenkijkers. Zelfs in zijn eentje thuis sloot hij altijd de deur, maar nu moest ik opeens streng zijn tegen hem, wat totaal niet past binnen onze relatie, en stond ik erop om hem te ondersteunen omdat hij anders zou omvallen. Dat laatste werd nog eens onderstreept toen Andy Hodgson, ofwel 'H', een oude vriend van Richard uit zijn radiotijd in het noorden van Engeland, op bezoek kwam. Hij was vanuit Londen komen rijden en had al een uur in de bezoekersruimte gewacht voordat Richard in staat was om hem te ontvangen.

Ik liet Richard over aan de zorg van 'H' en Alan, vader Hammond. Ik weet nog dat toen ik de kamer verliet om Richards moeder een beetje gezelschap te houden en bij het hotel wat schone kleren te halen, ik tegen het drietal zei: 'Doe in vredesnaam voorzichtig. Als hij naar het toilet moet, loop dan met hem mee, want anders gaat ie onderuit. En zorg ervoor dat het infuus ook meegaat. Hij vergeet de hele tijd dat het in zijn arm zit.'

'Ja, ja. Geen zorgen. Komt allemaal goed.'

Toen ik weer terugkwam, waren ze weg, maar ik zag een kapot infuus op het tafeltje naast het bed liggen. Een paar weken later vertelde 'H' wat er die middag was gebeurd...

Hij vertelde me dat hij, kletsend met Richard, zich had afgevraagd wat nu eigenlijk het probleem was. Richard leek immers volkomen normaal. Ze hadden behoorlijk wat pret... de eerste vijf minuten althans. Opeens merkte hij dat het gesprek weer terug was bij het begin, maar niet voor Richard. Zijn kortetermijngeheugen was geheel verdwenen.

Ik kon me voorstellen dat het voor 'H' best wel even schrikken was, maar nog niet half zo lastig om, zelfs in een ziekenhuis, een volwassen man te verhinderen dat hij in zijn eentje even ging plassen.

Maar, zoals 'H' me vertelde, zwalkte Richard naar het toilet, sloot de deur achter zich, waarna er even later een hels gekletter opklonk, gevolgd door een dun stemmetje dat riep: 'Niks aan de hand. Ik ben gevallen, maar ik heb niet op de grond geplast.'

Een paar verpleegkundigen waren snel de kamer in gerend (tijdens zijn val had hij het alarmkoordje vastgegrepen) en hielpen hem weer overeind. Ik beeldde me in dat er een schaapachtige grijns op zijn gezicht prijkte en dat hij ondeugend grinnikte.

Een van mijn mooiste herinneringen uit deze periode was de overweldigende vreugde over het feit dat hij weer min of meer de oude was. Hij was kinderlijk, vergeetachtig en lastig, maar ook onmiskenbaar de oude Richard. Ik denk dat ik toen meer van hem hield dan ik ooit voor mogelijk heb gehouden. Ergens wist ik dat ik hem voor altijd kwijt had kunnen zijn, en toch was hij helemaal terug.

Tijdens deze hele periode had hij nog altijd hevige hoofdpijnen en kreeg hij regelmatig morfine toegediend, samen met een reeks medicijnen. Hij probeerde te leven met de pijn en de tabletten te laten voor wat ze waren, maar de verpleegkundigen peperden hem in dat hij niet zo gek moest doen en zichzelf moest ontzien. Opvallend genoeg nam hij de raad ter harte.

Omdat hij zo uitgeput was en zoveel pijn leed, werd me meteen duidelijk gemaakt dat hij de hele nacht zou doorslapen. De verpleegkundigen wilden maar al te graag dat ik zelf ook wat zou rusten en om eerlijk te zijn voelde ik me inmiddels al aardig beroerd. En dus liet ik Richard rond halftien die avond met rust, bestelde een taxi naar het hotel waar de hele familie verbleef, en kon ik voor het eerst mijn hotelkamer zien.

Ik voegde me bij Richards ouders aan tafel om een hapje te eten en ongeveer een uur later arriveerde ook zijn broer Nick met zijn gezin.

Het was zo'n vreemde situatie waarin iedereen weleens terechtkomt: eigenlijk hoorden we blij te zijn om met z'n allen bij elkaar te zijn, elkaar vrolijk te begroeten en om de hals te vallen, maar dit was natuurlijk helemaal geen leuke gelegenheid. Tot op zekere hoogte was er opluchting: we wisten nu dat de oude Richard er weer was, maar we maakten ons ook zorgen en er was maar één plek waar ik het liefst wilde zijn, namelijk bij hem. Toch had ik mezelf moeten dwingen om hem alleen te laten. Slaap, daar ging het om en al snel zocht ook ik mijn bed op.

Ik sliep kort en onvast, en toen ik mijn mobieltje aanzette, bleek het halfzeven in de ochtend te zijn. Ik kleedde me aan en stond klaar om te gaan. Onderweg in de taxi belde het ziekenhuis. Richard was wakker geworden en in paniek geraakt omdat hij niet wist waar ik was. Ik vertelde de verpleegkundige dat ik onderweg was.

Dit ontwikkelde zich tot een patroon. Ik was zijn houvast, zijn anker. Wetend dat hij zo geschrokken was dat men het verstandig had gevonden om mij te waarschuwen, maakte het voor mij extra duidelijk hoe radeloos hij geweest moest zijn. Ik zou hem nooit meer alleen laten.

De tien minuten durende rit naar het ziekenhuis leek een eeuwigheid te duren, zo zenuwslopend. Ik was wanhopig. Het is verschrikkelijk als je slechts lijdzaam mag toezien. Ik ben bepaald geen controlfreak, maar net als zoveel mensen weet ik best wel hoe snel ik kan autorijden, en hoe sneller het dus allemaal had gekund. Ik had het geld voor de rit al in mijn hand om aan de chauffeur te geven. Mijn mobieltje ging weer.

'Hallo, Mindy, weer met de afdeling. Richard is inmiddels behoorlijk geagiteerd. Heb je al een beetje een idee hoe laat je hier kunt zijn?' vroeg de kalme maar bezorgde stem.

'Ben onderweg,' antwoordde ik. 'Ik ben er binnen een kwartiertje. Vertel hem alsjeblieft dat ik eraan kom.'

'Maak je geen zorgen. Doe ik.'

Maar ik maakte me wel degelijk zorgen. Het zou onvergeeflijk zijn om hem meer te laten lijden dan nodig was. Ik voelde me een domme, egoïstische trut. Hoe kon ik hem dit aandoen? O, god! Ik zat op het puntje van de achterbank. Elk rood verkeerslicht haalde het bloed onder mijn nagels vandaan en toen ik dan eindelijk de ingang van het ziekenhuis zag, pakte ik, met het geld stevig in mijn rechterhand geklemd, de portierhendel al beet. We stonden nog niet stil of ik sprong al uit de taxi en zette het op een lopen. De twee gewapende beveiligingsmensen buiten glimlachten en deden de deur al voor me open. Ik rende naar de lift, drukte op alle knoppen en wipte zenuwachtig op en neer. 'Kom op! Kom op!' riep ik. Op het moment dat de liftdeuren open gleden, stoof ik naar binnen. Hoe komt het toch dat als je haast hebt die deuren er een eeuwigheid over doen om dicht te gaan?! Ik ijsbeerde als een gekooid dier terwijl de lift de reis naar de zevende verdieping begon. Het leek een eeuwigheid.

Ik duwde de liftdeuren bijna vaneen, rende als een dolle stier door de gang en plantte mijn vinger stevig op de bel van de afdeling. Ik werd duidelijk opgewacht, want de deur ging veel te snel open.

Op een drafje passeerde ik de verpleegkundigenbalie.

'Goeiemorgen!' groette ik half hijgend, half glimlachend in het voorbijgaan, wat vol begrip en goedgehumeurd werd aanvaard.

'Hij verwacht je al,' zei iemand.

'Je meent het,' grapte ik.

Voorzichtig opende ik de deur van zijn kamer.

'Hallo.'

Stralend keek hij me aan. 'O, hallo. Ik ben zo blij dat je er weer bent.'

We vielen elkaar stevig om de hals. Het duurde langer dan welke omhelzing ooit. Omdat alles zo verwarrend voor hem was, vraag ik me af of hij er wel op vertrouwde dat ik er weer zou zijn. Zijn geheugen was er zo slecht aan toe. Posttraumatisch geheugenverlies is een verontrustende toestand. Het grootste deel van de tijd had hij het kortetermijngeheugen van een goudvis (vijf seconden), kon zich slechts flarden uit het verleden herinneren, en maar heel weinig van na het ongeluk. Ik stelde me voor dat hij niet op zijn hersenen kon vertrouwen, wat behoorlijk angstaanjagend moet zijn. De artsen omschreven het als 'klinisch verward'. Het enige wat voor hem als een paal boven water stond, was dat ik zijn maatje was. Wat voor hem vaag bleef, was of ik nu werkelijk bestond of dat ik simpelweg een hersenspinsel was. Ik kan slechts vermoeden dat hij voor zijn gevoel in een reeks scènes van een wel heel erg realistische sf-nachtmerrie gevangen leek te zijn waarin je je op niemand kon verlaten. Men vertelt je dat je zogenaamd een ongeluk hebt overleefd, maar dat je eigenlijk dood hoort te zijn, vertellen ze er niet bij. Er zijn geen verwondingen die op een 'crash' duiden, en toch heb je een dik, blauw oog en voel je je raar in je hoofd, alsof ze je geestverruimende middelen hebben toegediend. Je herkent mensen min of meer, maar toch schiet je weinig over hen te binnen. Het lijkt of je in een klein kamertje plus aangrenzend badkamertje gevangen wordt gehouden. O ja, en er verschijnen voortdurend allerlei bekenden aan je bed vanwege een of ander evenement dat vlak in de buurt plaatsvindt en waarvoor jij dus niet bent uitgenodigd.

Het is moeilijk uit te leggen hoe onze relatie uit de as herrees en hoe eng dat was. Het leek wel of we bezig waren om de scherven van verwarde, emotionele herinneringen weer aan elkaar te lijmen. Richard worstelde zich door allerlei gevoelens en emoties heen in een poging te onderzoeken in welk opzicht ze met ons tweeën te maken hadden. Hij had aanvaard dat ik zijn vrouw was. Regelmatig nam ik zijn gezicht in mijn handen en dan zei ik: 'Zit je met vragen of met zorgen, zeg het me. Op mij kun je vertrouwen.'

Ik had al zoveel gesprekken met andere bezoekers gehoord die zich niet hadden gerealiseerd hoe belangrijk het is om recht door zee tegen hem te zijn. Als hij dan iets geks vroeg, maakten ze er een grapje van, staken er de draak mee, in plaats van hem rustig op zijn fout te wijzen. Toen hij bijvoorbeeld een keer vroeg: 'Waar is het feest? Waar gaat iedereen naartoe?' hoorde ik iemand antwoorden: 'O, boven. We gaan lekker met z'n allen feestvieren.'

Ik greep meteen in en vertelde hem dat er helemaal geen feest was, maar het maakte zijn verwarring er alleen maar erger op. Ik bracht zoveel tijd met hem door dat ik me maar al te goed bewust was van het belang van elk woord. Ik dacht dus goed na alvorens een vraag te beantwoorden, en ontwikkelde daarmee een gigantisch geduld.

Maar je kunt natuurlijk niet van iedereen verwachten dat ze precies begrijpen hoe de vork in de steel zit als het om een dergelijk complex letsel gaat, en al helemaal niet als de patiënt in kwestie juist heel normaal overkomt. Wat hen betreft heeft hij wat geheugenverlies, meer niet. En mensen handelen instinctief: lijkt de patiënt goed bij geest, dan wordt er gepraat alsof er niets aan de hand is. Pas als de scheurtjes echt grote kieren worden, zullen velen van ons eindelijk accepteren dat er iets niet klopt. Immers, het is veel gemakkelijker te aanvaarden dat alles min of meer in orde is dan het tegenovergestelde.

Ik was al snel Richards steun en toeverlaat geworden. Sinds die ochtend liet ik hem niet meer alleen, tenzij hij sliep of bezoek had. Als hij sliep plakte ik eerst een groot stuk vel op de tv met daarop de mededeling waar ik heen was en dat ik snel terug zou zijn, voordat ik de gang op glipte.

Dan ging ik meestal naar beneden om in het winkeltje iets leuks of lekkers voor hem te kopen: tijdschriften over Land Rovers, een reep, Turks fruit in de bekende paarse wikkel, notenrepen, drop, snoep en de chocolaatjes waar hij dol op was. James May had hem een exemplaar van *Auto Trader* gegeven; hun lievelingsspelletje was al lezend op autojacht gaan. Dan bladerden ze allebei in hun tijdschrift, zogenaamd op zoek naar hun favoriete auto's (met onbeperkt budget) en deden ze alsof elk model binnen handbereik lag. Toch deed het me verdriet dat hoewel ik het blad voor hem liet liggen hij niet zoals gewoonlijk gretig begon te bladeren en de hoekjes omvouwde van de pagina's met 'interessante opties'.

Er was een flink brok uit Richard weggeslagen en ik vreesde dat we nooit meer alle stukjes zouden terugvinden.

Toen ik op een dag van het winkeltje terugkeerde, schrok ik me te pletter.

Ik trok de deur open en zag dat hij aan de telefoon zat! De kleine ondeugd had al rommelend in zijn tas zijn mobieltje opgediept (waarvan ik de batterij had verstopt). Vervolgens had hij in de mijne zitten wroeten (wat hij normaliter nooit en te nimmer zou hebben gedaan), en de batterij uit mijn mobieltje in het zijne gestopt. Om daarna – Heer sta me bij! – een krantenredactie te bellen!

Toen ik verscheen hing hij snel met een rood hoofd op en grijnsde naar me.

'Eh... hallo.'

'Hm. Wie was dat?' Ik deed mijn best om onverschillig te klinken.

'O, niemand. Een vriend, meer niet.'

'Oké. Wil je zien wat ik heb gekocht?'

Ik toonde hem de inhoud van de zak en kwam niet meer op het telefoontje terug. Even later kwamen de verpleegkundigen binnen en gaven hem wat medicijnen. Hij was doodop en viel al snel in slaap.

Zodra hij snurkte griste ik de mobiele telefoon weg en verliet stilletjes de kamer. Met de mededeling dat ik even naar beneden wipte zette ik aangekomen bij de receptie beide mobieltjes aan. Dat van mij ging meteen over. Er was een sms'je van Richards redacteur bij de *Mirror*. Sinds het ongeluk onderhielden we regelmatig contact, maar nu belde hij met de boodschap: 'Ik heb net even met Richard gesproken, en ik wil het nog even aan jou voorleggen voordat we ter perse gaan.'

Richard had hem gebeld en een tijdje met hem gekletst, voor de redacteur lang genoeg om zich te realiseren dat er iets niet helemaal in de haak was. Hij was zo correct om het eerst aan mij voor te leggen. Na een korte babbel ging hij akkoord om het niet te publiceren en hij beloofde dat als Richard weer zou bellen, het onder ons zou blijven. Fijn dat er nog eerlijke redacteuren zijn!

Na nog even met de redactie te hebben gesproken en iedereen namens mij hartelijk te hebben bedankt voor alle bloemen, kaarten, brieven en presentjes, zocht ik de afdeling weer op.

Bij de verpleegkundigenbalie aangekomen gaf ik het mobieltje af. 'Kun je deze misschien even veilig opbergen? Het lijkt me beter dat hij dit niet meer flikt.'

'Inderdaad! Ja hoor, we zullen hem veilig voor u opbergen.'

Toen ik weer op zijn kamer kwam, sliep hij gelukkig nog. Ik ging op zoek naar Alex, onze programmavoorbereider annex slaaf. Hij was uit winkelen geweest en was goed geslaagd. Omdat Richards kleren op de eerstehulpafdeling kapot waren geknipt, had hij slechts een ziekenhuispyjama. Nu hij vooruitging, besefte ik dat het maar goed was dat hij alleen die pyjama had. Ik begon me steeds meer een gevangeniscipier te voelen. Toch had ik Alex gevraagd om een spijkerbroek, wat T-shirts, sokken en onderbroeken en zo te kopen.

Alex overhandigde me verscheidene winkeltassen en toen ik terugliep naar de kamer raakte ik even in paniek. Waar moest ik al die kleren in hemelsnaam verbergen? Richard aasde nog altijd op een kans om weg te kunnen glippen en ergens stiekem te paffen. Omdat ik hem al twee keer had betrapt toen hij zijn cowboylaarzen over zijn pyjamabroek probeerde aan te trekken, had ik ze naar het hotel meegenomen. Toen ik zo zacht als maar kon de deur achter me sloot, verroerde hij zich even.

Ik glipte het badkamertje in en deed de deur dicht. Een matras stond rechtop tegen de muur tegenover de douche, dit was mijn bed voor op de vloer naast Richard. Ik verstopte de tassen erachter. Ten slotte trok ik nog eventjes door. Toen ik weer verscheen, werd hij net wakker. Hij zag er zo verfomfaaid, zo lief uit. Zijn manier van doen had iets van iemand die net even een sherry te veel op heeft, de hele tijd glimlachend, aanhankelijk en o zo vergeetachtig, maar nog altijd ook erg moe. De verpleegkundigen verschenen regelmatig om zijn bloeddruk en temperatuur en dergelijke op te nemen, en hem allerlei vragen te stellen. Wist hij waar hij was? Welke dag was het vandaag? Hoe heette hij? Als ze mij die vragen nu zouden stellen zou ik inmiddels moeite hebben gehad met antwoorden, dus waarom moest hij het dan wel kunnen? vroeg ik me af.

De verpleegkundigen hadden nauwkeurig bijgehouden hoeveel

vocht hij tot zich nam. Dat zag er niet goed uit en ook was hij vanwege al het bezoek geleidelijk aan steeds verwarder geraakt. De stagelopend specialist vond dat hij weer aan het infuus moest, wat vervelend was omdat hij juist zo vooruitging. Toen het onderzoek achter de rug was, had hij moeite om wakker te blijven.

Ik had Ela gevraagd om met de meiden naar Leeds te komen, en de BBC was zo vriendelijk geweest om een chauffeur te regelen, want Ela had geen rijbewijs. Alex, die als contactpersoon fungeerde, verscheen in de kamer om me te vertellen dat ze er elk moment konden zijn. Ik liet Richard alleen en rende snel naar beneden om hen bij een zij-ingang op te wachten. Het duurde slechts een paar minuten maar het leken wel uren. Ik had mijn dochters zo gemist. Izzy zou die dag haar zesde verjaardag hebben gevierd. Als verrassing hadden Nick en Amanda samen met Andy en Andrea en het hotel die middag toch nog een verjaardagspartijtje georganiseerd met al haar neefjes en nichtjes. Het was een leuke afleiding en hopelijk zouden de meisjes wat minder gespannen zijn voor het bezoek aan het ziekenhuis.

Toen ze arriveerden, barstte ik bijna in huilen uit. Ik gaf iedereen een dikke zoen en vloog Ela om de hals. Roly, een van Richards collega's bij *Top Gear*, was net als een paar anderen meegekomen om eventueel van dienst te zijn. Iedereen voelde de behoefte om iets te kunnen betekenen. Wat dan ook. Een paar regelden dat de tassen van de kinderen naar het hotel werden gebracht en ik vroeg de administratrice van het ziekenhuis of ik de meisjes even naar een rustig kamertje kon nemen om hen alvast een beetje voor te bereiden.

Ze ging ons voor door een van de gangen van de sombere maar deftige oude vleugel. De vloeren waren van bruin gespikkeld marmer, met de muren en zuilen als een variatie op hetzelfde thema. Ten slotte opende ze de deur van een grote ruimte met in het midden een vergadertafel en zo'n twintig stoelen eromheen. Daar liet ze Izzy, Willow, Ela en mij achter. Ik pakte de meisjes op en zette ze een voor een in een stoel tegenover me. Ik liet me op mijn knieën zakken en keek ze aan.

'Goed. Jullie weten wel waar jullie nu zijn, hè?'

'Ja. We zijn in een ziekenhuis,' antwoordde Izzy met haar duim in haar mond.

Willow knikte met uitgestreken gezicht.

Niet dat ik mezelf er echt op had voorbereid, maar ik realiseerde me dat het mijn verantwoordelijkheid was om deze twee zieltjes op iets naars voor te bereiden. Ik hoopte maar dat het me zou lukken.

'Weten jullie nog dat ik toen heel snel weg moest om voor papa wat nieuwe kleren te halen?'

'Ja. Want hij had ze kapotgemaakt en alles was vies,' antwoordde Willow ernstig.

'Klopt, lieve pop.' Glimlachend keek ik hen aan. 'Nou, toen hij zijn kleren kapotmaakte, heeft hij ook zijn hoofd een beetje gestoten.'

Izzy trok een gezicht. 'Was er bloed?'

'Nou, een klein beetje, op de plek waar hij zijn oog stootte.'

'O! Heeft hij nu een pleister?' vroeg Willow opgewonden.

'Min of meer. Het is eigenlijk meer een verbandje.'

'Wauw. Goed zeg!' Ze was onder de indruk. Ze was pas drie.

Ik keek weer naar Izzy. Ze had haar duim nog altijd stevig in haar mond, en keek me ernstig aan. Ik wachtte even.

'Kijk, het gaat hierom. Omdat papa zijn hoofd heeft gestoten, voelt hij zich niet helemaal lekker. Hij is heel erg moe en, tja, een beetje anders dan zoals papa normaal is. Maar hij wordt weer beter. Hij moet alleen heel veel slapen en dan komt alles weer goed.'

'Hij moet zeker een dutje doen. Hij mag mijn beertje wel lenen als hij dat wil, hoor.' Die lieve Willow toch. 'Papa krijgt van mij een dikke knuffel.'

Izzy's oogjes werden waterig.

'Hebben jullie wat kaartjes gemaakt voor papa?'

Ze hielden allebei een paar kaarten en tekeningetjes stevig in hun handjes. Izzy had bovendien een brief voor hem geschreven.

'O, wat zijn jullie toch goed bezig geweest, zeg.'

'Kunnen we hem nu zien?' vroeg Izzy.

'Ja. Zo meteen.'

Op de afdeling was het tijd voor de middagslaap. Elke dag deed het verplegend personeel een uurtje het licht uit, wat de patiënten stimuleerde om even wat te gaan slapen. Ik was echter nog niet helemaal klaar met mijn verhaaltje over het ziekenhuis.

'Jullie weten toch dat als mensen zich niet lekker voelen, ze naar het ziekenhuis gaan, hè?'

Ze knikten allebei.

'Nou, omdat de mensen hier zich niet lekker voelen, hebben ze veel rust en stilte nodig. Dus als je binnen bent, moet je zachtjes fluisteren. Goed?'

Ze begrepen het.

'Oké, dan gaan we naar papa toe.'

Ela liep met ons mee naar boven. Ze wilde niet mee naar binnen en wachtte op de gang. Van tevoren had ik de verpleegkundige al gevraagd of ze Richard met zijn oogverband kon helpen voordat we binnen zouden komen. We vertelden hem dat hij het gaasverband op zijn plek moest laten zitten, want zijn oog zag er nogal goor uit en wellicht zouden onze dochters ervan schrikken.

Toen we binnenkwamen zat hij rechtop in bed. Ik had ze zoeven al duidelijk gemaakt dat we niet te lang konden blijven, maar dat ze daarna naar een feestje konden.

Richard was uitzinnig van vreugde, maar was ondertussen helemaal vergeten waarom hij dat ooglapje op had, en hij probeerde het dan ook meteen los te trekken.

'Hou dat nog maar even om,' zei ik voorzichtig, maar hij negeerde me en trok het weg.

Goddank had ik de meisjes gewaarschuwd.

'O, papa, dat ziet er heel zeer uit,' was Willows commentaar.

Izzy was heel stil. Ze nam de situatie in zich op en praatte heel aandachtig met hem over de kaart die ze voor hem had gemaakt. Hij was te opgewonden, stapte uit bed en snel greep ik het infuus om met hem mee te lopen.

Hij nam de zak van me aan. 'Laat maar. Laat maar.' Hij ging naar het toilet, maar had dit tot nu toe nog niet in zijn eentje kunnen klaren. Ik bleef altijd achter hem staan om hem op te vangen, mocht hij zijn evenwicht verliezen. Maar ik begreep dat hij het verschrikkelijk zou vinden om in het bijzijn van zijn dochters te worden begeleid. Hij stapte het toilet in en ik kreeg een droge mond van de zenuwen. Hij was nog niet half binnen of hij viel voorover en wist nog snel het koordje van het licht en het noodkoordje te grijpen. Al meteen kwamen de verpleegkundigen binnengevlogen en schoten me te hulp. We brachten hem weer naar het bed waarop hij zich met een schaapachtige grijns liet zakken. Izzy was heel bedeesd. Ze wilde iets vertellen over thuis en de spelletjes die ze had gespeeld, maar het lukte haar niet zich te concentreren. Hij knikte weliswaar, maar zijn ogen vielen bijna dicht. De val van zo-even had hem uitgeput.

'Tijd om dag te zeggen,' fluisterde ik.

Willow gaf hem een kus.

'Daag, papa.'

Izzy's ogen werden nu echt vochtig. Ik wierp haar een bemoedigende glimlach toe. 'Zeg maar dag,' fluisterde ik geluidloos.

'Dag, papa.' Haar stem brak, maar hij was al aan het indommelen en merkte het niet.

'Dag, schat,' zei hij met zijn ogen dicht. Ik nam Willow bij de hand en hees Izzy op mijn heup. Zo snel we konden zochten we de wachtende Ela weer op. Ze nam Willow bij zich en Izzy barstte los in een enorme huilbui. Ik drukte haar stevig tegen me aan en beende naar de uitgang.

'Goed gedaan, Iz. Helemaal top, lieverd. Je was echt goed. Je bent een heel, heel flinke meid. Ik ben trots op je.'

Arme Izzy. Papa was papa niet echt, en als er één meisje was dat haar vader aanbad, dan was zij het wel. Maar ze was ook slim en ze vertrouwde me. Ik zette haar op de grond, hurkte en keek haar aan.

'Iz, hij wordt echt beter. Oké? Echt. Hij is alleen maar moe.'

Ze knikte en veegde met de rug van haar hand de tranen uit haar ogen.

'Oké, mama.' Maar ik betwijfelde of ze me wel geloofde.

'Zeg! Jij gaat zo meteen een feestje vieren.'

Nick wachtte bij de deur met Amanda, die Willow knuffelde. Ze hadden hun eigen dochters bij Richards ouders in het hotel achtergelaten.

'Ga jij niet mee, mama?' smeekte Izzy.

'Nou, ik kan papa niet alleen laten.'

'O, toe, mama. Toe!'

'Goed. Maar dan kom ik wat later. Ik kom.'

'Breng je ons dan naar bed? Ben je er als het bedtijd is?'

'Ja. Goed. Dat beloof ik.'

Het viel me zwaar om mijn dochtertjes door de gang weg te zien lopen, op weg naar de liften, maar ik wist dat Ela zich over hen zou ontfermen, en Nick en Amanda hadden echt waanzinnig hun best gedaan met het feestje.

Ik vroeg me af of het me zou lukken om later de kinderen nog op te zoeken, aangezien Richard het echt heel naar vond om alleen te worden gelaten, maar het was belangrijk voor de meisjes, en ik had het beloofd. Ik mocht hen niet teleurstellen. Bovendien verlangde, nee húnkerde ik ernaar hen te zien, te ruiken, met hen te spelen, hun moeder weer te zijn.

Richard was bekaf. Toen ik mijn hoofd om de hoek van de deur stak, verkeerde hij al in diepe slaap. Dit was een van de zeldzame momenten om een paar minuutjes te kunnen verdwijnen. Al meteen wenste ik dat ik met mijn dochters was meegegaan, maar daarmee zouden ze de aandacht hebben getrokken, en tot dusver was het hen gelukt om anoniem te blijven.

Ik krabbelde een boodschap op een velletje en plakte het op het tv-scherm aan Richards voeteneind: *Even weg voor koffie. Over een kwartiertje terug. Hou superveel van je. Kusje, Mindy.*

Het weerzien met de meisjes had me echt even naar adem doen snakken. Ik was zo druk met Richard in de weer geweest, en met al het geregel in het ziekenhuis, ook al had ik mezelf min of meer getroost door regelmatig even met Ela, en elke ochtend en avond met de kinderen te babbelen, toch was het niet hetzelfde. Om Izzy en Willow weer te zien was hartverscheurend. Ik leunde zwaar tegen de wand van de grote metalen liftcabine terwijl ik me naar de benedenverdieping liet zakken.

In plaats van in het winkeltje een fles bronwater of cola te kopen, bestelde ik een kop koffie bij de snackbar en zocht een stil hoekje op. Nu ik hier toch zat kon ik misschien nog wat telefoontjes plegen. Ik toetste net een nummer in toen een onopvallende slanke vrouw van in de twintig met kort, donker haar me op mijn schouder tikte.

Vragend keek ik haar aan.

'Pardon, bent u mevrouw Hammond?'

'Ja. En wie bent u?'

'Van de pers, vrees ik.'

Ik kon mijn oren niet geloven. Eindelijk een moment voor mezelf, eventjes wat rust om mijn gedachten op een rij te zetten...

'Het spijt me, maar ik kan u nu niet te woord staan.'

Ik veegde mijn spullen bij elkaar, liet de koffie staan en liep min of meer op een drafje naar de liften, waar ik veilig zou zijn. Maar om me heen kijkend drong het opeens tot me door hoe druk het hier was. De receptie zat vol mensen met bekers koffie voor zich, en toen ik de liften had bereikt, wist ik waarom: het hele ziekenhuis was vergeven van journalisten.

Ik haastte me snel naar boven en liep naar de telefooncel bij de liften om eerst nog een paar mensen te bellen.

De oude dame met de hoofdwond maakte weer een ommetje met een van de verpleegkundigen. Ze riep niet langer om haar poes, en de verpleegkundige moedigde haar aan om met anderen een gesprekje aan te knopen. Ze bleek echter niet happig op een praatje met andere vrouwen, maar des te meer op een beetje flirten met de mannen. Ze was zo'n schat. Ze had duidelijk geprobeerd zich van haar hechtingen te ontdoen, want ze droeg nu een paar sokken op haar hoofd, zo leek het wel. In het voorbijgaan glimlachte ik naar haar, en ze glimlachte wat zwakjes terug. Ik zal haar gezicht nooit

177

vergeten. Een gezicht dat altijd weer vertedert. Ik vroeg me af waar haar familie uithing, of ze weleens bezoek had, of er thuis mensen waren die van deze lieve schat hielden. 'Dat God u moge bijstaan,' fluisterde ik. Gewoonlijk doe ik zoiets niet, maar ik meende het echt. Ik hoop maar dat het goed met haar gaat, dat ze nu weer thuis is.

Toen ik Richards kamer binnenkwam, werd hij net wakker. Hij had hoofdpijn en ik vroeg de verpleegkundigen of hij nog wat pijnstillers mocht. 'Morfine of paracetamol?' vroegen ze hem. Telkens meed hij de morfine, maar zoals een van de verpleegkundigen tegen hem zei: 'Flink doen heeft geen zin. Pijn lijden is helemaal niet nodig. Als het te erg wordt, is er nog altijd de morfine, ja?'

Hij vroeg er nu meteen naar. Ze had al snel geleerd hoe hij in elkaar stak. Richard is puur eigenwijs en soms moet je op je strepen staan om jezelf echt duidelijk te maken. Maar hij luisterde en aanvaardde de hulp.

Na de pil te hebben ingenomen keek hij plotseling wat geschrokken om zich heen.

'Waar zijn de meisjes? Waar zijn ze naartoe? Ze waren hier net toch nog? Ik heb het toch niet gedroomd?'

'Nee, je hebt het niet gedroomd. Ze waren er. Ze zijn terug naar het hotel.'

'O, kunnen we erheen? Laten we ze opzoeken.' Hij maakte al aanstalten om uit bed te stappen.

'Nee, dat kan niet, schat. Jij moet hier blijven. Je ligt in het ziekenhuis, weet je nog? Je hebt een ongeluk gehad.'

'Ja, maar ik voel me prima nu. Kom, dan gaan we er stiekem vandoor. Niemand die het in de gaten heeft.'

Hij zwaaide zijn benen over de rand van het bed. Snel greep ik het infuus voordat hij het weer lostrok.

'Waar zijn mijn kleren?'

'Je hebt geen kleren. Je moet hier blijven, schat. Zal ik eens kijken of er nog iets op tv is?'

'O, ja. Goed.'

Hij keek weer voor zich en ontspande zich wat. Ik hing de infuuszak aan het haakje en zette snel de tv aan.

Een halve minuut later: Richard gaat opnieuw overeind zitten en kijkt om zich heen. *'Waar zijn de meisjes?'*

Ik: 'O, die moesten terug naar het hotel. Maar ze maken het prima.'

Richard, geschrokken: 'Wie is er bij ze?'

Ik: 'Ela is bij ze. Maak je geen zorgen. Het gaat goed met ze.'

Richard: 'O. Waarom gaan we niet bij ze langs?'

Ik: 'Schat, jij moet hier blijven. Je hebt een ongeluk gehad en je staat nog niet helemaal lekker op je benen.'

Richard: 'Niemand die het ziet. Kom op!'

Hij kwam weer overeind en snel liep ik om het bed om het infuus te pakken.

Ik: 'Schat, je moet echt blijven liggen. Zal ik een kop thee voor je halen?'

Richard: 'Hmm? Ja, lekker. En daarna gaan we de meisjes opzoeken, goed? Ik ben dol op mijn meisjes.'

Ik: 'Dat weet ik, en zij zijn dol op jou, schat. Zal ik dan even thee gaan halen?'

Richard kijkt wat wazig om zich heen. 'Ja. Goed.'

Ik liet hem liever niet alleen, en dus haastte ik me naar het theeapparaat. Toen ik een paar minuten later weer verscheen, kon ik mijn ogen niet geloven. Hij had nóg een mobieltje uit zijn tas opgediept en was nu bezig het mijne te demonteren om mijn simkaart in de zijne te doen. Zo beheerst als ik maar kon, zette ik de twee koppen thee op het tafeltje naast het bed.

Ik: 'Wat ben je aan het doen?'

Richard: 'Mijn mobiele telefoon doet het niet, vandaar dat ik deze simkaart even omwissel.'

Ik: 'Nou, dit is wel de mijne, hoor.'

Richard: 'Nee, ik weet zeker dat ie van mij is.'

Hij stopte de simkaart in de andere en zette hem aan.

Richard: 'Hè? Grappig. O jee, volgens mij is dit de jouwe. Sorry, schat. Maar waar is de mijne dan?'

Hij begon in zijn tas te wroeten. Ik voelde me verschrikkelijk. Liegen is echt niets voor mij en ik had zijn mobieltje bij de receptie in bewaring gegeven. De dokters hadden me er dringend op gewezen dat hij niet mocht telefoneren en al helemaal niet aan dingen mocht denken die met werk te maken hadden. Dat viel niet mee. De meesten van zijn vrienden waren nu eenmaal bij het vak betrokken, al dan niet bij *Top Gear*. Daarbij kwam nog een tweede probleem: veel journalisten hadden zijn mobiele nummer, en hij kletste maar wat graag een eind weg met hen, wat weleens riskant kon zijn.

Ik: 'Richard, je weet toch dat je zelfs geen mobiel aan mag zetten hier? Daarmee stoor je de apparatuur.'

Richard: 'Echt? O. Oké. Zet die van jou maar uit dan.'

Hij gaf me mijn mobiel. Ik stopte mijn simkaart terug en zette hem weer in elkaar.

Hij wierp een blik op zijn thee. Zijn oogleden werden zwaar en hij fronste zijn voorhoofd. Hoofdpijn, wederom. De hoofdpijn, vertelde hij me, zeurde voortdurend door, in verschillende gradaties. Hij zag er ellendig uit en keek me aan.

Richard: 'Kunnen we nu weg?'

Ik: 'Hoe bedoel je?'

Richard: 'Kunnen we nu naar huis?'

Ik: 'Nee, schat. Nog niet. Vergeet het maar.'

Richard: 'Kom op, laten we gewoon gaan. Dat vinden ze heus niet erg.'

Ik: 'Richard...' Ik ging op het bed zitten en keek hem recht in de ogen. 'Je hebt een ongeluk gehad. Je hebt je hoofd gestoten en je moet hier absoluut blijven totdat je beter bent.'

Richard: 'Ja, ja. Kom, we gaan.'

Net toen ik bedacht wat ik moest antwoorden, kwamen de twee verpleegkundigen gelukkig weer binnen. Ik legde uit dat hij weg wilde. Ik moest echt terug naar onze dochtertjes en zoals het nu ging kon ik hem, uit vrees dat hij zou ontsnappen, niet alleen laten. Ze vertelden hem dat hij moest blijven en om een of andere reden was hij meer geneigd hen te geloven dan mij.

Ze vroegen hem of hij pijn had. Hij wond er geen doekjes om en vroeg om morfine. Hij zag er echt behoorlijk slecht uit, uitgeblust. Ik vermoedde dat het zowel aan vermoeidheid als aan de verwarring lag. Hij was er duidelijk niet van overtuigd dat hij een ongeluk had gehad, en het bezoek van onze dochters had bij hem allerlei emoties losgemaakt. De verpleegkundigen vreesden dat hij te weinig water tot zich had genomen en hij had ook nauwelijks iets gegeten. Zijn infuus was bijna leeg en ze gingen het verversen.

'Zullen we nóg een kop thee nemen?' vroeg hij toen de verpleegkundigen weg waren.

'Oké.' Ik verliet het kamertje met twee lege koppen. Zijn kortetermijngeheugen lag nu zo aan barrels dat hij zijn laatste hap ontbijtgranen nog niet had doorgeslikt of meteen weer vroeg: 'Zullen we ontbijten?'

Ik hield wijselijk mijn mond. Het zou anders alleen maar contraproductief zijn. Hij was net ontwaakt uit een coma en leed aan posttraumatisch geheugenverlies. Bovendien verkeerde hij op dat moment in klinische verwarring. Geen haar op mijn hoofd die ook maar overwoog om zijn leven nog verwarrender te maken. Ik haalde weer thee en eenmaal terug zag ik dat hij in slaap was gevallen. Een diepe slaap.

Ik gooide de thee in de gootsteen en schreef een nieuw briefje. *Ik breng de meiden naar bed. Ben zo terug. Hou van je. Kus, M.*

Ik glipte de kamer uit. Bij de verpleegkundigenbalie legde ik uit dat ik naar het hotel ging, maar dat ik voor achten die avond terug zou zijn. Ze verzekerden me dat ik me geen zorgen hoefde te maken. Hij was ongelooflijk moe en ze gingen ervan uit dat hij niet wakker zou worden.

Ik sjeesde per taxi dwars door Leeds naar het hotel, waar ik tot mijn vreugde midden in een kamer vol blije kinderen belandde. Andy, Andrea, Nick en Amanda hadden samen met Richards ouders er alles aan gedaan om Izzy een echt bijzonder verjaardagsfeestje te schenken. Maar ook al gaf ik de meiden een dikke knuffel en een paar dikke zoenen, en koesterde ik deze momenten, toch gleden mijn gedachten telkens naar dat bed in het ziekenhuis. Wetend hoe snel Richard in paniek zou raken als ik er niet was zodra hij ontwaakte, maakte dat ik de hele tijd het liefst terug wilde. Mijn onrust had wortel geschoten en groeide gestaag, ondanks de gesprekjes met iedereen.

De meisjes hadden zich zo geweldig geamuseerd, maar Willow was pas drie en heel erg moe. Ela en ik brachten Izzy en Willow naar de slaapkamer. Ondertussen maakte ik me zoveel zorgen over Richard dat ik erover dacht om ze meteen welterusten te wensen en snel weer naar het ziekenhuis te gaan. Maar ze smeekten me nog even te blijven en hen in te stoppen. Ze hadden me al twee dagen niet gezien, wat voor hen de eerste keer was, en ook al was Ela in de buurt, die ze goed kenden en die ervoor zorgde dat alles z'n gangetje ging, voelde ik me overweldigd door hun liefde en ging het me behoorlijk aan het hart dat ze zich zo moesten zien te redden, ook al ging ze dat behoorlijk goed af. Ik was trots op mijn kinderen, op hun veerkracht en hun vertrouwen in me.

Terwijl ik mijn dochtertjes instopte, zei Izzy: 'Ik wist dat je zou komen, mama. Je had het beloofd.'

Het deed me zo goed om deze woorden te horen. Het is, zeg maar, de code waarnaar ik leef: als ik de meiden iets beloof, dan houd ik me er ook aan.

Ik gaf haar een dikke knuffel en voelde haar tranen op mijn schouder. Ze wilde niet dat Willow het zou zien en dus hield ik haar zo nog even vast. 'Alles weer goed, schat?' fluisterde ik.

Ze knikte.

'Goed zo, lieverd. Je bent echt een heel stoere meid. Ik ben trots op je.'

Ze knikte nog eens, en veegde met een mouw langs haar neus.

'Bèèh, een snotmouw!' riep ik zogenaamd vol afschuw en ik sprong snel van het bed. Ze giechelden allebei.

Ik liep naar Willows bed.

'Mama, waar slaap jij?' Willow hou je niet voor de gek!

'O, ik ga zo meteen terug om papa gezelschap te houden.'

'In het ziekenhuis?'

'Ja, maar ik heb een bed, zodat ik op de kamer kan slapen.'

Willow was boos.

'Maar, mama, dan zien we je niet!'

'Jawel, hoor.'

Nu kwamen de tranen.

'Nee. Want jij bent daar, en wij zijn hier. Dus niet.'

Ik gooide het op een akkoordje.

'Jullie tweetjes gaan nu slapen. Als je slaapt kun je me toch niet zien? En dan beloof ik dat ik morgenochtend op tijd terug ben, en dan ontbijten we met z'n allen. Hoe vind je dat?'

'Ja! Ja!'

'Maar dan moet je nu echt gaan slapen en lief zijn voor Ela. Goed?'

Afgesproken. Ik gaf hun allebei een zoen, praatte nog even met Ela, vulde de ontbijtkaarten in, hing ze aan de deurknop, en verliet het hotel. Voordat ik de meiden in bad deed had ik al een taxi geregeld en ik wist dus dat die buiten al klaarstond.

Het was druk in de stad en de rit duurde langer dan normaal. Ik raakte al aardig in paniek.

Deze keer nam ik niet de achteringang van het ziekenhuis. Dat zou te lang duren. We reden naar de hoofdingang en ik zette het op een lopen.

Eenmaal terug op de vertrouwde gang die naar Richards kamer leidde, was ik behoorlijk buiten adem, maar toen ik de kamerdeur opentrok, gleden al mijn zorgen van me af. Hij begon zich net weer te verroeren.

De verpleegkundigen kwamen binnen voor de gebruikelijke onderzoekjes en vragen. Zo nu en dan glimlachte hij lief naar me en toen de verpleegkundigen weg waren, kropen we tegen elkaar aan en kletsten we nog wat. Inmiddels waren we allebei behoorlijk moe. Ik hielp hem het toilet in. Hij was nu wel gewend aan mijn hulp, en zijn gêne was helemaal verdwenen. We konden er nu zelfs grapjes over maken. Hij kon nog steeds niet echt geloven dat de badkamer, een deur verder, toch echt de zijne was. Ervan overtuigd dat hij in een hotel verbleef, zei hij telkens: 'Niet hier naar binnen! Hier slaapt iemand anders!'

Ook zijn notie van tijd was volkomen bizar. Na zijn tanden te hebben gepoetst en in bed te zijn gestapt, werd hij even stil en vroeg: 'Wat hebben we voor de lunch?'

Ik raakte gewend aan die vreemde vragen, en antwoordde dan eenvoudig dat we al hadden geluncht en thee hadden gedronken, en dat het nu bedtijd was.

'Echt? O. Oké.' Hij viel om van de slaap, en toen ik na zelf mijn tanden te hebben gepoetst, de kamer in kwam, lag hij al te slapen.

Ik sleepte de matras vanuit de badkamer naar binnen en legde hem op de grond naast zijn bed. De verpleegkundigen waren zo aardig geweest om wat beddengoed en een kussen klaar te leggen.

Het liep tegen negenen. Na het licht te hebben uitgedraaid, ging ik liggen en viel al snel in slaap.

Ik werd wakker met een heel vreemd gevoel. Het haar bij mijn ene oor voelde raar aan. Ik wreef erover. Het was nattig en een beetje kleverig. Nog maar halfwakker probeerde ik uit te vogelen wat het precies was toen er – *plets!* – iets op mijn hoofd druppelde. Ik wreef erover met mijn andere hand en deed mijn ogen open. In de vage gloed van het nachtlampje ontwaarde ik Richards hoofd aan mijn kant van het bed, met zijn mond tegen de reling (ik zorgde er altijd voor dat 's nachts beide relingen waren bevestigd), en ik constateerde dat zijn kwijl langs de stang droop en op mij was gedruppeld.

O, lekker, weet ik nog dat ik dacht. Maar terwijl ik naar de badkamer liep om mijn haren en glibberige oor te wassen, moest ik toch even glimlachen. Toen ik even later weer binnenkwam, en hem daar zo zag liggen, weet ik nog dat ik bij mezelf dacht: god, wat hou ik toch van deze man. En tijdens één zo'n wanhopig moment fluisterde ik: 'God, help hem alstublieft.'

Ik gaf een kus op zijn voorhoofd en duwde hem een beetje weg van de reling. Ik controleerde of het infuus nog goed zat en dat het buisje niet onder zijn arm bekneld zou raken. Ik gaf hem nog een kus op zijn wang, en ik zag dat er eventjes een glimlach over zijn gezicht trok. Ten slotte zocht ik mijn matras weer op. Ik wist dat er voor mij weinig nachtrust in zat. Om vijf uur moest ik weer op voor de terugrit naar het hotel om bij mijn dochtertjes te zijn.

Tegen halfzes trippelde ik stilletjes de kamer uit en vertelde de verpleegkundigen dat ik ging ontbijten met mijn dochters en (hopelijk) terug zou zijn voordat hij wakker werd. Ze wisten dat ik mijn mobieltje bij me had voor het geval het misging.

Ik belde een taxi en hoefde niet lang te wachten.

Aangekomen bij het hotel rende ik naar binnen. Ik had Ela al een sms'je gestuurd met het verzoek de meisjes wakker te maken. Ik had een ontbijt voor zeven uur besteld, zodat we wat tijd met elkaar konden doorbrengen.

Het werd een heerlijke ochtend. Voor de meisjes had het meer weg van een avontuur. Ze waren van huis, hadden een feestje gehad en ontbeten nu op de kamer. We probeerden het niet te hebben over hoe erg het met papa was, maar juist over dat hij snel, weer helemaal opgeknapt, thuis zou zijn. Net als de meeste kinderen waren Willow en Izzy heel erg gericht op tijdstippen en ze wilden dan ook precies weten wanneer papa dan eindelijk thuis zou komen. Ik moest het antwoord dus een beetje in het midden laten. Niemand wist hoelang het nog ging duren, en ik kon niet tegen ze liegen.

We waren jolig tijdens het ontbijt en ik had een fijn gesprek met Ela. Ik kon haar niet genoeg bedanken. Die ochtend zou ze met de meisjes terug naar huis gaan, en allebei wisten we dat het hen zwaar zou vallen.

Mijn mobiel ging. Het was het ziekenhuis. Richard had de verpleegkundige geroepen om te vragen waar ik was.

'Hij is een beetje geïrriteerd, dus ik dacht, ik bel je even.'

'Prima. Ik kom eraan. Zeg hem maar dat ik er over twintig minuten ben.'

De meisjes keken beteuterd.

'O, mama, toe. Je hoeft er toch niet wéér naartoe? Blijf bij ons. Toe, mama. Alsjeblieft.'

Izzy pakte mijn arm en trok me naast haar op de bank. 'Jij blijft hier. Jij blijft.' Ze greep mijn arm stevig vast. Zo kende ik Izzy helemaal niet. Meestal gaat ze haar eigen gangetje, maar deze situatie bracht haar van haar stuk.

'Hoor eens, pop, ik moet papa weer opzoeken, want hij is nog best wel ziek. En als ik hem kan helpen om beter te worden, mag hij weer naar huis, en dat zou wel heel erg leuk zijn, vind je niet?'

Ze slaakte een diepe zucht en de tranen biggelden weer over haar wangen.

'Maar ik mis je, mama.'

'Ik mis jou ook, schatje. Heel erg.' Ik gaf haar een dikke knuffel. Ook Willow kwam aan getrippeld.

Het was heerlijk en naar tegelijk om ze allebei zo vast te houden. We hielden zoveel van onze dochters dat het gedwongen afscheid me echt aan het hart ging, vooral omdat ze me nu juist zo nodig hadden. Maar Richard had me nog harder nodig. Heel eerlijk legde ik uit waarom ik in het ziekenhuis moest blijven en waarom zij juist naar huis moesten: om voor de dieren te zorgen en alles klaar te maken voor als papa thuis zou komen. Ze aanvaardden het, min of meer, waarna Willow begon te kakelen over wat ze allemaal ging doen zodra ze thuis was. Maar Izzy zweeg en met de duim in haar mond knikte ze slechts.

Ik moest nu weg. De tijd begon te dringen en de receptie belde dat de taxi beneden al voor me klaarstond. Ik vertelde de meisjes dat als ze zich snel aankleedden ze papa gedag mochten zeggen voordat ze weer naar huis gingen.

Opgeruimd en iedereen nog eens omhelzend nam ik afscheid, maar eenmaal in de taxi zat ik de helft van de rit te janken.

Toen ik met een kop thee Richards kamer binnenkwam, zat hij al rechtop in bed. Hij was echt blij me weer te zien. Zijn hele gezicht klaarde op en hij was opgetogen over het feit dat de meisjes weer langs zouden komen, maar hij werd snel moe en dommelde weer in.

Even later verschenen de meisjes in gezelschap van Ela. Willow hield zijn hand vast, keek hem met een ernstig gezichtje aan en deelde op strenge toon mee dat hij pas thuis mocht komen als zijn oog weer beter was, ja? Izzy was helemaal van de kaart, maar ze hield zich goed. Ze glimlachte naar hem en verborg zich achter me. Even later, op de gang, barstte ze in snikken uit. Ik droeg haar naar de bezoekersruimte en vertelde haar nogmaals hoe stoer ze was geweest. Ella liep met Willow achter ons aan. Toen de twee meisjes elkaar zagen, omhelsden ze elkaar zwijgend. Ze zijn zo dik met elkaar, komen zo goed voor elkaar op. Daarna zetten ze allebei hun dapperste gezichtje op.

Ik was er erg door geraakt. Ze hadden zich echt geweldig gehouden en alles wat ik had gezegd goed in hun oren geknoopt, helemaal tot het allerlaatste moment.

We liepen naar de taxi en samen met Ela hielp ik mijn dochtertjes op de achterbank. Het afscheid viel me zwaar. Ik wilde het liefst met hen mee, hen in bad doen, samen met mijn kinderen op de grond liggen en gekke verhaaltjes voor het slapengaan verzinnen, met z'n drieën met de benen in de lucht. En bij het instoppen zou ik Willow vragen: 'Waar ga je vannacht over dromen?'

'Paarden en pony's en zo.'

En daarna naar Izzy's kamer om het ellenlange onderonsje af te kappen door haar op de tijd te wijzen en nog even te kijken of er geen katten onder het bed zitten alvorens het licht uit te knippen.

Als het dan zover is, zeg ik altijd: 'Ik hou van je.'

En als ik hoor: 'Ik hou ook van jou, mama,' dan moet ik telkens weer even slikken.

Ik miste Izzy en Willow zo enorm, maar ik wilde niet dat ze mijn verdriet zouden zien en dus kletsten we over hoe ze voor de dieren moesten zorgen en dat ze onze buren, Anne en Syd, moesten bedanken, die al die tijd heen en weer waren gereden om te kijken of alles in orde was.

Ik beloofde meteen naar huis te komen zodra het kon, en dan zouden we de hele dag kletsen. Ik gaf de twee nog eens een knuffel en een zoen, en ook Ela, die hen zo geweldig had opgevangen. Ik zei dat ze de meiden onderweg maar op iets moest trakteren, ze ergens gezellig maar wat moesten gaan eten. In het hotel had ik geld gepind en ik gaf haar een dikke envelop met inhoud. Ik had geen idee wanneer ik weer thuis zou zijn en Ela moest eten en voer voor de dieren kopen.

Al meteen toen ze het geld zag, wist ze dat het nog wel even zou duren voordat ik weer thuis zou zijn.

'O, Mindy, je bent zo flink,' zei ze terwijl ze me omhelsde.

'Ach wat!' fluisterde ik, maar ik drukte haar dicht tegen me aan en slikte mijn tranen weg.

De portieren werden dichtgeslagen, en ik herinner me dat ik glimlachte en zei: 'Wees een beetje lief voor Ela, ja? Zorg ervoor dat ze niets vergeet! En zorg voor haar. Ik hou van jullie.'

Ik keek de taxi na totdat hij uit het zicht was verdwenen. Ik wilde het liefst op mijn knieën vallen en de longen uit mijn lijf janken, maar ik wist dat Richard kribbig zou zijn. Ik moest snel naar hem terug. Ik haalde diep adem, rechtte mijn rug en ademde langzaam uit. Vervolgens ging ik terug naar de afdeling. Maar ditmaal deed ik rustig aan. Ik had even wat tijd voor mezelf nodig.

11
Afwachten maar...

De rest van de dag was ik, op Richards broers na die afscheid kwamen nemen, het enige bezoek. Hij ontspande en sliep veel. Wanneer hij wakker was, stelde hij elke vijf minuten dezelfde vragen.

'Waar zijn de kinderen?' Hij herinnerde zich niet dat ze afscheid hadden genomen.

'Waar gaan we morgen naartoe?' Hij wist zeker dat we in een hotel zaten.

'Hoe laat heb je met de anderen afgesproken?'

Hij dacht dat er een feest aan de gang was, wat op zich te begrijpen was, want het was vrij ongebruikelijk dat zijn hele familie bij elkaar was, tenzij het voor een speciale gelegenheid was.

Andere vragen die al snel opkwamen, waren bijvoorbeeld: Waar zijn mijn kleren? Ik moet me aankleden. Hoe laat moeten we in het restaurant zijn (het 'terug naar het hotel'-scenario)?

Dan legde ik (diverse keren) uit dat dit geen hotel was, maar een ziekenhuis; er was geen feest; hij mocht zich niet aankleden, want hij had alleen maar een pyjama; en we hadden helemaal geen afspraak in een restaurant. Op den duur accepteerde hij wel wat ik hem had verteld, maar even later raakte hij toch weer opgewonden.

Waar is Nick? Waar is Andy? Waar zijn pa en ma? Waar is James? Waar is Jezza? Waar is Wilman? Ik moet met de *Mirror* spreken, mijn agent... Wanneer zijn de opnamen? In welke auto ben je hierheen gekomen?

Het punt was dat je nauwelijks de ene vraag had beantwoord of hij kwam alweer met een volgende, om even later weer de eerste vraag te stellen. Het was vrij vermoeiend, en soms erg moeilijk. 'Waar zijn mijn kleren?' was wel de ergste vraag.

Hij zocht de kamer af, en ik legde dan uit dat zijn kleren op de plek van het ongeluk waren weggeknipt, en dat hij dus helemaal niets had.

'Zeker weten? Heb je wel gekeken?' vroeg hij dan steevast. Wanneer ik eenmaal naar tevredenheid had geantwoord, greep hij meestal naar zijn tas of vroeg hij me die aan te reiken. Dan begon hij erin te snuffelen, en ik wist wel waar hij naar zocht. Het was telkens weer hetzelfde:

Ik heb echt zin in een biertje en een peuk. Laten we naar buiten gaan en een plaatselijk restaurant zoeken/naar de zee staren/bij een beek zitten en wat drinken en roken.

Toen de hoofdzuster zijn bloeddruk kwam controleren, trok ik haar naar me toe en vroeg haar om Richard uit te leggen waarom hij niet mocht drinken en roken.

'In het ziekenhuis geldt een absoluut rookverbod, in alle ruimtes. En als je nu alcohol zou drinken, loop je het risico op een aanval of beroerte. Het is te gevaarlijk.'

Nadat ze de kamer had verlaten, vroeg ik hem of hij wist waarom hij daar lag.

'Weet je waarom je hier bent?'

'Nee, niet echt.'

'Je hebt een ongeluk gehad, schat.'

'Dat zeg je steeds.'

'Je gelooft me nog steeds niet, hè?'

'Nee, niet echt.'

'Herinner je je iets van de jetcar?'

'Shit. Die heb ik toch niet in de prak gereden, hè? O, god. Ze zijn vast kwaad. Is hij kapot?'

Het was half gescherend, maar in zijn stem klonk ook iets van overtuiging door, en dat had ik nog niet eerder gehoord. Ik wist dat ik moest proberen wat meer uit hem te krijgen, maar het was een beangstigend moment. Ik had de hele tijd voor hem gezorgd, op hem gelet en van hem gehouden en me gewoon op praktische zaken geconcentreerd. Zijn herinnering van de crash had niet belangrijk geleken. Maar daar naast het bed, terwijl hij met wijd open ogen en aarzelend naar meer informatie viste, vond ik dat het zover was. Maar wat moest ik doen? In een paar tellen woog ik mijn opties af. Moest ik hem, alweer, mijn versie vertellen van wat er was gebeurd? Nee. Die had hij al gehoord, en hoewel zijn geheugen praktisch uitgeschakeld was, had het toen ook niet gewerkt dus waarom zou het nu wel lukken? De tv? Ik kon het nieuws aanzetten zodat hij het op tv kon zien. Nee, te dramatisch. Een van de verpleegkundigen laten komen om het hem te vertellen? Nee. Tegen de tijd dat ik het een van hen had uitgelegd en hem mee had genomen, zou Richard al geen interesse meer hebben.

Toen begon het me te dagen. De kranten. En wat specifieker: Jeremy's stuk in de *Sun* van de vorige dag. Dat zou Richard geloven, dat wist ik zeker. Het was door Jezza geschreven en er stond een foto in van de jetcar, en een van hem met TG.

Ik wist niet zeker of ik er juist aan deed. Ik kon niemand om raad vragen en moet toegeven dat ik bang was dat hij slecht zou reageren, maar hij moest het toch een keer verwerken, en we bevonden ons in elk geval in een omgeving waar hij hulp kon krijgen.

Ik reikte achter het gordijn en pakte de krant. Hij zat rechtop in bed, met een knie opgetrokken onder de lakens.

Terwijl ik de opgevouwen krant in mijn hand hield, keken we elkaar aan. Ik aarzelde.

'Weet je zeker dat je hier klaar voor bent?'

Waarom vroeg ik dit? Hij had geen idee of hij er wel klaar voor was. Hij had echt geen flauw idee wat er was gebeurd, en daar zat hij dan, zich zalig onbewust van wat dan ook. Was het misschien wreed? Was het beter dat hij het niet wist? Nee, natuurlijk niet; dat kon het niet zijn. Hij vertrouwde me. Ik had hem beloofd alleen de waarheid te vertellen. Dit was de waarheid.

'Het is nogal wat, Richard.' Ik wist dat mijn ogen volschoten toen ik hem aankeek. Hij stak zijn arm uit om de krant van me aan te nemen. Zijn blik was veranderd. Plotseling keek hij behoorlijk ernstig, en terwijl hij de krant op het bed legde, werd hij overdonderd door de kop op de voorpagina.

Hamster overleeft... en ik was erbij, aldus Clarkson

'Krijg nou wat! Ik op de voorpagina?!'

Ik weet niet zeker of hij het luchtig wilde opvatten, mij wilde laten glimlachen of het gewoon niet tot hem doordrong wat hij las. Ik voelde me een rechter die een vonnis uitsprak.

Terwijl hij las, keek ik toe. Ik kende het artikel al goed en voelde erg met hem mee.

Toen hij de krant opensloeg, trok hij zijn wenkbrauwen op. Hij was echt verrast. Er was een foto afgedrukt van de jetcar, en een nog grotere van hem en Top Gear Dog.

Voordat hij verder las, keek hij me angstig aan.

'TG! Shit! Waar is TG?'

'Rustig maar. Die is thuis. Je hebt haar de avond ervoor naar huis laten brengen.'

'O. O, ja. O, goddank. Dus ze maakt het goed?'

'Ja, prima.'

'Wie zorgt er nu voor haar en de andere honden?'

'Ela. Ela is thuis.'

'O ja, met de meisjes.' Hij glimlachte. 'Ik hou van mijn meiden. Wanneer kunnen we naar huis? Ik wilde dat we nu thuis waren. Kunnen we niet gewoon gaan?'

Zijn aandacht was verdwenen.

'Nee, schat, je ligt in het ziekenhuis en je moet nog een tijdje blijven.'

'Nee, dat kan ik niet. We moeten ons gereedmaken. Hoe laat moeten we in het restaurant zijn?'

'We gaan niet naar een restaurant, we eten hier.'

'Maar de anderen zitten straks op ons te wachten.'

Hij stapte uit bed. Ik vloog overeind en greep de infuuszak voordat hij hem uit zijn arm kon trekken.

'Waar zijn mijn kleren?'

Hij reikte heel vastberaden naar zijn Billingham-tas.

'Geef me mijn tas.'

Ik wist dat we opnieuw op het punt stonden ons sigarettengesprek te beginnen. Ik probeerde met de infuuszak snel om het bed te lopen voordat hij de buis nog verder uitrekte. Ondertussen pijnigde ik mijn hersenen om een ander gespreksonderwerp te bedenken.

Maar hij was me voor en doorzocht opnieuw de zakken van zijn tas.

'Waar zijn mijn sigaretten? Ik snak echt naar een biertje en een sigaret. Laten we gewoon naar een restaurant gaan voor een biertje en een peuk.'

Hij zocht nog steeds in de tas. En ik hield nog steeds de infuuszak vast.

'Iemand moet toch een sigaretje hebben? Kom op, we gaan naar de bar.'

O, verdomme! Hij slofte al wankel naar de deur. Ik liep vlak achter hem.

'Richard, daarbuiten is alleen maar een ziekenhuisgang.' Ik zei het zo zacht en kalm mogelijk.

'Nee, hoor. Dit is een hotel.' Hij keek me aan alsof ik een of andere idioot was. 'Laten we even naar buiten wippen en Nick om een sigaretje vragen. Of Jezza. Wie zit hiernaast?'

Ik was niet van plan om hem tegen te houden. Wat had het voor zin? Ik had er een hekel aan om hem steeds maar weer ergens van te weerhouden. Hij begreep gewoon niet waarom hij niet bij het feestje mocht zijn dat volgens hem echt aan zijn neus voorbijging.

Het was hartverscheurend om hem die paar wankele stappen naar de deur te zien zetten, vastbesloten om zich bij de anderen te voegen. Hij was ervan overtuigd dat hij zo meteen samen met de anderen lekker ging feesten.

Hij opende de deur en bleef stokstijf staan; de overtuiging van wat zich achter die deur bevond, was in één klap verdwenen.

Hij keek, schrok even en deed weer een stap naar achteren. Een glimp door de deur had direct de bedrijvigheid op de afdeling geopenbaard: verpleegkundigen die langs zijn deur heen en weer renden; het geluid van zoemers; en patiënten die met een infuuskarretje voorbij slenterden.

Ik greep hem vast en hielp hem op de rand van het bed.

Dit kwam echt hard aan. Ik haakte de infuuszak weer aan de houder en knielde voor hem terwijl hij naar de deur staarde.

'Shit,' zei hij zachtjes.

Ik hield zijn handen vast en kuste ze. 'Het spijt me. Echt. Dit is echt een ziekenhuis, zie je wel?'

Hij knikte, maar leek erg van streek. Ik stond op en omhelsde hem, niet zoals je normaal je man zou omhelzen. Het was geen romantische omhelzing. Ik hield zijn hoofd tegen mijn hart en kuste hem door zijn haar, veegde mijn tranen af zodat hij ze niet zou voelen druppen. Ik voelde me zo radeloos, had enorm met hem te doen en was zo verdrietig. Hij was de weg kwijt, en ik wist niet hoe ik hem kon helpen die weer te vinden. Misschien zou het hem wel nooit lukken.

Hij trok aan de krant waar hij op had gezeten. Die lag nog steeds opengeslagen bij het artikel over de crash. Hij bekeek het nog eens.

'Godallemachtig!'

Opnieuw een grote verrassing, alsof hij het weer voor het eerst las, en gelukkig was ik erbij voor de afleiding. Hij draaide zich om, de confrontatie met de gang was alweer helemaal vergeten, en hij begon te lezen.

Die dag bleef de krant bijna de hele dag opengeslagen op bed liggen. Hij herlas het stuk telkens weer. En telkens weer kwam het nieuws als een verrassing.

Toen hij eindelijk een dutje deed, pakte ik de inmiddels volledig verfomfaaide krant, sloeg hem dicht en legde hem weer achter het gordijn. Hij had een glimp van een bewijsstuk gezien; of er iets van in zijn verwarde hoofd zou beklijven, wist ik niet, maar genoeg was genoeg.

Die avond schuimde de arme Alex de straten van Leeds af op zoek naar ons avondeten. Een plaatselijke restauranthouder, die had gehoord dat Richards lievelingseten spaghetti bolognese was, liet een feestmaal bezorgen. Het was ongelooflijk, en een maaltijd die Richard onder normale omstandigheden zou hebben verslonden, maar die avond was hij te moe om te eten. Hij nam een paar flinke happen en duwde toen het bord opzij.

Diezelfde avond hadden we een paar prachtige gesprekken. Niet over waar iedereen uithing, of hij in een hotel was of meer van de bekende zorgen.

Richard vroeg me een paar keer waar TG was, wat ik heel bemoedigend vond. Ergens in zijn hoofd, misschien door die foto in de krant, had hij duidelijk verband gelegd met een klein stukje van een verse herinnering.

Hij wilde praten en verontschuldigde zich steeds dat hij zo'n zak was.

Ik zei dat het allemaal niet erg was. Hij leefde nog en zou weer beter worden, en dat was het enige wat telde.

Hij wilde niet meer hebben dat ik op de vloer sliep, maar naast hem. Het was fantastisch om weer 'ons' te zijn. Ik was zo bang geweest. Er zijn veel mensen met vergelijkbare ervaringen, die naast een bed hebben gezeten en hebben toegekeken hoe hun dierbare zich op het randje van de dood terugvocht. Je kijkt en bidt om een vonkje van herkenning, een geheugenflits om de puzzelstukjes bij elkaar te leggen, zodat wat ooit was weer kan worden aangewakkerd, maar garanties zijn er niet. Er is geen recept voor succes. Slechts een intense hoop, een voorzichtig, beheerst verlangen. Wij hadden mazzel. Vóór het ongeluk waren we sterk, en in dat kamertje met dozen vol kaarten en cadeautjes, tekeningen van auto's, gemaakt door kinderen die 'de Hamster' beterschap wensten, e-mails en brieven van zes- tot zesennegentigjarigen uit de hele wereld die hem het beste toewensten, werden we weer helemaal verliefd. Mijn Richard wist wie ik was, hij herinnerde zich onze liefde en kwam rennend terug, alsof hij een verloren emotie omhelsde waar hij al veel te lang naar had gezocht.

We verlangden hartstochtelijk en wanhopig naar elkaar. Dit was het enige wat telde. Er bestond niemand anders. De hele nacht hielden we elkaar vast, alsof het onze eerste nacht samen was. Het was het begin van de rest van ons leven. Hij hield van me, zonder twijfel, zonder woorden. Niet één keer had ik ter sprake gebracht of gevraagd wat hij van me vond. Dat moest hij zelf maar ontdekken, vond ik. Behalve dat ik uitlegde wie ik was en wat mijn gevoelens voor hem waren, was er nooit een verwijzing naar onze relatie of ons leven samen geweest. Ik wist dat het in rook kon opgaan. Ik wist dat het heel goed mogelijk was dat hij zijn leven vóór het ongeluk van zich af zou zetten en alle kennis van ons verleden zou wegvegen. Hij hield van mij of niet. Ik zou zijn emoties op geen enkele manier hebben willen beïnvloeden. Liever een leven zonder hem, dan een leven met hem op basis van een leugen.

Gelukkig – en daar ben ik eeuwig dankbaar voor – werd hij weer helemaal verliefd op me. Sterker, dieper, completer. Op dat moment wist ik dat, ongeacht wat de toekomst voor ons in petto had, we weer één waren.

In mijn nachthemd heen en weer trippelend door de gang, naar de theemachine en terug, werd ik een vreemde verschijning.

Het verplegend personeel wist dat ik met Richard het bed deelde, maar niemand maakte bezwaar. Er werd nooit een opmerking over gemaakt, en als ik me wilde verontschuldigen, reageerde niemand op me. Het enige waar zij om gaven, was het welzijn van hun patiënten. Als Richard zich beter voelde wanneer zijn vrouw bij hem was, waarom ook niet? We hadden niet meer nodig dan zijn bed, en misschien zo af en toe een extra kop thee. Ik weet niet zeker of we een uitzondering waren, maar ik kan me zo voorstellen van niet. Iedereen in mijn positie zou bij haar man willen zijn, om hem te helpen waar ze maar kon.

Ik sliep weinig, maar de hele tijd lukte het me om zijn infuus te ontwarren, achter hem aan te rennen met de infuuszak wanneer hij vergat dat die aan zijn pols zat, hem op te vangen voordat hij in de wc vooroverviel en hem van achteren overeind te houden als hij plaste; en dat terwijl we allebei half sliepen.

Van de in zichzelf gekeerde, ietwat verlegen man die het verafschuwde als ik hem hielp, was hij veranderd in een glimlachende, tedere echtgenoot die dankbaar was voor mijn hulp, van mijn aanwezigheid genoot en van mijn liefde hield.

Toen de verpleegkundige van de bezigheidstherapie Richard kwam bezoeken, vertelde ze ons over posttraumatisch geheugenverlies en legde ze uit waarom de verpleegkundigen dagelijks vragen stelden om te meten of Richards geheugen terugkeerde. In feite was het een kwestie van afwachten. Voor niets bestond er een tijdschaal. Elk hersenletsel staat op zichzelf. Iedere patiënt dicteert zijn eigen hersteltijd. Aan de bezigheidstherapeute de taak om Richard door de volgende fase te loodsen op weg naar herstel. Positief blijven, dat was alles, en daarom keek ze wel uit om te verwoorden wat zowel zij als ik wist, dat niet te voorspellen viel hoe goed hij het zou doen; en in hoeverre hij zou herstellen. De tekenen waren goed. Tot dusver had hij geweldige vooruitgang geboekt, maar onze hersenen zijn veel complexer dan wij echt begrijpen. Veel functies zijn wel medisch te verklaren, maar als je neurochirurgen en anderen die hersenletsel behandelen aanhoort, wordt het je al snel duidelijk dat het complexe, en tot op zekere hoogte raadselachtige brein een fenomenaal en behoorlijk beangstigend iets is. Niemand kan je vertellen of of wanneer je dierbare zal genezen, of in welke mate, maar zonder enige uitzondering zou iedereen in dat verbazingwekkende wereldje zijn uiterste best doen om het best mogelijke resultaat te boeken. Niet alleen voor Richard, maar voor iedere patiënt. Zodra de specialist de kamer betreedt, is er een gevoel van solidariteit en hoop. Ze heeft het al zo vaak meegemaakt, met zoveel verschillende uitkomsten, maar haar benadering blijft vastberaden en positief, als een sergeant-majoor die de manschappen oproept ten strijde te trekken; alleen vecht deze sergeant-majoor zij aan zij met haar team, ze glimlacht, straalt warmte en zorg en een geweldig gevoel voor humor uit. Haar strijdplan is duidelijk, haar passie om te slagen onwrikbaar. Om het allemaal weer beter te maken, dat is haar raison d'être.

Ondertussen was er een storm op til over de toekomst van *Top Gear*, met argumenten voor en tegen om met de serie te stoppen. James en Jeremy waren er samen met Andy Wilman voor honderd procent van overtuigd dat het gedaan was met het programma als Richard niet kon terugkeren. Een aantal figuren binnen de media was fel tegen voortzetting en beschuldigde de BBC ervan onverantwoordelijk en gevaarlijk bezig te zijn, en dat de omroep 'te ver ging'.

Richard begon nu zelf over het programma. Hij wilde maar wat graag weer aan het werk; was ongerust dat ze voor de volgende reeks met opnamen moesten beginnen.

Krantenberichten over dat hij een snelheidsrecord op land had willen vestigen waren niet waar, maar het was een begrijpelijke aanname, hoewel niet de meest positieve draai aan het verhaal. Jeremy stak veel tijd en moeite in het verdedigen van het programma, waarbij hij benadrukte dat Richard zo weer aan de slag kon.

Stel je voor. Je bent zwaargewond. Je hebt hersenletsel. Je vecht voor je leven... enkel om op je eerstvolgende werkdag te ontdekken dat je baan er door jou niet meer is. Je was bijna dood, je vecht je heldhaftig terug naar dat enorme doel – de eerste dag weer aan het werk – en het doet er allemaal niet meer toe, want niemand zal het programma nog maken, en de baan waar je zo dol op was, het tv-programma waar je al in je jeugd zo dol op was, is niet meer. En het is je eigen schuld. Het ongeluk is *Top Gear* fataal geworden, omdat het jou niet fataal werd. Was dat gebeurd, dus was *Top Gear* van de buis gehaald, dan zou Richards herstel ernstig in gevaar zijn geweest, dat weet ik zeker. Hij zou zich schuldig en ellendig hebben gevoeld, en ik moet er niet aan denken in wat voor diep dal zijn depressies hem konden hebben gestort.

Top Gear komt dan misschien wat onbesuisd en gevaarlijk over, maar het programma wordt met veel zorg samengesteld, en de mensen van de productie, die als kippen zonder kop rondrennen en van Andy Wilman belachelijke bevelen moeten opvolgen, werken zich echt een slag in de rondte. Bovendien zijn ze apetrots op het eindproduct. Jeremy, James en Richard zijn vrienden; Andy Wilman heeft het over 'een band' (hemzelf meegerekend). Ik weet nog dat toen Richard roerloos op de IC lag, met James, Jeremy, Nick en Andy om hem heen, Andy zich wegdraaide van het bed.

'Kom op, vriend,' zei hij met gebroken stem. 'Zonder de drummer kunnen we niet verder.'

Richards evenwichtsgevoel verbeterde langzaam. De paar stappen rond zijn bed kon hij nu zonder hulp lopen, met zijn hand op de reling om zichzelf te ondersteunen, en hij kon naar de wc als hij maar niet vergat met een hand tegen de muur te leunen.

Het was een genot om hem deze stapjes naar onafhankelijkheid te zien zetten; eerst voelde je zijn frustratie, en dan de trots bij elke kleine overwinning. Maar met zijn kracht kwam ook de hernieuwde vastberadenheid. Hij werd echt helemaal suf door de opsluiting. Hij had zelfs zijn toevlucht genomen tot tv-kijken, iets wat hij normaliter zeer zelden doet.

Op een avond zat ik met hem naar *Who Wants to Be a Millionaire?* te kijken. De hele uitzending beantwoordde hij met groot enthousiasme de gestelde vragen. Ik stond versteld dat hij zo lang zijn aandacht erbij kon houden. Hij had een hekel aan quizprogramma's, zou er normaal niet over piekeren om ernaar te kijken en toch ging hij er helemaal in op.

Toen begon het bij me te dagen. Hij trainde zijn geheugen en tot zijn grote genoegen werkte dat goed. Wel werd hij er snel moe van. Meteen na afloop van het programma maakte hij aanstalten om te gaan slapen. Ik trok de spijlen aan weerszijden van het bed omhoog, zoals ik dat inmiddels elke avond deed, voor het geval een van ons eruit viel, kroop dicht tegen hem aan en dankte God dat hij vooruitging.

De bloemen bleven maar komen. Er konden er slechts een paar in Richards kamer, met name een boeket lelies van The Polar Challenge, die mooi waren maar wel sterk geurden. Helaas moest Richard ervan niezen – vermoedelijk een van de pijnlijkste ervaringen na de crash – waarbij hij naar zijn hoofd greep en om pijnstillers smeekte. Het was behoorlijk eng om te zien, en luidde het einde in van bloemen op zijn kamer.

Zoals ik al eerder had verzocht, werden alle bloemen in kamers beneden in het ziekenhuis verzameld. Met Richards moeder ging ik er kijken. Het was heel ontroerend. Ik heb alle kaartjes bewaard. De boodschappen waren zo oprecht, zo'n grote steun. Ik nam polaroidfoto's, want ik wist dat Richard er zelf niet kon gaan kijken, maar ik zal de aanblik van die bloemenzee nooit vergeten, en de hartelijkheid die uit die kaarten sprak, was echt fantastisch. Er lagen ook ballonnen en speelgoed; heel veel van kinderen afkomstig. Richard had altijd gezegd dat hij alleen maar een gozer in een autoprogramma was. Dat was hij. Dat is hij. Maar de liefde en de hoop die op die kaarten werd uitgesproken, waren bedoeld voor een gozer in een autoprogramma die door heel veel mensen op handen werd gedragen. Veel van de kaarten kon ik niet lezen. Ik zou gaan huilen, en dat kon niet; ik moest sterk zijn en weer naar boven gaan, maar het was een van die hartverwarmende ervaringen die je kracht geven om door te gaan. Er stonden enorme boeketten; ruikertjes; veelkleurige ballonnen; dure exotische bloemen; eenvoudige bossen wilde bloemen; keurig geschikte bloemen; sommige in vazen, andere op de vloer gelegd. Het waren er zoveel dat ze zelfs bureaus en stoelen bedekten, echt overal. De geur en kleuren overweldigden gewoon je zintuigen.

Ik wist niet helemaal wat we ermee moesten doen. Het was zo warm in die ruimte, en de dames die ze zo mooi hadden neergezet, hadden heel wat te bewateren.

Richards moeder had een geweldig idee. 'Hebben jullie een bejaardenafdeling?' vroeg ze een van de vrouwen.

'Ja, natuurlijk.'

'Wat vind je, Mind? Zullen we ze daarheen laten sturen?'

'O ja, dat is een fantastisch idee.'

Richards moeder adviseert allerlei liefdadigheidsinstellingen hoe ze fondsen kunnen werven. Ze weet uit eigen ervaring hoe beangstigend een ziekenhuisopname kan zijn voor veel oudere mensen. Vaak valt zoiets door de afwezigheid van cadeautjes en bloemen nog veel zwaarder. Niemand wil in het ziekenhuis belanden, maar door Richards geluk te delen konden wij de sfeer in elk geval een beetje verbeteren.

Een legertje dragers daalde af naar de kamers waar de bloemen waren opgeslagen en ging rond met hoog opgestapelde wagentjes. Een heerlijk gezicht. Ze liepen zoveel mogelijk afdelingen af, om te beginnen bij geriatrie.

Het was een hartverwarmende vertoning. Dus als u een van die vrijgevige en attente mensen bent geweest die bloemen heeft gestuurd naar dat gozertje van het autoprogramma, dan is het mooi om te weten dat u niet alleen hebt bijgedragen aan zijn herstel, maar ook zoveel anderen hebt geholpen die het gebaar net zo hebben gewaardeerd als hij.

Van een van de hoofdverpleegkundigen vernam ik dat de oudere patiënten helemaal overrompeld waren, en overal in het ziekenhuis zag je een waarderende glimlach op het gezicht van de mensen.

Richards ontsnappingspogingen werden zelfs nog geraffineerder. Een keer probeerde hij 's nachts het badkamerraam uit de scharnieren te tillen, vastbesloten om naar een pub of winkel te gaan om zijn geliefde Marlboro Lights te scoren.

Ik weet wel dat het wreed is, maar er was slechts één zekere manier om hem tegen te houden: in zijn slaap verstopte ik zijn pyjamabroek. Zelfs in zijn verwarde toestand zou hij niet in zijn halve nakie naar buiten durven.

Toen hij de volgende ochtend had gedoucht, ging hij op zoek naar een schone pyjama. Ik voelde mezelf rood aanlopen, ik ben een hopeloze leugenaar. Hij vond het net gewassen jasje, knoopte het rustig dicht en zocht vervolgens de kamer af naar de broek.

'O, dat is ook raar. Geen broek!'

Ik wist dat ik een vuurrode kop had! Ik glipte de badkamer in zodat hij het niet kon zien, en sprong snel onder de douche.

'O!' riep ik achteloos terug. 'Zijn ze misschien vergeten.' Ondertussen kromp ik ineen en dacht ik met kromme tenen aan wat een slechte vrouw ik toch moest zijn.

Ik wachtte zijn reactie af, maar die bleef uit. Hij was weer in bed gekropen en bekeek de kindertekeningen.

Toen ik de kamer verliet om thee te halen legde ik de verpleegkundigen uit wat ik had gedaan. Ze begrepen het helemaal.

Andy Wilman had contact opgenomen met professor Syd Watkins, de F1-neuroloog. Syd, een geweldige steun en informatiebron, had de helm ontworpen die Richard in de jetcar had gedragen. Deze had zonder twijfel zijn leven gered. Ook had Syd talloze malen bij Formule 1-rijders dezelfde verwondingen behandeld als die Richard had opgelopen. Hij was met vakantie in Schotland, maar had Andy zijn vaste en mobiele telefoonnummers gegeven en had gezegd dat ik hem kon bellen als ik in de gelegenheid was.

Ik had Syd nog nooit ontmoet of zelfs maar gesproken, maar van horen zeggen wist ik dat hij de allerbeste was. Toen we elkaar uiteindelijk spraken, was hij heel nuchter en geruststellend. Na me wat vragen te hebben gesteld, liet hij me kalm weten dat de toekomst er zonnig uitzag. Richard deed het erg goed. Syd was ervan overtuigd dat hij helemaal zou herstellen. Ook vertelde hij me dat veel patiënten in dit soort situaties slechts aan één ding denken: wegwezen en naar huis. Hij herinnerde zich een man die uit zijn kamer had weten te ontkomen. En daarna uit het ziekenhuis. Waarop Syd had geïnformeerd of er ook voertuigen werden vermist. Inderdaad bleek er een ambulance te zijn verdwenen.

'Ga naar zijn huis. Daar zal hij zijn,' had Syd toen gezegd.

Ze vonden de ambulance buiten voor de deur geparkeerd terug. Syd had gelijk.

Ik kon niet riskeren dat Richard ontsnapte. Me bewust van zijn vastbeslotenheid en zijn vindingrijkheid wist ik dat hij voor zijn vlucht de snelste auto of fiets op het parkeerterrein zou uitkiezen, en geen ambulance.

Sommige nachten was het erg druk op deze zorgafdeling. Gelukkig sliep Richard heel vast, maar ik ben als iedere moeder gewend aan een verstoorde nachtrust en was me vaak bewust van de drama's die zich verderop op de gang afspeelden. Verpleegkundigen waren vrienden geworden, andere patiënten een herkenbaar gezicht. Wanneer ik buiten op de gang beroering opving, voetstappen op en neer hoorde rennen, liepen de rillingen over mijn rug en kreeg ik echt een rotgevoel. Wie was het deze keer? Hoe erg was het? Ik kon niet helpen. Ik kon me niet verroeren. Ik kon alleen maar luisteren... en hopen dat degene die in gevaar was de volgende ochtend weer oké zou zijn.

Eén keer klonk er om drie uur 's nachts een hysterisch gegiechel uit de verpleegkundigenpost. Onbeheerst, gedempt gegniffel, gegiechel en geschater. Ik lag in ons bed tegen de spijlen gedrukt en glimlachte. Ik had geen idee waarom ze zo'n lol hadden, maar het was heerlijk om te liggen luistervinken. Als een groepje ondeugende scholieren die elkaar achter de fietsenstalling vieze verhaaltjes vertelden. Toen ik de volgende ochtend langs de post naar de theemachine trippelde, vroeg een van hen; 'Hebben we u vannacht nog wakker gemaakt?'

'Hoezo? Met al dat gegiechel?' Ik glimlachte.

'Ja, sorry hoor. Dat gebeurt weleens tijdens de nachtdienst. Dan kun je gewoon niet meer ophouden.'

Ik grijnsde terug. 'Ik heb genoten.'

Bij de theemachine ving ik bij de overdracht aan de ochtend-dienst de gebruikelijke gesprekken op – veel informatie over wat er 's nachts allemaal was gebeurd – maar één woordenwisseling vond ik wel erg vreemd.

'Dat was het wel zo'n beetje. O, behalve dat om een uur of vier alle lampen opeens uitgingen.'

'O, juist. Het spook?'

'Ja.'

Het werd zo achteloos gezegd, en na mijn ervaring op de IC verbaasde het me niet eens. Of je er nu in gelooft of niet, maar als spoken bestaan, moeten ze vaak in ziekenhuizen te vinden zijn.

Om Richards geheugen te helpen hadden we voor hem een groot dagboek op A4-formaat gekocht. Daarin diende hij te schrijven wat hij had gedaan, aantekeningen voor zichzelf te maken enzovoort. Wanneer ik de kamer moest verlaten kon ik altijd iets opschrijven om hem te laten weten waar ik was en wanneer ik terug zou zijn, waarbij ik steevast wat meer tijd incalculeerde voor het geval ik werd opgehouden. Ik kwam er al snel achter hoe gemakkelijk hij in paniek raakte als ik niet precies op tijd terug was. Als ik te vroeg was, was het altijd een aangename verrassing.

Hij wilde zo graag die kamer ontvluchten, maar volgens de verpleegkundigen en de artsen was een omgeving waarin hij in de gaten werd gehouden nog altijd van wezenlijk belang.

Na een lang praatje bij de verpleegkundigen bedachten we een plan om Richard wat frisse lucht te gunnen...

Een portier, vergezeld van een bewaker, kwam met een rolstoel naar zijn kamer. Met een grijns van oor tot oor nam Richard (inmiddels met zijn 'teruggevonden' pyjamabroek aan) plaats. Hij lachte en geneerde zich rot dat hij nu in de rol van passagier werd gedwongen; verontschuldigde zich tegenover de portier, grapte dat hij door al deze vrouwen op de huid werd gezeten, maar was bang dat ze zich tegen hem zouden keren als hij probeerde op te stappen.

'Ach, kom nou, is dit nu echt nodig?' zei hij meteen toen hij de bewaker zag.

De man lachte. 'Jammer genoeg wel.'

We werden er allemaal nogal giechelig van. Richards opwinding was besmettelijk.

De hoofdzuster ging met ons mee. Ze had Richard een zonnebril gegeven en een deken om zijn hoofd geslagen. We lagen inmiddels bijna dubbel. Hij leek op een misdadiger die op het punt stond achter in een politiebusje geduwd te worden... alleen had hij dan misschien zijn benen gebroken.

Toen de lachbuien (na een 'streng' woordje van de hoofdzuster) een beetje afgenomen waren, liepen we over de afdeling naar buiten, met de zuster voorop, gevolgd door het bonte gezelschap; Richard tapte schuine moppen, de portier kletste en lachte, de bewaker deed zijn best stoer over te komen maar moest telkens zijn lachstuipen bedwingen, en ik moest Richard zo nu en dan streng aankijken als hij de deken van zijn hoofd nam en de zonnebril met een soort 'tadaa!'-gebaar in de lucht hield.

Hij genoot met volle teugen. Keet trappen en stout zijn. Richard ten voeten uit.

Al snel bereikten we de deur naar de grotendeels aan het oog onttrokken daktuin.

De bewaker stond erop wat bij de deur te blijven hangen, 'voor het geval dat', en de hoofdzuster nam de portier mee naar de andere kant van de tuin, zodat we alleen waren.

Het was een warme, zonnige dag. Er waren slechts een paar anderen op het dak.

Hier en daar stonden picknicktafels op de planken vloer, afgewisseld met bakken van waaruit prachtige roze en rode bloemen langs de muren groeide.

Richards rolstoel stond tegenover me aan onze tafel. Hij deed zijn ogen dicht, draaide zijn gezicht naar de zon en glimlachte.

'Ahh. Dit is lekker.'

'Fijn om buiten te zijn?' vroeg ik zacht.

'Mmm. Min of meer.'

Hij hield mijn handen in de zijne.

'Het spijt me, Mind.' Hij keek me recht in de ogen.

'Doe niet zo gek.' Ik glimlachte. Maar hij was nog niet uitgepraat.

'Nee, het spijt me echt. Ik hou van je.'

Hij leunde over de tafel en kuste me.

'Ik ook van jou.' De tranen drupten van mijn kin... ik veegde ze weg.

We keken uit over de daken naar het centrum van Leeds, en even was het stil.

'En,' verstoorde hij de rust, 'zin om stiekem een sigaretje te paffen?'

Ik sloeg mijn ogen ten hemel. 'Het is toch niet te geloven!' Ik glimlachte.

'Wat nou? Het valt toch te proberen?'

Hij bleef nog een paar minuten op de bekende manier aandringen totdat ik met een afleidingsmanoeuvre naar iets aan de horizon wees. Zijn bui sloeg opeens helemaal om.

'Ik wil niet langer hier zijn. Kunnen we nu terug?'

'Ja, natuurlijk, schat.'

Van een afstandje had de hoofdzuster ons de hele tijd in de gaten gehouden, en ik had nog niet naar haar gekeken of ze kwam al samen met de portier op ons af.

'Genoeg gehad?' Ze glimlachte.

Richard zweeg.

'Ja, ik geloof van wel.' Ik glimlachte terug.

Hij maakte nog wel een paar geintjes, maar was veel stiller op de terugweg. Ik vroeg me af of hij door deze bescheiden interactie met de buitenwereld een kleine terugval had gehad. Misschien had hij zich wel gerealiseerd dat hij echt onwel was en verkeerde hij nu in een shock. Eenmaal terug in de kamer was hij in elk geval in gedachten verzonken.

Tijdens Richards herstel was de dagelijkse routine enorm belangrijk. Hoewel deze in Leeds noodzakelijkerwijs behoorlijk saai was, was het wel zo eenvoudig: vaste eettijden, wat tijdschriften om te lezen, bezoek van verpleegkundigen, kopjes thee en zo nu en dan een dutje, daarmee werden zijn dagen gevuld. Als hij sliep, plakte ik een briefje op het tv-scherm naast het bed zodat hij wist waar ik was en wanneer ik terug zou zijn.

Naarmate de dagen verstreken, had ik veel gesprekken met de neurochirurg, Stuart Ross. Hij was opgetogen over Richards herstel en was zich ervan bewust dat we nog een lange weg te gaan hadden voordat we naar huis mochten. Hij achtte het beter om Richard zo snel mogelijk naar een speciaal BUPA-ziekenhuis (aangesloten bij de British United Provident Association) in Bristol te verplaatsen. Hij pleegde telefoontjes om daar een kamer te regelen, maar we spraken af de plannen voorlopig te verzwijgen voor Richard totdat we alles bevestigd hadden gekregen.

Tijdens Richards verblijf in Leeds hadden zijn ouders zich geweldig gehouden. Ze reageerden zoals iedere ouder dat zou doen: ze deden echt alles om ons te helpen en lieten de boel de boel om voor ons klaar te staan wanneer het nodig was.

Ik kan me zelfs geen beeld vormen van de stress en angsten die ze wisten te verbergen. Tijdens de hele beproeving bleven ze positief en ontzettend moedig.

Als ouders waren ze maar wat trots op wat Richard had bereikt. Hoewel ze niet per se gelukkig waren met alles wat hij deed, bleven ze hem steunen. Als Izzy of Willow zoiets was overkomen, weet ik niet zeker hoe ik zou hebben gereageerd.

Hun zoon, hun kleine jongen was ernstig gewond, en toch hadden ze aangeboden om voor hun kleinkinderen te zorgen zodat ik bij hem kon zijn. Het was een enorme opoffering.

Deze periode in Leeds was voor ons allemaal zwaar, maar vooral voor hen. Richards verwarring was vreselijk om aan te zien, en hoewel ze het goed verborg, weet ik dat zijn moeder erg overstuur was om haar dierbare zoon in zo'n toestand te moeten zien. Hij was een intelligente, welbespraakte, geestige jongeman; een zoon die ze vanaf zijn geboorte had zien opgroeien tot een volwassen man. Maar de jongen die ze zo goed kende, was nu geknakt, zo volkomen anders, en niemand kon een definitieve prognose geven.

De artsen hadden bepaald dat bezoek tot een minimum beperkt diende te blijven. Ik was er constant, want ik woonde hier met Richard, op zijn kamer. De enige andere bezoekers waren zijn ouders. Zijn lieve pa was altijd in de buurt en nam het over wanneer ik de kamer verliet. We leken wel een estafetteteam, waarbij we elkaar om beurten aflosten. Meer dan één persoon in de kamer werd te veel, maar een voor een kon Richard het wel aan.

De dag voordat hij naar Bristol zou worden overgebracht, begonnen zijn ouders aan hun lange terugreis. Hun auto stond nog steeds bij ons thuis in Gloucestershire, dus het zou een vreselijk lange rit zijn. Vier uur rijden en daarna nog eens drie uur naar hun eigen huis in Surrey.

Ze waren allebei uitgeput. Het werd een emotioneel en moeilijk afscheid. Richards moeder zette haar dapperste gezicht op, maar moest dat al snel opgeven. Zijn pa was met bemoedigende woorden en een positieve houding tot het laatste moment standvastig.

Ze moeten zich zo machteloos hebben gevoeld. Wij allemaal trouwens. We konden weinig doen, behalve dan de instructies van de arts opvolgen en er het beste van hopen.

Die voorlaatste dag in Leeds was een beetje vreemd. Ik pakte onze spullen bij elkaar; ondertussen organiseerde Andy Wilman een volledig geoutilleerd 'hospitaalvliegtuig' om ons van Leeds naar Bristol te vliegen, want de neurochirurgen waren bezorgd dat het voor Richard te ver was om over de weg te reizen. De luchtambulance van Yorkshire zou ons van het ziekenhuis naar de plaatselijke luchthaven vliegen, en we zouden bij aankomst in Bristol door een ambulance worden opgewacht.

Andy Wilman ijsbeerde de hele dag door de gang terwijl hij de reis voorbereidde. Het juiste type vliegtuig regelen was niet eenvoudig geweest, maar goed, Andy is vermoedelijk wel de beste man wanneer het erop aankomt het onmogelijke te presteren; je hoeft maar een paar *Top Gear*-uitzendingen te bekijken en je begrijpt wat ik bedoel. Verticaal opstijgen met een Harrier-straaljager, legervoertuigen, vliegdekschepen; geen uitdaging gaat hem te ver.

Toen ik Richard de plannen voor de overplaatsing naar een revalidatiecentrum in Bristol had uitgelegd, was hij erg opgewonden. Maar dat opgetogen gezicht betrok algauw.

'Dus morgen gaan we naar huis?'

'Nee, schat, we gaan naar Bristol. Naar het revalidatiecentrum.'

'O, ja. Juist. Hoelang? Voor een paar dagen?'

'Nou, dat weten we nog niet zeker. Eerst eens kijken hoe het gaat, oké?'

'Kunnen we niet gewoon naar huis?'

'Nee, schat. Nog niet. Hé! Raad eens hoe je daar komt.'

'Geen idee.'

'Een helikopter haalt je op van het dak, daarna word je overgevlogen naar een vliegtuig dat je naar Bristol brengt.'

'Ga jij ook mee?' Het klonk een beetje paniekerig.

'Uiteraard.'

'Je gaat me toch niet verlaten, hè, Mind?'

Ik wist meteen dat hij het niet over de reis had. Richard had zeer heldere momenten, en volgens mij vooral als hij zich realiseerde hoe erg hij in de war was en hoe hij was veranderd. Voor iemand die gewoon geen angst kent, was hij nu echt bang.

Ik glimlachte naar hem, omhelsde hem en voelde hem, tegen mijn schouder en met zijn hoofd rustend in mijn hals, gewoon ontspannen.

'Nooit,' fluisterde ik.

Hij kneep me bijna fijn.

Ik hield hem nog even vast. Zo had ik hem nog nooit meegemaakt en ik wist dat als hij me moest aankijken, hij zich zou generen. Terwijl ik hem vasthield, had ik letterlijk pijn; ik vocht tegen mijn emoties. Ik mocht nu niet instorten.

'Kopje thee?' vroeg ik zacht.

'Ja, lekker.'

Ik liep naar de deur en keek ervoor uit om hem niet in de ogen te kijken. Bij de deur draaide ik me om.

'Alles goed?'

Hij glimlachte. 'Ja.'

Eenmaal op de gang ademde ik diep in en blies de lucht weer langzaam uit. Een van de verpleegkundigen kwam op me af gelopen en schonk me zo'n glimlach die lijkt te vragen: alles wel goed met u? Hebt u mijn hulp nodig? Vraag het maar.

Ik glimlachte geforceerd en terwijl ze me passeerde, zei ik op hoge toon: 'Thee!'

Ze glimlachte, gaf me een knipoog en liep verder.

Toen ik met de koppen dampende thee terugkeerde, hield ze me even aan voor een praatje.

Ze legde uit dat er een verpleegkundige mee moest vliegen om Richard te begeleiden, en was opgetogen dat zij mee mocht. We grapten dat ze dan terug zou moeten liften of dat we een fiets zouden meenemen, dus ze moest maar niet te veel inpakken.

Ze liep met me mee naar de kamer om Richards bloeddruk op te nemen. Hij zat op het bed, glimlachend en geitend met ons, toen een andere verpleegkundige met zijn medicijnen verscheen.

'Je gelooft gewoon niet wat er buiten aan de hand is,' zei ze.

Op het dak van het ziekenhuis was per luchtambulance een patiënt gearriveerd, maar de pers was ervan uitgegaan dat het Richards toestel was dat hem kwam ophalen. Ze hadden lucht gekregen van geruchten over zijn ophanden zijnde vertrek.

'Het wemelt van de pers!' vertelde ze ons. 'Ze staan op de daken, in andere gebouwen, ze renden allemaal de receptie uit.'

'Verdomme.' We waren echt geschokt.

'Het is maar goed dat ze vandaag al naar buiten zijn gestroomd,' ging ze verder. 'De bewaking heeft het hele ziekenhuis uitgekamd. Daardoor zal het morgen allemaal makkelijker verlopen.'

'O god, het spijt me zo.' Richard schudde zijn hoofd. 'We hebben jullie zoveel werk bezorgd. Ik ben niet alleen een waardeloze patiënt, maar jullie hebben ook nog eens met al deze onzin te maken.'

'Neeee!' reageerden ze in koor.

'Een beetje opwinding is best leuk.'

'En u bent aardig, dus mond dicht en drink uw thee op.'

Iedereen glimlachte, maar toen ze weg waren, bleef Richard erover piekeren.

We praatten lang over de luchtambulance; het geld dat in zijn naam bijeen was gebracht, en uiteraard zijn populariteit (waar hij helemaal niets van geloofde).

'Iedereen wil gewoon zien hoe het met je is. Vergeet niet dat de laatste keer dat iedereen jou zag, jij ondersteboven lag. Zoals je zelf altijd zegt: ze "doen gewoon hun werk".'

'Maar goddorie, zó erg kunnen ze niet in me geïnteresseerd zijn? Ik ben gewoon dat mannetje uit een autoprogramma.'

'Hm!' Ik wees naar de postzakken en dozen die verspreid door zijn kamer stonden, boordevol kaarten, brieven en cadeaus.

'Jij bent het lieve mannetje uit een autoprogramma. Onderschat niet hoeveel de mensen om je geven.'

'Maar ik ben gewoon mezelf.'

'Nou, misschien ben je daardoor wel zo bijzonder.'

Hij keek me vragend aan. 'Mmm.'

Tijdens Richards verblijf in Leeds was er een concours voor fanfare-korpsen aan de gang. Een van de deelnemende korpsen had het ziekenhuis benaderd met de vraag of ze onder zijn raam een speciaal voor hem gecomponeerd stuk mochten spelen.

De verpleegkundigen vroegen ons of het goed was, en wij antwoordden dat zolang de andere patiënten geen bezwaar maakten wij het een geweldig idee vonden. Afgesproken werd dat het korps na de middagslaap zou beginnen, wanneer alle lampen op de afdeling weer aan waren.

Ik had het Richard verteld, en we zaten vol verwachting in zijn kamer, wachtend op de prachtige koperklanken... maar er gebeurde niets.

We namen aan dat ze vermoedelijk wat later zouden komen, en dus deed Richard een dutje en banjerde ik rond om de gebruikelijke telefoontjes te plegen en wat op te ruimen.

Tijdens de thee, bij het wisselen van de diensten, kwam een van de verpleegkundigen de kamer in.

'En, hebt u het fanfarekorps nog gehoord?'

'Eh, nee. Het is ze vast niet gelukt.'

'Wat raar,' reageerde ze. 'Ik weet zeker dat ze zijn geweest.'

Ze ging informeren en kwam even later terug. Het korps was naar het ziekenhuis gekomen en had voor Richard gespeeld, maar helaas waren ze naar de verkeerde kant van het gebouw gestuurd. We hoopten maar dat de patiënten ervan hadden genoten en dat ze niet geschrokken waren toen de muziek begon. Ons gezelschap was erop voorbereid geweest, de afdeling geriatrie vast niet.

Het was jammer dat Richard ze niet heeft gehoord, en ze moeten weten dat we het een heel attent gebaar vonden. Maar hij lachte en grapte urenlang door over de verwarring; dus hoewel hij de muziek niet heeft kunnen horen, hadden ze hem toch enorm opgevrolijkt. Nog bedankt!

12

De overplaatsing naar Bristol

Ik weet niet meer hoe laat we vertrokken, maar wel dat ik vroeg wakker werd en het stapeltje kleren doorzocht die Alex zo vriendelijk was geweest om voor me te kopen en die nu door Richard voor het eerst zouden worden gepast: een spijkerbroek, een wit T-shirt, ondergoed en sokken.

Het was vreemd om Richard deze ochtend weer in gewone kleren te zien. De eerste keer moest hij nog worden geholpen bij het aankleden. De verpleegkundigen kwamen regelmatig binnen, met een ontbijtje of thee, onderzochten hem en hielden hem kalm.

Ondertussen deed ik alle noodzakelijke dingen in zakken en tassen en kletste wat met hem, maar hij was ongeduldig. Hij wilde gewoon weg.

'Hoe laat komen ze?' vroeg hij om de tien minuten.

'Maak je geen zorgen, ze waarschuwen ons zodra de heli in zicht is.'

Het plan was om zodra de heli was geland, meteen het dak op te gaan, maar het had nu eenmaal geen zin om voortijdig de kamer te verlaten. Stel dat de traumahelikopter plotseling een melding kreeg, dan moesten we eerst wachten totdat ze weer beschikbaar waren.

Andy Wilman en Alex hingen op de gang rond. Andy liep het plan nog even met me door. Alex had aangeboden om na ons vertrek alle spullen uit de kamer in een auto te laden en naar Bristol te brengen, een behoorlijke klus. Het verbaasde me dat hij die op zich had willen nemen, en ik bedankte hem voor al zijn hulp. Terwijl ik zo met hem stond te praten, kreeg ik een behoorlijke brok in mijn keel... Het was net of ik afscheid nam van een hechte club, want dat waren we geleidelijk aan geworden: Richards verzorgingsteam. Ik zou hen missen.

Stuart Ross kwam binnen om afscheid te nemen. Hij maakte grapjes met ons en vertelde Richard hoe blij hij was met diens vooruitgang tot nu toe. Meneer Ross stond werkelijk versteld, en dat gold voor het hele team, maar toch wilde hij zijn instructies nog eens herhalen: 'Er wordt niet gewerkt. Het zal je herstel onherroepelijk ondermijnen.'

Meneer Ross en ik wisten dat Richard zijn brave belofte om rust te houden al na een paar minuten vergeten zou zijn. Ik was eindeloos in de weer geweest om te verhinderen dat hij Andy Wilman, zijn collega's van de *Daily Mirror*, en vooral James en Jeremy zou bellen.

Ik legde meneer Ross uit dat ofschoon ik de noodzaak begreep om het werk als gespreksonderwerp te mijden, Richards beste vrienden tegelijkertijd ook zijn collega's waren. Degenen met wie hij zich in zijn dagelijks leven associeerde, waren vaak op een of andere manier werkzaam in de tv-wereld. Kortom, wat wij van Richard verlangden, was dus om zichzelf af te schermen van zijn eigen leven.

Gelukkig ging meneer Ross akkoord met een compromis: Richard mocht zo nu en dan zijn vrienden ontvangen, op voorwaarde dat ik ervoor zou zorgen dat er niet over het werk werd gepraat.

Andy Wilman, die alles wilde doen om te kunnen helpen, ging maar al te graag akkoord, net als James en Jeremy.

Ik vroeg al zijn collega's bij de BBC en elders om hem te schrijven, hem daarin uit te leggen dat er niets zou veranderen zolang hij nog niet terug was. Zodra hij zich zorgen zou gaan maken over zijn werk, kon ik de brieven voor zijn neus neerleggen. Wat hij nodig had, waren tastbare bewijzen, in plaats van geruchten.

Op de avond voor ons geplande vertrek had hij weer eens zitten piekeren over zijn werk, zoals zo vaak. Hij had net gedoucht en zat op de rand van het bed, met een handdoek om zijn middel.

'Kun je mijn mobiel even pakken? Ik moet Wilman bellen.'

Ik moet bekennen dat ik bekaf was. Dit gesprek had zich al de hele dag voortdurend herhaald en zelf had ik al drie keer gedoucht, wetend dat Richard het onderwerp liet rusten zolang ik in de badkamer was.

'Is niet nodig. Met Wilman is alles goed.'

'En ik moet met de *Mirror* praten.'

'Ik heb al met ze gesproken. Alles is in orde.'

Of het nu de toon was waarop ik het zei, maar opeens, en voor het eerst, veranderde hij compleet. Woedend keek hij me aan.

'Moet je horen, ik weet precies wat jij denkt waar je mee bezig bent, maar we hebben het hier over míjn carrière! Je praat tegen me alsof ik een idioot ben!'

Ik was zo perplex, zo uitzinnig van vreugde, dat ik moest huilen. Hij had zijn overzicht opeens terug, herinnerde zich een vorig gesprek. Zijn geheugen werkte weer!

'O, Richard, Richard, echt, het spijt me. Natuurlijk gaat het om jouw carrière.'

Maar hij keek me nog steeds kwaad aan.

'Hou eens op met die toon,' bitste hij.

O jee, hij was opeens zo anders. Het was geweldig en tegelijkertijd behoorlijk schrikken. Ik stond vlak naast hem, sprak zo zacht ik kon om vooral maar niet uit de hoogte te klinken en zei: 'Ik wil je niet als een kind behandelen, echt niet, maar, schat, dit is voor het eerst dat je je een gesprek herinnert. Je herinnert je nog dat we het hier eerder over hebben gehad?'

Hij keek me aan alsof ik gestoord was.

'Ja, natuurlijk. Ga, ga...' Hij zweeg. De flard was alweer verdwenen, maar niet zijn irritatie.

'Ga nou maar gewoon door met wat je moet doen.'

'Oké. Sorry.' Ik ging weer snel naar de badkamer voor nog een douche. Ik beefde en was euforisch en nerveus tegelijk. Na vijf minuten onder het knalhete water was mijn hoofd inmiddels op hol geslagen. Als zijn geheugen terug was, zou zijn irritatie dan ook permanent zijn? Met weer een afstandelijke avond in het verschiet? We hadden al een paar moeilijke avonden achter de rug nadat hij zich ergens in had 'vastgebeten', zoals de dokters het noemden, en had geweigerd om een bepaald onderwerp nu eindelijk eens te laten voor wat het was. Het was steeds lastiger geworden om het gesprek over een andere boeg te gooien en daar werd hij soms behoorlijk humeurig van.

Behoedzaam trok ik zijn kamerdeur weer open. Hij lag in bed en staarde naar de tv, die ik gelukkig aan had laten staan. Toen ik naar binnen liep, glimlachte hij lief.

'Hallo! Dat duurde lang, zeg. Ben je gekrompen?'

Stralend keek ik hem aan en ik voelde me enorm opgelucht. Zijn geheugen vocht zich weer een weg terug, en hoewel er nog veel blinde vlekken waren, was dit wederom een doorbraak.

We zouden per helikopter vanaf het dak naar de luchthaven Leeds-Bradford worden gebracht. Daar zou een privétoestel voorzien van brancard, zuurstof en alle benodigde medische apparatuur klaarstaan om hem, de hoofdzuster en mij naar een klein vliegveld even buiten Bristol te brengen vanwaar we per ambulance de laatste paar kilometer naar The Glen in Bristol zouden worden gebracht, het enige particuliere ziekenhuis in de regio met een intensivecare-afdeling. Daar beschikte men over een team van fysiotherapeuten en een revalidatieruimte. Maar het belangrijkst was wel dat het vlak bij het neurologisch revalidatiecentrum in Frenchay lag. In de moeilijke weken die voor ons lagen zou het team aldaar voor hem zorgen.

Ik was stil en wat nerveus terwijl Andy de lijst nog eens naliep. Ook al verzekerde iedereen – artsen, neurochirurgen, verpleegkundigen, enzovoorts – dat dit de beste oplossing was, toch maakte ik me nog altijd zorgen. Richard was een meester in het om de tuin leiden van mensen. De medische feiten spraken uiteraard voor zich, maar toch was zijn luchtige, opgewekte persoontje een soort toneelstukje en het enige wat iedereen zag.

Wie was ik om te twijfelen als iedereen zo overtuigd was?

Te midden van de inmiddels vertrouwde omgeving van het ziekenhuis was hij zo vooruitgegaan dat, ook al was hij nog altijd verward, het min of meer tot hem was doorgedrongen dat hij een ongeluk had gehad, gewond was geraakt en hij nu in een ziekenhuis lag. Ik moest er niet aan denken dat deze plotselinge verandering een terugslag zou betekenen.

Toen het tijd werd om te gaan, moesten we opeens een beetje haast maken. Ik weet niet eens meer wie het was, maar iemand kwam binnen en zei: 'Het is zover.'

De hoofdzuster verscheen en maakte hem gereed. Zoals gewoonlijk deed hij weer eens moeilijk en stond erop dat hij zou lopen.

'O, nee. Niks daarvan,' sprak ze zo streng ze maar kon.

Er werd een rolstoel geregeld en gênant of niet, dit zou zijn vervoermiddel zijn.

De portier duwde hem terwijl een beveiliger en dienstdoende hoofdzuster meeliepen. Ik pakte snel een paar belangrijke tassen en liep mee. Ook Andy Wilman voegde zich bij ons. Telkens weer begon Richard over zijn werk, maar Andy stelde hem voortdurend gerust en leidde hem af.

Het was zo positief om naar een revalidatiecentrum te verhuizen, en tegelijk... alsof we iedereen zomaar achterlieten. Er was geen tijd om iedereen te bedanken. Woorden schoten me tekort om hun duidelijk te maken hoeveel ze voor ons hadden betekend. We moesten nu weg.

Natuurlijk was het allemaal niet zo eenvoudig. Bij de laatste deur aangekomen hadden de hoofdzuster en ik de grootste moeite om Richard ervan te weerhouden om zelf naar de helikopter te lopen. We wisten allebei dat hij dat niet zou redden. Daarna wilde hij met de rolstoel, maar ik ken hem: dan zou hij gekkigheid uithalen, snel opstaan of iets doms verzinnen. Bovendien kon ik de helikopter zien. Met de rolstoel zou betekenen dat hij overeind moest komen om naar binnen te klimmen. Reken maar dat dit hem niet zou lukken. Aan zijn zelfvertrouwen schortte het bepaald niet, wat geweldig was, maar ik was gewaarschuwd dat een terugslag in deze fase van zijn herstel catastrofaal kon zijn.

Ik wachtte niet op de hoofdzuster.

'Schat, je moet op de brancard.'

'O, nee. Echt niet. Kom zeg...'

De hoofdzuster was er meteen bij.

'Het is de enige manier om je aan boord te krijgen.'

'O. Nou, goed dan.'

Goddank ging hij dus per brancard naar het platform en werd hij de helikopter in getild. Pas toen ontdekten we dat de bemanning dezelfde was als die hem had gered.

Hij bedankte iedereen dat ze hem een week eerder het leven hadden gered. Eenmaal aan boord bekeek hij vol belangstelling het interieur.

Hij lachte en maakte grapjes met de bemanning, die duidelijk opgetogen was nu hij er een stuk beter aan toe was. Ik deed mee, maar heimelijk stond ik doodsangsten uit. Dit was weer eens een show, en ook ik deed een duit in het zakje, maar ik vroeg me af hoe het zou gaan als we eenmaal onderweg waren.

Bovendien moet ik erbij zeggen dat dit pas mijn tweede keer in een helikopter was. De eerste keer was bij slecht weer geweest: wat mij betrof nooit meer. Ik was doodsbang, zat naast Richard en hield zijn hand vast. Binnen was het behoorlijk ruim, en Richard was totaal niet benauwd voor deze vlucht in dezelfde traumaheli. Bij het opstijgen vreesde ik even dat hij in paniek zou raken, maar er gebeurde niets en hij genoot simpelweg van het uitzicht.

Het gezelschap aan boord was gefascineerd, en terwijl hij genoot van de opgetogen gesprekken, zagen we dat op het grasveld aan de voorzijde van het ziekenhuis een meute fotografen zich had verzameld en hun camera's omhoog richtte. Te laat.

De enige fotograaf die hem wist te kieken, had zich verborgen gehouden op een dak tegenover het ziekenhuis. Niemand weet hoelang hij daar heeft gezeten nadat anderen wel waren ontdekt. Waar had hij zich in hemelsnaam kunnen verbergen? vroegen we ons later af.

Toen we op luchthaven Leeds-Bradford waren geland, stond het privétoestel al klaar met een paar mensen van het grondpersoneel. Ze waren heel vriendelijk en hulpvaardig en zorgden ervoor dat de overstap op rolletjes liep.

Al snel had men Richard op zijn brancard in het kleine vliegtuig geïnstalleerd. Een kleine zuurstofsensor was aan zijn wijsvinger bevestigd. De hoofdzuster en ik namen tegenover elkaar plaats.

Bij het opstijgen keek ik naar Richards gezicht. Hij was duidelijk moe en leek afwezig.

'Alles goed?' vroeg ik.

'Ja, ja,' antwoordde hij kalm met een knikje waarbij hij zijn ogen even half sloot. Het was bedoeld om me gerust te stellen. Ik wist dat hij me probeerde te verzekeren dat alles in orde was.

Zelfs voordat de zuurstofmonitor aangaf dat er iets niet in de haak was, had ik al het gevoel gehad dat het niet goed met hem ging. Ik haatte die hele vlucht. De drie kwartier dat we in de lucht waren, kreeg hij meerdere keren zuurstof toegediend. Ik keek om de minuut op mijn horloge en schraapte een paar maal zelfs al mijn moed bijeen om de piloot te vragen hoelang het nog ging duren.

Richard deed alsof hij steeds lag te slapen, maar daarvoor kende ik hem te goed. Hij probeerde zich te concentreren en vocht tegen zijn eigen demonen.

Er waren momenten tijdens de vlucht waarop ik mijn eigen paniekgevoel moest onderdrukken. Stel dat hij nu ziek werd, wat dan? Wat kon er voor hem worden gedaan? Jezus! Dan zaten we in de val.

Ik was erg blij toen we waren geland. Richard stond erop om zelf naar de gereedstaande ambulance te lopen, en hoewel het langzaam en moeizaam ging, was ik trots op zijn vastberadenheid.

De rit per ambulance door Bristol was tamelijk kort. Richard was alweer aan het dollen met de ambulancebroeders. Hij ontspande weer, goddank.

Ik heb geen idee hoe laat we in het BUPA-ziekenhuis arriveerden. Ik weet nog hoe uitgeput hij was. Hij lag nog niet in bed of viel al in een diepe slaap. Bristol mocht dan de volgende stap op weg naar zijn herstel zijn, maar Stuart Ross waarschuwde me dat het ergste nog moest komen. Na de belachelijk snelle vooruitgang tot nu toe zou alles een stuk langzamer gaan. Hier zou het harde werk beginnen, met alle frustraties van dien, en zou de woede weleens hardnekkig kunnen worden.

Maar goed, we waren er. Richard was ongedeerd. Tijd om aan de volgende fase te beginnen.

13
Wist u dat zwanenparen hun hele leven bij elkaar blijven?

In *Misery*, de film naar Stephen Kings boek, zit een scène waarin de mannelijke hoofdrolspeler – ik kan me zijn naam niet meer herinneren – wakker wordt en merkt dat zijn enkels, die kort daarvoor door zijn niet bepaald vriendelijke gastvrouw met een houten hamer zijn gebroken, vreselijk pijn doen. Ik ben vergeten waarom zijn enkels waren gebroken, en herinneringen had ik evenmin toen ik op de intensive care van het algemeen ziekenhuis van Leeds heen en weer zweefde tussen een coma en bewustzijn. Maar die scène achtervolgde me en posteerde zich voor in mijn wazige geest. Ik zag een vrouw. Kennelijk een verpleegkundige. Ze hield een plastic beker vast. Haar hoofd paste precies in het kader van mijn gezichtsveld boven de witte ziekenhuislakens, die ik krampachtig voor mijn gezicht vasthield. Ik lag dus in bed. De lakens roken lekker. Het licht scheen dwars door de stof heen en trok mistige, golvende contouren om haar heen. Ik wilde niet onbeleefd overkomen, maar ik begreep niet wie ze was, waarom ze hier was en waarom ik in bed lag. Ze bood me de beker aan. Het was een dosis morfine. Wilde ik die?

In het boek van Stephen King krijgt de hoofdrolspeler ook morfine om de pijn van zijn verbrijzelde enkels te stillen. Vandaar dat de herinnering van die scène als een volhardend vogeltje tegen een raam tegen de binnenkant van mijn hersenpan had getikt. De vent met de enkels vergelijkt zijn pijn met de puntige, zwart uitgeslagen golfbrekers in de zee. De morfine, legt hij uit, is de zee en die

221

spoelt over de pijn, maskeert en verbergt deze. Wat een prachtige metafoor, dacht ik terwijl de verpleegkundige zich naar me toe boog met de medicatie, en ik me tussen de frisgewassen lakens gelukkig voelde. De morfine moet, net als de zee, over de pijn zijn geslagen die me in mijn coma dwars had gezeten, en ik verloor opnieuw het bewustzijn. De pijn herinner ik me niet. Er was enkel verlichting. En slaap.

De grond oogde ruw maar vriendelijk. Kleine stenen bezaaiden het pad, dat stoffig en warm was. Het kronkelde verleidelijk voor me uit. Ik liep een heuvel op waarachter het pad naar links ging. Op de hoek was een klein plateau dat een verweerde oude haagdoorn als zijn domein had opgeëist. De oprijzende bergen aan weerszijden sloten me in, en de valleien lagen daar koel en donker tussen. Ik liep door en voelde me ondeugend. Ik was stout dat ik dit aanlokkelijke, fijne pad volgde. Maar niet stout op een slechte manier; ik gedroeg me brutaal, ondeugend alsof ik weer op school zat en iets deed wat de leraren niet wilden. Het leek op het Lake District, mijn lievelingsplek. Ik bevond me op een vertrouwde plek, alleen was deze beter, meer fantasievol gemaakt. Als het Lake District echt bestond in mijn hoofd, dan is dit hoe het zou zijn: een aangedikte versie van de werkelijkheid.

Ik was me vaag bewust van kleine bloemen op lange, fluwelen stelen die in het gras heen en weer bewogen, maar zag ze niet. De lucht achter het plateau was bleekwit, en in de verte zag ik de contouren van rotsen waarvan de grijsbruine bulten op slapende beren leken. Er klonk geen geluid op, alleen zo nu en dan een zachte bries die het gras deed golven. Ik was er gelukkig en wilde niet toegeven aan al die mensen die een beetje boos waren over mijn reis. Maar de druk die hun afkeuring op me legde, nam toe. Ik voelde dat hun toegeeflijke en zorgzame stemming omsloeg in oprechte woede. Ik voelde de humor verdampen en wist dat ik in de nesten zat. Ik draaide me om. Mindy was boos, dat wist ik, en dat wilde ik helemaal niet. Dus hield ik op met rondhangen en deed wat me gezegd werd. Ik kwam terug.

En inderdaad, Mindy was boos. Dat wist ik niet, maar op de intensive care had ze zich over me heen gebogen, mijn naam gebruld en tegen me geschreeuwd. Inmiddels weet ik dat het kantje boord is geweest en dat Mindy de verpleegkundige had gevraagd of ze tegen me mocht schreeuwen om te zien of ik misschien reageerde. Op dat moment wist die verpleegkundige volgens mij niet wat ze zich op de hals haalde. Ze antwoordde Mindy dat het misschien zou helpen, dat ze tot me zou kunnen doordringen. Meer had Mindy niet nodig en ze barstte los in een spervuur van geschreeuw en geroep, me aanmoedigend om te reageren en bij kennis te komen. En dat deed ik. Het medische verloop verbeterde; ik was veilig, zij het nog steeds buiten bewustzijn. De verpleegkundigen en artsen stelden zichzelf tevreden dat mijn toestand zich andermaal had gestabiliseerd, en vonden het prima dat ik verder door mijn coma dreef. Zonder verder geschreeuw.

Van mijn verblijf in het algemeen ziekenhuis van Leeds kan ik me niets helder herinneren. Ik heb mijn leven te danken aan de mensen daar, aan hun toewijding, hun kennis en inzicht dat ze elke werkdag weer op hun patiënten toepassen. Maar dat ik daar lag, overgeleverd aan hun zorg, daar weet ik niets meer van. De tijd die je in een coma doorbrengt, is tijd die in een heel ander soort bewustzijn wordt doorgebracht. Het is geen slaap; soms kan men communiceren met de patiënt en soms kan deze reageren. Mij is verteld dat ik vaak wakker was, maar die momenten kan ik niet onderscheiden van de vage herinneringen van dromen en fantasie. De twee werelden worden vaag; de wereld in je hoofd en de wereld die je kortgeleden een flinke optater heeft bezorgd. Het was dus geen lange, ononderbroken slaap, maar een lange periode tussen twee werelden.

In bed liggen was heerlijk. Ik deed het graag. Maar ik had een ongeluk gehad, een ernstige crash. Uiteindelijk was het gemakkelijker om het te accepteren en te geloven. Ook al was er geen bewijs om het te schragen. Behalve dat ik me kennelijk in een ziekenhuis bevond, was er verder niets wat Mindy's beweringen staafde. Ik kon me bewegen; pijn was er niet; alles functioneerde. Ik was verdrietig. Er klopte iets niet. Ik had slaap nodig. Dus sliep ik.

In flitsen kon ik me vaag iets herinneren. De jetcar was gecrasht. Ik had gevochten om hem heel te houden. Er was iets misgegaan met de besturing. Al vechtend voelde ik de paniek opkomen en ik herinnerde me het gevoel dat ik op het punt stond de strijd te verliezen. En daarna was er nog iets misgegaan. Iets wat erger was, en ik moest mijn poging om het tegen te houden opgeven. Ik dacht dat ik doodging. Angst voelde ik niet, alleen verdriet. Ik kon verder niets anders doen dan doodgaan; het was gewoon het volgende punt op mijn lijstje. Nu lag ik in het ziekenhuis. Ik was dus niet dood. Maar ik had mijn hersenen beschadigd, precies de plek waar ik leefde. Ik was bang. En viel weer in slaap.

Het is de meest intieme plek waar je letsel kunt oplopen; de meest persoonlijke aanval die je je maar kunt voorstellen. Ik was gereduceerd tot gedachten; tot patronen en plaatjes maar niets tastbaars. Ik was teruggedrongen in het hol waar ik ooit uit was gekomen en had me helemaal achterin verstopt, uithalend naar alles wat bij me in de buurt kwam. Ik had geen lichaam meer en het kon me niet schelen. Hier op deze plek, waar mijn strijd woedde, deed het er niet toe. Ik voelde me als een monster, een grijs, sluipend, slijmerig ding dat beet, siste en krabde. Ik was gecrasht. Mijn lichaam was gewond, maar dat kon me nu niet schelen. Ik was geen lichaam, ik was iets anders. Ik moest terugknokken. Ik had slaap nodig. Het was een duistere en bittere strijd. Ik had kracht nodig. Ik had slaap nodig. Dus sliep ik.

Mindy praatte weer tegen me. Langzaam. Ik was gecrasht. De jetcar was verongelukt, en ik had echt zwaar mijn hoofd gestoten. Ik was verdrietig. Ik hield haar vast – of zij mij – en voelde me rot. Maar ik geloofde haar nu wel, ik begreep het. Ik was in het ziekenhuis om wat ik mijn hoofd had aangedaan. Mijn hersenen. Ik was belangrijk, ik was de patiënt. Alles draaide om mij. Maaltijden kwamen en gingen. Ik sliep wanneer ik wilde. Zo nu en dan kwam er een verpleegkundige die me lelijk prikte met naalden, maar het

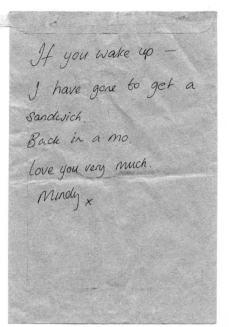

If you wake up –
I have gone to get a
sandwich.
Back in a mo.
Love you very much.
Mindy x

Hospital is No Smoking
Have to rest – had a
head injury – SERIOUS
Must rest and sleep
to get better
No drinking
You have only pyjamas
Not allowed to go out
until you're better

Mindy loves you lots
XXX
You don't have to go
to work

Het algemeen ziekenhuis van Leeds:
briefjes van Mindy op het tv-scherm als
ze me weer even alleen moest laten, en
een van Izzy's kaartjes.

To mummy and
Daddy I Love
You so much and
when you come
home I'm going to
give you a big
cudle because I
Love you so much
I can't wait antill
you come home
home and Daddy
and me will clean the
cars and mummy will
help clean the cars to

Herstellend in Schotland, met nog altijd
een zichtbaar beschadigd linkeroog.

Het was prettig om weer buiten te zijn,
maar wel een beetje eng.

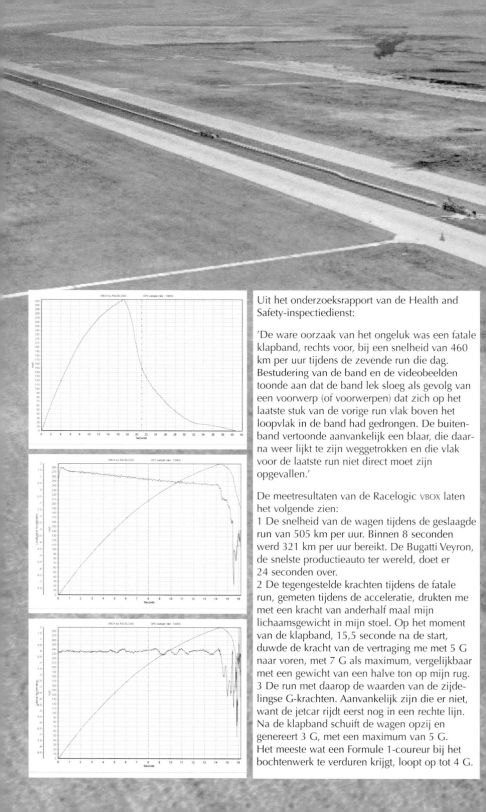

Uit het onderzoeksrapport van de Health and Safety-inspectiedienst:

'De ware oorzaak van het ongeluk was een fatale klapband, rechts voor, bij een snelheid van 460 km per uur tijdens de zevende run die dag. Bestudering van de band en de videobeelden toonde aan dat de band lek sloeg als gevolg van een voorwerp (of voorwerpen) dat zich op het laatste stuk van de vorige run vlak boven het loopvlak in de band had gedrongen. De buitenband vertoonde aanvankelijk een blaar, die daarna weer lijkt te zijn weggetrokken en die vlak voor de laatste run niet direct moet zijn opgevallen.'

De meetresultaten van de Racelogic VBOX laten het volgende zien:
1 De snelheid van de wagen tijdens de geslaagde run van 505 km per uur. Binnen 8 seconden werd 321 km per uur bereikt. De Bugatti Veyron, de snelste productieauto ter wereld, doet er 24 seconden over.
2 De tegengestelde krachten tijdens de fatale run, gemeten tijdens de acceleratie, drukten me met een kracht van anderhalf maal mijn lichaamsgewicht in mijn stoel. Op het moment van de klapband, 15,5 seconde na de start, duwde de kracht van de vertraging me met 5 G naar voren, met 7 G als maximum, vergelijkbaar met een gewicht van een halve ton op mijn rug.
3 De run met daarop de waarden van de zijdelingse G-krachten. Aanvankelijk zijn die er niet, want de jetcar rijdt eerst nog in een rechte lijn. Na de klapband schuift de wagen opzij en genereert 3 G, met een maximum van 5 G. Het meeste wat een Formule 1-coureur bij het bochtenwerk te verduren krijgt, loopt op tot 4 G.

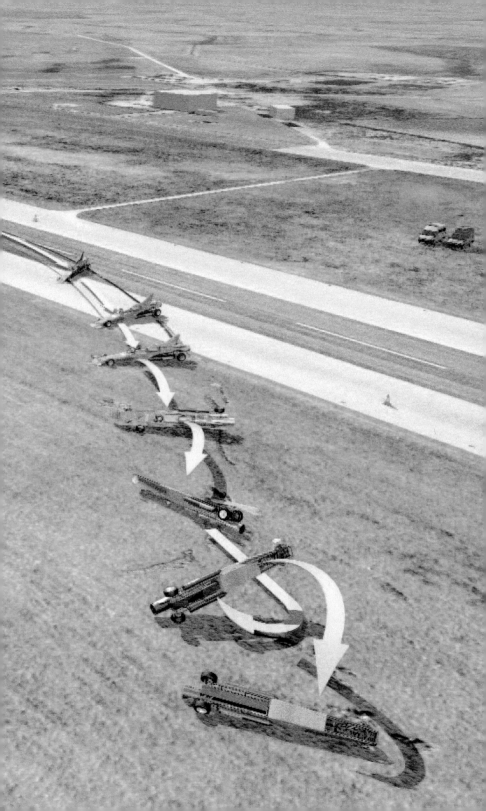

Terug naar het normale leven, voor ons dan: Izzy, ik, Captain, Mindy en Willow, met z'n allen op onze tractor.

Thuis en weg van huis: Izzy, Hattie en Willow. Onder: terug in de dagelijkse sleur van het werk: samen met Jeremy en Richard per hondenslee naar de Noordpool.

was een bescheiden prijs voor iemand die het middelpunt van ieders aandacht was.

Een straalmotor startte. In de verte ving ik het geloei op dat tot een gegier aanzwol. Vlak bij mijn hoofd. Ik zat. Of stond. En daarna lag ik. Er stonden veel mensen om me heen, die allemaal druk bezig waren met belangrijke dingen. Mindy was bij me. Ik concentreerde me op haar, op haar alleen. Het was spannend, wat het ook was wat we deden. We waren met een hele groep mensen. Ik hoorde weer bij een clubje. Dit was fijn. De straalmotor gierde hardnekkiger.

'Het laatste wat ik me herinner te hebben gehoord, was een straalmotor,' zei ik, ingenomen met deze kwinkslag. Iemand lachte; een piloot misschien. Ik sloofde me uit. Het was fantastisch. Ik was gecrasht met een straalmotor. Daarom sjouwden ze me hier op het dak aan boord van een helikopter. En daarna niets.

Twee weken lang klonterden kleine flitsen van bewustzijn willekeurig samen tot een soort leidraad waarlangs ik leefde. Ik geloofde niet wat er was gebeurd; dat dingen mis konden gaan. We waren altijd voorzichtig, we zorgden voor zekerheid, verkleinden de risico's. We waren geen kinderen meer, we waren volwassenen. Hoe kon het dan toch verkeerd gaan? Ten slotte, bijna twee weken nadat ik in de jetcar was gestapt, accepteerde ik dat hij een ongeluk had gehad. Mindy had het me telkens weer uitgelegd, en ik had haar niet geloofd, ook al had ik geen andere theorie die verklaarde waarom ik in bed lag. Maar eindelijk, toen ik op de ziekenzaal in Bristol Mindy's hand vasthield, accepteerde ik het. Ik praatte over mijn herinneringen, over dat ik vergeefs had geprobeerd iets tegen te houden. Het maakte Mindy verdrietig. Ik voelde me schuldig over de crash; had ik misschien iets fout gedaan? Was het mijn schuld? Was ik te snel gegaan? Nu geloofde ik in elk geval wat Mindy zei. En dat maakte het een stuk gemakkelijker om elkaar weer aan te voelen.

En voor mij bleek het uiteindelijk vrij gemakkelijk te aanvaarden en te begrijpen. Als het geluid van een straalmotor die slechts op luttele centimeters achter je hoofd opstart, vlak voordat je met meer dan 450 kilometer per uur in een dragster over een startbaan wordt gekatapulteerd, het laatste is wat je je kunt herinneren... tja, dan ben je nauwelijks verrast als je een week of twee later uit een coma ontwaakt.

Hoeveel lastiger moet het wel niet zijn voor een patiënt die uit een coma ontwaakt en merkt dat hij de vrouw die volgens iedereen zijn echtgenote is niet langer herkent terwijl het laatste wat hij zich herinnert is dat hij naar de bakker fietste of dat hij een ladder op klauterde om een verstopte dakgoot schoon te maken? Toen ik genoeg hersteld was om die gedachte te verwerken werd dit de eerste van vele lessen. Het draait niet alleen om wat je hebt gedaan; belangrijk is ook hoe je het hebt gedaan. Ik was bijna klaargestoomd voor het noodlot. Mijn geest moest in het reine komen met de nasleep van het ongeluk, maar het besef dat een schijnbaar alledaagse daad je kijk op de wereld kan veranderen was gelukkig al aanwezig. Ik had mazzel; ik had mezelf op een dusdanig uitzonderlijke en ongebruikelijke manier verwond dat het gemakkelijker te accepteren was.

Mindy vormde een voortdurende aanwezigheid, en zonder het me te realiseren was ik op haar gaan vertrouwen zoals ik op zuurstof en water vertrouw. Ze was meer dan een vorm van levensonderhoud; ze was mijn steun en toeverlaat, gaf me bescherming en kracht. Ze was mijn tolk, het doorgeefluik voor mijn moeilijke en verwarrende emoties. Hoe deze rollen haar moeten hebben uitgeput, daar kan ik alleen maar naar raden. Ze hoefde de kamer maar even te verlaten, of ik kon het al niet meer aan. Ze leefde voor ons tweeën.

Ik verroerde me in mijn bed. Dit zou goed komen. Ik ben nooit zo goed geweest in vakantie vieren en daarom zou een beetje gedwongen rust geen kwaad kunnen, toch? Er was niemand die echt duidelijkheid kon verschaffen over hoelang ik daar zou moeten blijven, maar ik kwam toch snel in een soort ritme. Ik zou me als een modelpatiënt gedragen; kalm, ontspannen, meewerkend en, uiteraard, geduldig. Ik wilde er goed in zijn, de beste patiënt die ze ooit hadden gehad, over wie ze nog jaren zouden napraten als die buitengewoon getalenteerde en begripvolle patiënt. Ik wilde me alweer uitsloven.

Slechts één keer eerder was ik patiënt geweest; als zesjarig jochie had ik een paar dagen in het ziekenhuis gelegen voor een lichte ingreep aan mijn trommelvliezen. Het gevoel van isolatie, eenzaamheid en heimwee keerde nu in golven terug. De afvoerleidingen van dat ziekenhuis toen, waren oud of onbetrouwbaar, en de buizen en boilers hadden de hele nacht gekreund en geloeid, als een kudde spookvee die door de gangen doolde. Van angst had ik me aan de stijf gesteven lakens vastgeklampt. Dertig jaar later keerden ze terug om me in een ander ziekenhuis, honderden kilometers verderop, in de lange nachten te achtervolgen. Ik vreesde hun komst, lag 's nachts met mijn ogen te draaien vlak voordat ik in slaap viel. Dan sliep ik een tijdje lekker door totdat ik, om een of andere onduidelijke reden, wakker werd en weer als dat zesjarige jongetje stilletjes in mijn bed lag.

Wanneer ik overdag sliep, droomde ik dat ik naar huis ging. Elk wakker uur probeerde ik de artsen ervan te overtuigen dat ik klaar was om naar huis te gaan. Ik wist wel dat ik hier niet tegen mijn wil werd gehouden – ik begreep dat het voor mijn eigen bestwil was – maar ik wilde alleen maar weg. Ik wilde terug naar mijn normale leven, waarin ik 's ochtends bij de voordeur vrolijk gedag zei en naar mijn werk ging, gekke dingen deed en 's avonds weer met verhalen thuiskwam bij Mindy en de kids. Mijn geheugen was nog steeds ernstig van slag. Er was geen schade aan mijn oudere herinneringen; ik wist wie ik was, herkende mijn kinderen en mijn ouders en broers. Maar mijn herinneringen van dag tot dag waren nog steeds stevig in de greep van posttraumatisch geheugenverlies. Niet dat ik dat wist, maar het hield in dat mijn kortetermijngeheugen niet verder strekte dan een paar minuten. Een gesprek zou al heel snel weer zijn vergeten, en dan kon ik dezelfde vraag wel tientallen keren stellen; telkens weer vergat ik dat ik iets al had gevraagd en een antwoord had gekregen. Dit verergerde alleen maar de knagende verwarring die me, zo vermoed ik, ook tot een lastige patiënt maakte. Voor mijn familie betekende dit dat ze me urenlang steeds weer dezelfde dingen hoorden zeggen en dat ze telkens weer dezelfde vragen voorgeschoteld kregen. Wanneer mensen vreemd op me reageerden raakte ik geïrriteerd en gefrustreerd, me er niet van bewust dat het weleens de tiende of honderdste keer kon zijn dat ik het hun had verteld.

Richards nieuwe kamer was groter dan die in Leeds, en op de vloer lag laagpolig tapijt. De muren waren behangen, en het meubilair was van betere kwaliteit. Achteraf gezien leek het meer op de hotelkamer van een zakenman. Een houten bureau met een stoel tegen een muur, een dvd-speler onder de tv. De rest was hetzelfde als in Leeds: het bed, de noodknoppen – alleen waren er uiteraard andere verpleegkundigen. Allemaal erg aardig en erop gebrand het hem gemakkelijk te maken.

Na zijn aankomst was hij doodmoe. De reis had zijn tol geëist, wat niet zo vreemd was. Hij kon heel weinig verdragen, en aangezien ook ik moe was, was het niet de makkelijkste overgang. Rick Nelson, de neurochirurg die de zorg voor hem had overgenomen, kwam langs.

Richard had gemerkt dat hij met zijn linkeroor slecht hoorde, en meneer Nelson wilde graag zijn gehoor testen om te kijken of hij geen blijvende schade had opgelopen.

Rick had een geweldige manier van doen. Hij was achter in de veertig, lang en van gemiddelde lichaamsbouw, en had een heel open blik. We hadden gemerkt dat hij dol was op fietsen, net als Richard, dus dat was een goede basis voor een leuk gesprek. Hij was altijd bijzonder rustig en luisterde geduldig naar Richards levendige verhalen, maar keek daarbij wel voortdurend even opzij naar mij. Hij probeerde de persoon die voor hem zat in te schatten en stelde vast dat dit niet de ware Richard was. Hij kreeg echter ook het gevoel dat ik in Richards bijzijn niet oprecht kon zijn; dan zou hij zich door mij verraden voelen. Tegen het eind van ons gesprek vroeg Rick hem of hij even met mij onder vier ogen kon praten over zijn progressie zoals ik die zag. Dat vond hij prima. Het was alsof ik toestemming had gekregen om belangrijke informatie prijs te geven.

Ik was Richards bondgenoot. Hij was van mij afhankelijk en keek naar mij voor steun. Bovendien was ik zijn beschermer. Ik had aan zijn zij gestreden; als ik nu opeens 'overliep', zou alle vertrouwen vervliegen. Rick had de ultieme oplossing aangedragen.

Hij wilde informatie over elke ontwikkeling, positief of negatief, en ik kon volledig open kaart spelen. Maar dat ik in een ander kamertje achter de rug van mijn man om zijn toestand zat te bespreken, bezorgde me toch een naar gevoel. Het was bijna alsof ik met een huwelijksadviseur zat te praten. 'Wat mankeert uw man?' kon de eerste vraag zijn geweest. Ik voelde me ontrouw, alsof ik hem in de steek liet, maar ik wist dat het medische team van alle feiten op de hoogte diende te zijn.

Rick herkende onmiddellijk de typische kenmerken in Richard. Hij wilde uit alle macht laten zien hoe helder, hoe goed hij hersteld was, en toch... vroeg je hem in welke stad hij zich bevond, dan was hij meteen in de war. Wat had hij voor het middageten gehad? Wederom, geen herinnering.

Telkens als we zijn geestelijke toestand bespraken, zonk de moed mij in de schoenen. Richard was een intelligente man, maar hij bleef maar in de war. De artsen vergeleken zijn hoofd met een omgevallen archiefkast; alle dossiers lagen verspreid door de kamer; de vloer was bezaaid met briefjes, documenten en aantekeningen. Wij deden ons best hem te helpen alles weer geordend te krijgen, wat een langzaam en lastig proces was. Hij zou gefrustreerd zijn; hij zou boos en wanhopig worden, maar geduld vormde hierbij de sleutel. Geduld en rust. De hersenen zijn niet alleen een stuk gereedschap voor ons denken en beschouwen, voor mentale berekening, zoals we vaak vergeten; ze sturen ook alle minuscule handelingen aan. Zodra je een vinger beweegt of met een teen wiebelt, zijn je hersenen aan het werk. Richards hersenen waren uitgeput, en slaap was de beste therapie. Werk was de gevaarlijkste factor. Als hij zijn hersenen te snel overbelastte, zou hij een terugval krijgen. Dat zou een flinke stap achteruit betekenen, en Rick wond er geen doekjes om – terugkrabbelen zou heel lastig worden.

Het posttraumatische geheugenverlies hielp de verveling te verlichten. Hierdoor werd het leven voor de mensen die voor me zorgden en die me bezochten iets gemakkelijker, en ook compenseerde het de moeilijke omgang met zo'n verwarde persoon iets. Ik kon vrolijk onderuitzakken en wel tien keer dezelfde krant lezen; elke keer dat ik hem oppakte, was ik vergeten dat ik hem even daarvoor al had gelezen, om het nieuws had gezucht, hem had opgevouwen en op mijn nachttafeltje had gelegd. Ook betekende het dat men gemakkelijk aan mijn wensen kon voldoen; zo las ik dat het ziekenhuis voor het middageten *cottage pie* (een gerecht van gehakt met een korstje van aardappelpuree) op de kaart had staan, mijn lievelingskostje, riep ik dan. Wanneer het dan een minuut of tien later werd bezorgd, was ik vergeten dat ik het had besteld en reageerde ik verrukt dat het mijn lievelingsgerecht was en vroeg hoe het personeel dat nu toch kon weten. Zodra de kaart voor het avondeten onder mijn neus kwam, zag ik dat mijn lievelingseten erop stond en begon het hele proces weer van voren af aan. Zo ging het een paar dagen door, waarna Mindy, zo hoorde ik later, het personeel verzocht om tegen mij te zeggen dat het gehakt helaas niet meer op de kaart stond. Toen ze me dit voor de tweede, vijfde en tiende keer vertelden, was ik het natuurlijk vergeten en reageerde ik teleurgesteld maar niet ontroostbaar.

Toen ik eenmaal wist wat posttraumatisch geheugenverlies inhield en dat een patiënt zoals ik tijdelijk met een geheugen kon zitten dat niet verder dan een paar minuten terugging, begreep ik het ook. Maar de verwarring bleef; de onzekerheid, het feit dat ik mijn eigen perceptie van de wereld en mijn gedachten niet eens kon vertrouwen, dat was een beangstigende ervaring. Naarmate mijn bewustzijn stukje bij beetje toenam, werd ik angstiger. Op dit punt in het trage herstelproces wist ik genoeg om te weten dat er iets niet goed zat; dat ik een hersenbeschadiging had opgelopen. Maar ik wist niet hoe ik de schade kon repareren of hoe het me verder zou kunnen aantasten. Ik kon alles wel hebben gedroomd. Wel aanvaardde ik nu tenminste dat ik ziek was, dat ik letsel had opgelopen en dat ik in een ziekenhuis lag om weer beter te kunnen worden. En nog steeds wilde ik heel graag naar huis.

Mijn rol in Bristol verschilde weinig van die in Leeds, hoewel een aantal dingen volgens hetzelfde, inmiddels vertrouwde patroon verliep; ik sliep elke nacht bij Richard en was zoveel mogelijk bij hem, maar we zaten nu dichter bij huis, dichter bij de meiden, en ik moest natuurlijk ook vaker bij hen zijn.

In Bristol hing een meer ontspannen sfeer, de etenstijden waren niet zo strikt, wat Richard in staat stelde een dutje te doen wanneer hij dat wenste. We zorgden ervoor dat hij elke namiddag sliep, zodat ik me naar de meiden thuis kon haasten en weer terug was voordat hij te zeer van streek raakte.

Het was geen groot succes. Vaak werd ik al voordat ik thuis was door het ziekenhuis op mijn mobieltje gebeld. Dan rende ik het huis in om nog een paar rustige en leuke momenten met mijn dochters te hebben, maar de hele tijd knaagde het aan me dat Richard op me wachtte. We kletsten over wat ze die dag hadden beleefd terwijl ze in bad zaten te spetteren; het verhaaltje voor het slapengaan was korter, en het welterusten zeggen werd veel moeilijker. Ze belden hun papa om hem welterusten te wensen, en daarna was ik weer weg. Zodra ik hun kamer had verlaten, rende ik de trap af en in één keer door naar de auto. De sleutel zat altijd nog in het contactslot en er kwam geen tas meer naar binnen, op het wasgoed van Richard na.

Mijn reistijd ging geheel op aan telefoongesprekken. Ik had twee toestellen, wat heel handig was. Er werd altijd wel minstens één mobieltje opgeladen. Ik beluisterde berichten en beantwoordde er zoveel mogelijk. De gesprekken werden geklokt, ook weer om het maximale aantal in te passen. Veel lieve vrienden waren benieuwd hoe het met hem ging, maar uiteraard was mijn eerste telefoontje steevast naar zijn ouders. De angsten die zij hebben uitgestaan, kan ik me niet eens voorstellen, maar hun geduld en steun waren verbazingwekkend. Ik bracht hen op de hoogte van Richards progressie, en zij speelden het nieuws door naar andere familieleden. Mijn moeder was de volgende. Haar troostende woorden overweldigden me; ze gaven me kracht en zorgden ervoor dat ik alles in de juiste verhoudingen bleef zien. Ze bleef altijd positief, altijd liefdevol.

Tijdens de terugreis tankte ik en griste ik een sandwich en wat flessen cola mee. Mijn hoofdvoedsel. Ik was soms wel moe, maar ook vastberaden om door te gaan; bovendien was het wel zo praktisch. Dat, plus het verlangen om weer bij hem te zijn; ongerustheid om de tijd dat ik weg was van hem, en of hij dat wel aankon. Het was alsof ik een kind in een vreemde omgeving en met aardige maar onbekende mensen achterliet. Ik had het gevoel dat hij voortdurend tegen de paniek vocht; zichzelf beheerste, moedig was.

Ik wist nooit zeker wat ik bij terugkeer kon aantreffen. Hij kon bij de deur staan, wachten tot de liftdeuren open gleden, in bed liggen slapen of rustig een legomodel in elkaar zetten.

Het personeel was heel inschikkelijk. Er was altijd wel een tussendoortje geregeld dat Richard en ik 's avonds konden eten. Vaak vergat hij zijn eten als er niemand bij hem was, dus onze gezamenlijke avondmaaltijden waren zowel fijn als noodzakelijk.

Er is een gezicht dat de artsen opzetten wanneer ze op een afdeling als die in Bristol je kamer betreden. Een half voorzichtige en half defensieve gezichtsuitdrukking, en met goede reden. Zodra ze de drempel over kwamen, sprong ik als het ware in de houding en barstte verbaal los om te bewijzen dat ik weer gezond en bij mijn verstand was en mijn vrijheid verdiende.

'Morgen, Richard, hoe gaat het?'

'O, ja, goed, dank u. Veel beter. Wel maak ik me wat ongerust over het weer, er lijkt een klein lagedrukgebiedje onze kant op te komen.'

Ik maakte een weids gebaar naar rechts, met de bedoeling het raam aan te wijzen, dat zich links van mij bevond...

'Of het kan een occlusiefront zijn.' Om het even wat, stukjes informatie en feitjes die ik me van school of de tv herinnerde en die me nu een link naar de buitenwereld verschaften. Ik vond het raam en keek naar de grijze herfstlucht.

'Wist u dat zwanenparen hun hele leven bij elkaar blijven?'

'Nee, Richard. Weet je welke dag het is vandaag?'

'Nee.'

Dat wist ik echt niet. Ik herinnerde me dingen van jaren geleden; willekeurige herinneringen kwamen zeer helder bovendrijven. Soms kon ik mijn ogen dichtdoen en opeens op een plek zijn die ik decennia geleden voor het laatst had bezocht, als de Richard van toen, met dezelfde gedachten en emoties; de illusie was volledig in tijd en context. Maar ik kreeg geen greep op het heden, op wat er om me heen gebeurde. Mijn gevoel van tijd en plaats was ernstig verstoord. Feiten, ideeën, betekenissen ontglipten me en ontkwamen aan mijn pogingen om ze vast te houden. Op den duur was ik eraan gewend dat ik op eenvoudige vragen geen antwoord had, maar in het begin was het doodeng. Ik begreep wel dat het een eenvoudige vraag met een eenvoudig antwoord was. Ik wist dat ik het antwoord wel moest weten, maar ik kon er niet op-komen.

Ik werd me bewust dat er iets mis was met me waardoor ik dingen niet meer wist of begreep. En ik was bang. Ik had een hersenbeschadiging. Dit had invloed op hoe ik over dingen dacht, misschien ook wel op hoe ik over hersenbeschadigingen dacht. En ik wist niet welke dag het was. Of waar ik was. Maar wel waarom: omdat ik hersenletsel had opgelopen en dit de mensen waren die me gingen helpen genezen. De paniek die ik voelde opkomen wanneer ik een vraag, waarvan ik wist dat ik hem moest begrijpen, niet kon beantwoorden zat mijn gedachten in de weg en maakte alles nog erger. Mijn geest sprong wanhopig alle kanten op, inwendig schreeuwde ik het uit omdat ik wist dat dit juist een makkie zou moeten zijn. Het ging net zozeer over mijn falende zelfvertrouwen als over mijn geheugen. Hoewel dat laatste er nog altijd slecht aan toe was.

Nooit zal ik de dagen vergeten dat ik worstelde in wat een klinisch verwarde toestand heette te zijn. Ik wil de herinnering vasthouden aan hoe moeilijk het was om de wereld te doorgronden, om met anderen in wisselwerking te staan, om gedachten te verwerken en mezelf in samenhang met de rest van de wereld te zien. Ik werd er vreselijk egocentrisch door; kinderachtig, als een peuter die niet kan begrijpen dat er een andere wil kan zijn dan de zijne. Mijn wereld draaide om mij, net als die van iedereen om me heen. Ik zal mijn best doen deze herinneringen vers te houden, want de manier waarop ik met anderen omga die, om wat voor reden dan ook, eveneens klinisch verward zijn, zal er voorgoed door veranderen. Het was overigens niet altijd beangstigend; ik was niet voortdurend neerslachtig of ontsteld. Soms was het echt wel leuk om me erop te laten meedrijven, me afvragend wat we voor het middageten zouden krijgen terwijl ik het nog geen vijf minuten geleden had besteld, en of Mindy wel terug zou komen zodat we de andere gasten konden zien op het feest dat volgens mij in volle gang was. Helaas werd het verdriet dat door mijn toestand werd veroorzaakt, gevoeld door de mensen die het dichtst bij me stonden. Ik ben ervan overtuigd dat het veel moeilijker is om iemand van wie je houdt wekenlang in zo'n verwarde toestand te zien dan dat je degene bent die vrolijk informeert waar de bar is op de ziekenafdeling. Maar al deze flitsen van inzicht en bewustzijn kenden ook angstige momenten, en mijn gedachten gaan uit naar al diegenen die net zo getroffen zijn en voor wie de prognose misschien niet zo positief is als die van mij bleek te zijn.

Naarmate mijn geheugen meer greep kreeg op de dingen en mijn geest zich ontspande tot iets wat meer op een normale toestand ging lijken, kreeg een aantal diepe emoties vat op me. Kort na aankomst in Bristol kreeg ik een enorm schuldgevoel. Opeens werd ik me bewust van de zorgen en het leed dat ik Mindy, mijn dochters, mijn broers en, natuurlijk, mijn ouders had berokkend. Het gevoel dat ik iets heel doms had gedaan en veel mensen de schrik van hun leven had bezorgd, sluimerde op de achtergrond van mijn verwarde gedachten.

Ik werd wakker en lag weer in een bed. Maar deze keer wist ik dat ik in het ziekenhuis was, dat ik gewond was. En ik wilde mijn ouders zien. Ik wilde hun uitleggen dat het niet mijn schuld was, dat ik geen fout had gemaakt maar dat er met de auto iets fout was gegaan. Ik wilde zeggen dat het me speet en dat ze zich geen zorgen moesten maken. Het was net als al die keren dat ik als kind van mijn fiets of van het dak van een garage was gevallen en zowel de pijn voelde als het schuldgevoel dat ik ook mijn ouders pijn had gedaan, zij het van een andere soort. Nooit was ik bang dat ze tegen me zouden schreeuwen als ik me weer eens had bezeerd; dat deden ze nooit. Maar diep vanbinnen voelde ik, zoals kinderen dat voelen, dat ze boos zouden zijn. Ik herinner me dat ik een keer de keuken in liep met mijn hand helemaal open nadat ik van mijn broers fiets was gevallen. Ik weet nog dat ik het witte bot en het kraakbeen in mijn vingers zag, het rode opengereten vlees. Maar duidelijker nog dan de pijn herinner ik me mijn moeders gezicht en hoeveel moeite ze moest doen om kalm te blijven en me te helpen op een moment dat ze het waarschijnlijk liever wilde uitschreeuwen dat haar kind zich verwond had.

Dus, hoe zou ze zich dan nu voelen? Dit was veel erger, dat wist ik wel. En ook begreep ik nu beter wat ouders voelen wanneer ze zien dat hun kind gewond is. Ik had zelf kinderen, en dat verandert je voorgoed en daar ontkom je nooit meer aan. Ik lag in dat ziekenhuisbed als jochie van tien, met een kapotte hand die ik omhooghield naar mijn moeder terwijl ik hoopte dat ze niet zou huilen, en ik lag er ook als volwassene, een vader, die nu een veel beter idee had van de pijn die een ouder kan voelen maar zich niet kon voorstellen hoe het moest zijn om zijn eigen kind op de intensive care te hebben, omringd door apparaten die voor hem ademhaalden. Deze gevoelens heb ik tegenover mijn ouders nooit kunnen verwoorden; wanneer ik het probeerde, kwam het altijd verkeerd uit mijn mond. Maar het schuldgevoel drukte zo zwaar op me dat ik dacht dat het me zou pletten. En op mijn donkerste momenten hoopte ik dat dit nog zou gebeuren ook.

Hoe ze het klaarspeelden, weet ik niet, maar mijn vader en moeder hebben me nooit een reden gegeven om aan dat schuldgevoel toe te geven, ze hebben nooit de angst getoond die ze gehad moeten hebben toen een van hun drie zoons vleugellam in een ziekenhuisbed lag. Toch overwonnen hun zorgzaamheid en liefde de pijn, verwarring en angst om het kind in mij, dat tijdelijk de macht weer had overgenomen, te troosten. Ik voelde dat ze van me hielden, en langzaam verdween het gevoel dat ik met mijn stomme actie zoveel problemen had veroorzaakt. Want het bleef natuurlijk een stomme actie. Bij mensen die herstellen van een hoofdletsel zoals dat van mij, maar ook van lichamelijke verwondingen, komt dit schuldgevoel veel voor. Veel later, toen ik langzaam opknapte, zou ik opnieuw worden overvallen door een golf van schuldgevoelens, die deze keer draaiden om de vraag waarom ik zoveel geluk had gehad waar veel anderen dat niet hebben. Dan lag ik wakker, verstijfd door de wetenschap dat ik na een zwaar ongeluk nog in leven was en uiteindelijk weer gezond terwijl iemand die van de trap af valt er veel slechter aan toe kan zijn. Tegen zo'n schuldgevoel is het misschien nog wel lastiger knokken, en ik draag het nog altijd met me mee. Maar toen ik in dat bed in Bristol lag, voelde ik me slechts schuldig vanwege de toestand waar ik mijn ouders, broers en vrouw mee had opgescheept. En ze deden allemaal ongelooflijk hard hun best om me daartegen te beschermen, en daar bedank ik hen voor.

Nu mijn geheugen en zelfvertrouwen terugkeerden, werd de

vraag hoe ik mijn dagen moest vullen dringender. Niet dat ik in bed lag te dromen om weer aan het werk te gaan. Ik wilde niet terug, en het begrip 'werk' kon ik überhaupt niet vatten. Niet op een volwassen manier. Ik wist dat werk iets was wat ik daarbuiten in de echte wereld deed, dat ik volwassen moest zijn, dat ik kinderen en een vrouw had en dat we dankzij mijn werk in een huis konden wonen. Maar wat ik me niet kon voorstellen was dat ik het ook werkelijk dééd, dat ik echt naar mijn werk ging. Ik wilde mijn tijd wel vullen, maar alleen met dingen die ik leuk vond. Voor mij betekende werk bureaus, paperassen en oeverloze saaie gesprekken met mensen in pak over dingen die ik niet begreep. Ik wilde spelen. Ik was teruggevallen totdat ik voelde en dacht als een kind, en ik was er gelukkig mee.

Buiten regende het, en ik keek toe hoe de druppels op het raam van mijn kamer hun kronkelpad trokken. De daken en muren liepen schuin af in het zwakke herfstlicht. Het zonlicht viel door de lage bewolking en weerkaatste van het natte wegdek en de functionele maar saaie gebouwen, waardoor alles in staalgrijze en verblindend witte tinten werd verdeeld. Ik keek naar de rij auto's beneden, naar hun kleuren en vormen, en wilde ertussen lopen. Ik wilde hun metalen rondingen aanraken, de regendruppels op de dikke lak onder mijn hand voelen samensmelten en als compacte bellen uiteen voelen spatten. Ik wilde de buitenwereld betreden en deze voor mezelf ervaren. Ik hunkerde niet naar een exotische of verre wereld; die bestond niet echt voor mij. De wereld was wat ik vanuit mijn raam kon zien.

Bovenal wilde ik naar een winkelcentrum en iets kopen. Ik wilde tussen vertrouwde etalages lopen, de kleurrijke uithangborden zien en weten waar ze voor stonden zonder dat ik ze zelfs hoefde te lezen. Ik wilde de stemmen van andere mensen tegen de grote winkelruiten horen weerkaatsen, maar wilde niet weten wat ze zeiden noch me er iets van aantrekken. Ik wilde de drukte op straat zien en erbij horen, meegesleept worden en er alleen weerstand aan bieden wanneer iets mijn aandacht zou trekken. Ik dacht terug aan trips in mijn jeugd naar Bull Ring, het winkelcentrum in Birmingham. We kochten schoenen of potloden voor het nieuwe schooljaar. We sloegen een hoek om langs kramen en winkeltjes en daalden een trap af. Er was een benedenverdieping en we liepen naar een kraam op de hoek waar ze tassen verkochten. Die hingen aan de zijkanten en het dak van de kraam. Maar het was niets voor mij, deze zagen eruit als handtassen, of tassen waar je dingen van volwassenen in deed. Ik wilde geen tas, maar keek vol bewondering naar hun glimmende buitenkant en schitterende gespen terwijl mijn moeder een praatje maakte met de verkoper.

Bij een andere kraam verderop werd snoep verkocht. Daar wilde ik heen. Opeens stond ik voor een ander stalletje, waar men vlees of vis of kaas verkocht, in elk geval iets in tassen boven een houten toonbank wat door een luid pratende man in het wit werd verkocht. Mijn interesse had het niet en ik dacht aan Batman. Ik luisterde naar de volwassen stemmen die door de hal weergalmden. De lampen waren verblindend en helder, hingen ook nog eens vlak boven je hoofd, en het plafond was ongelijkmatig. Zodra ik weer thuis was, zat ik te denken, zou ik met lego een model van de auto van Batman maken. Ik zou zoveel mogelijk zwarte stenen bij elkaar zoeken, van die grote met wielen eraan zouden wel van pas komen, maar daar zaten wel gaten in waar je de wielen in drukte en dat zou er niet goed uitzien. Kon ik maar iets verzinnen om de kling na te maken die aan de voorkant van de echte Batmobiel zat, om draden mee door te snijden tijdens een achtervolging. Ik vroeg me af of ik het pijpmes van mijn pa kon lenen en dat in het model kon verwerken. Nee, dat ding vastmaken zou niet lukken. Misschien dat ik van dat groene draad kon gebruiken dat pa soms gebruikte om planten te leiden. Maar nee, dat zou er niet goed uitzien. Het zag er nooit uit als je echte dingen met lego mixte. Dat zag er gewoon stom uit. Maar de vinnen, de vinnen waarmee ik deze Batmobiel zou uitrusten, zouden geweldig zijn. Enorm, gestroomlijnd en puntig.

Ma riep mij en mijn broer Andy. Tijd om te gaan. Ik wilde een paar sokken. Met strepen. Andy wilde een bruine aktetas. We moesten gaan. We renden een betonnen helling op langs de winkelramen. In een flits veranderde het tafereel. Nu bevond ik me in Solihull, dichter bij huis. We renden de helling af, zo de grote hal eronder in. Dit was Mel Square, in het stadscentrum, het plein waar de grote fonteinen uit het bassin oprezen en op het ondiepe water neerkletterden. De helling was geplaveid met stenen of ribbels, en we moesten veel kleine stappen zetten. Al rennend neurieden en riepen we, lachend om onze bibberende stemmen. Ook ma vond het grappig. Achter ons reden auto's rondom het plein, en de fonteinen spetterden en sisten in het blauwe bassin waarin de penny's groen en schimmelig uitsloegen. Op de helling lachten en renden en neurieden we met z'n allen, en onze stemmen weergalmden van de stenen en vulden de hal beneden.

Ik keek weg van het raam van mijn ziekenhuiskamer en wilde naar buiten. Ik wilde een reusachtige hal bezoeken waar de vensters naar de hemel reikten, waar geuren hingen en vreemde mensen luid praatten. Ik wilde een winkel binnenlopen en mezelf op iets bijzonders trakteren. Ik wilde een doos lego kopen en genieten van het moment dat de kleine stenen als een veelkleurige waterval uit de ritselende plastic verpakking gleden, klaar om met behulp van het glanzende, bondige instructievel, dat nog moest worden opengevouwen, te worden omgetoverd tot het plaatje op de doos. Dat was het. Ik wilde lego. Ik was ermee opgegroeid; bijna mijn hele jeugd had ik de auto's en fietsen waar ik van droomde en die ik in het echt wilde besturen, nagebouwd. Mijn klungelige, scherpgerande creaties met hun wiebelige daken en vloekende kleuren gingen door de rimboe onder de salontafel of in het donkere, dreigende ravijn tussen pa z'n stoel en de muur op avontuur. Naar die ontsnapping hunkerde ik nu, naar dat vermogen om wereldomvattende fantasieën binnen de muren van een kamertje tot werkelijkheid te maken. Ik wist wel dat ik geen jochie van tien meer was, maar een zesendertigjarige man in een ziekenhuis, maar ook wist ik dat ik ziek was en dingen mocht doen als die me beter deden voelen. Ik wilde spelen.

Achteraf gezien kunnen deze lange momenten van eenzame introspectie op zichzelf natuurlijk een rol hebben gespeeld bij mijn achteruitgang. Als volwassenen hebben we zelden tijd om uit het raam te staren en vragen te stellen over onszelf en ons eigen leven. Ik was teruggevallen naar een fase waarin ik, misschien als jonge tiener, uren kon verdrijven met gemijmer over het leven en mijn plek daarin. Maar misschien vereiste het genezingsproces ook wel dat ik naar het verleden terugkeerde om me te herinneren wie ik was.

Ik hees mezelf uit mijn hurkzit bij het raam overeind en schuifelde terug naar het bed. Met een zucht die het midden hield tussen tevreden ontspanning en weemoedige machteloosheid kroop ik weer onder de vertroostende lakens. Er werd zacht op de deur geklopt, die vervolgens openzwaaide. Dr. John Holloway kwam binnen en zei gedag. Ik herkende hem inmiddels en herinnerde me ook zijn naam. Hij is een lange en zachtaardige man, en ik was blij om zijn vriendelijke, bezorgde gezicht weer te zien en met hem te kletsen, genietend van zijn kalme en ontspannen maar toch gezaghebbende uitstraling. We spraken over hoe ik me voelde. Prima, zei ik. Ik zag dat hij een blik wierp naar de zijkant van het bed. Ik wist waardoor zijn aandacht was getrokken. Hij boog zich voorover om een gebedenboek op te pakken dat mij was toegestuurd door iemand die me geluk had gewenst.

'Lees je dit?' vroeg hij zachtjes.

'Eh... nou, ja, ik werp er weleens een blik in.' Ik wilde laten zien dat ik grote, spirituele gedachten had en net zo'n aardige man was als de dokter. Met andere woorden, ik wilde me weer eens uitsloven.

'Soms lees ik het door.'

'Juist. Mooi.'

Hij probeerde me uit te horen, was ergens naar op zoek. Ik bleef zwijgen. John wachtte rustig af en bladerde het boek door. Nog steeds zei ik geen woord. Er viel niets te zeggen.

'Goed. Het is alleen zo dat we soms alert zijn op plotselinge, tja, opwellingen van enthousiasme op dit vlak.'

'O, ik snap het. Nee, ik heb niet opeens de godsdienst ontdekt, als u dat soms bedoelt.'

'Oké.' Hij bleef kalm maar leek enigszins opgelucht.

We kenden elkaar goed genoeg om te praten over wat ongelukken zoals dat van mij met mensen kunnen doen. Ik genoot van onze gesprekken en vermoed dat John ze benutte om mijn herstel te peilen. Hij legde uit dat plotselinge obsessies of dwangneuroses zich ogenschijnlijk vanuit het niets kunnen voordoen. Mensen kunnen soms opeens al hun geld weggeven, een veeleisende baan opzeggen of zwaar religieus worden. Iemand die de dood in de ogen heeft gekeken, blijkt daarna vaak een religieuze overtuiging te hebben gevonden, wat misschien niet eens verrassend is. Ongetwijfeld een mooi iets, maar voor een geestestoestand zo delicaat als die van mij kon het ook een stuk gecompliceerder uitpakken. Ik verzekerde John dat nee, ik niet opeens God had gevonden. Ik was me altijd al min of meer bewust van Hem geweest en hing wat het onderwerp God en het hiernamaals betreft nog steeds dezelfde non-conformistische en vage overtuigingen aan als vóór het ongeluk. Het was een onderwerp waar ik met alle liefde verder over zou willen praten, maar dit was misschien niet het juiste moment. John leek opgelucht. Hij vroeg hoe ik sliep en ik antwoordde dat ik, zoals altijd, goed en lang sliep.

'Nog gedroomd? Nachtmerries?'

'Nee, helemaal niet.'

En na nog wat geruststellende woorden verliet hij de kamer. Ik viel in een diepe slaap, erop gebrand mijn moed in tenminste dit ene levensaspect te bewijzen.

Mindy arriveerde. Ik kwam tot leven. We spraken over hoe ik me voelde, hoe zij zich voelde, hoe het met de kinderen ging en wat er in de buitenwereld allemaal gebeurde. In deze periode was Mindy begonnen mij uit te leggen dat mijn crash in de media nogal wat opzien had gebaard. Het kwam niet langer in het nieuws, dus tijdens mijn lange uren voor de buis had ik er niets van meegekregen, maar volgens haar was er behoorlijk wat beroering geweest. Ik herinner me niet dat ze me een krant liet zien, en de artsen wilden nog steeds dat ik tegen al te veel prikkels werd beschermd. Het vluchtig bekijken van een paar krantenkoppen over dat ik op het nippertje aan de dood was ontsnapt, kon weleens iets te veel van het goede zijn. Wat mij betrof, was dit nog altijd een privékwestie die alleen mij, mijn familie en de medische staf aanging.

Ik wist dat het team van *Top Gear* me in het ziekenhuis in Leeds was komen opzoeken, maar ik wist er niets meer van. Andy Wilman, James, Jeremy en Brian Klein, de studioregisseur, waren binnen enkele uren na de crash in Leeds gearriveerd. We vormen een hecht team, en het verraste me dan ook niet dat ieder van hen vond dat ze me moesten zien. We hebben vaak gekscherend gezegd dat we op een speelplaats voor volwassenen spelen. We doen allemaal wel net alsof we aan het werk zijn, maar eigenlijk rotzooien we wat met auto's en met tv-camera's zoals we dat vroeger als kinderen al deden. Daarbij had een van ons zich lelijk bezeerd op de speelplaats. De rest wilde zien hoe het met hun vriendje was. Dat zou bij ieder ander van ons precies hetzelfde zijn geweest. Het feit dat ze op bezoek waren geweest, betekende destijds veel voor me, alleen kon ik er in mijn gekneusde en gehavende brein geen bijzonderheden van terugvinden.

De kranten werden uit mijn buurt gehouden, maar wat Mindy wel toestond, was een gestage stroom van duizenden brieven, kaarten en cadeaus van mensen die me beterschap wensten. Postzakken vol werden er bij het ziekenhuis bezorgd. Mindy bracht dagelijks zoveel post als ik aankon en de artsen toestonden totdat we geleidelijk een punt bereikten dat ik me er gelukkig in mijn eentje doorheen kon worstelen. En het gaf me een geweldig gevoel. Ik opende ze niet als een tv-persoonlijkheid, een beroemdheid die zijn fanmail openscheurde en zich wentelde in alle aandacht en bewieroking van mensen die hij nooit had ontmoet. Ik bekeek elke kaart en las elke brief als een doodgewone vent die in een ziekenhuisbed zat en door duizenden aardige vrienden die oprecht leken te menen wat ze zeiden beterschap werd gewenst. Veel brieven kwamen van mensen die eenzelfde soort letsel hadden gehad. Goed, misschien niet onder dezelfde omstandigheden, maar ook zij hadden de strijd moeten aangaan om weer beter te worden en vertelden graag over hun ervaring aan een medepatiënt. Ik las het verhaal van een jonge tiener die na een val van zijn motor hoofdletsel had opgelopen. In zijn brief komt hij over als een jonge rouwdouwer die van het leven en van actie, avontuur en de spanning van competitief rijden met zijn crossmotor houdt. En toch voelde hij zich verplicht me te schrijven over zijn ongeval, te praten over hoezeer het hem had aangegrepen en over hoe moeilijk het was om te herstellen.

Door dit oprecht en openhartig te doen stelde hij zich kwetsbaar op, wat voor een tiener helemaal niet zo gemakkelijk moet zijn geweest. Hij schreef niet naar die vent van *Top Gear* om hem te vertellen hoe snel hij wel niet met zijn motor ging, nee, hij schreef me om te zeggen dat ik niet bang hoefde te zijn dat ik hersenletsel had opgelopen, want hij had hetzelfde meegemaakt en was beter geworden. Dit bood me zoveel troost, daar zijn gewoon geen woorden voor. Zijn briefje en de duizenden andere al even oprechte en attente brieven en kaarten van mensen uit de hele wereld hebben me ongelooflijk geraakt. Elke steunbetuiging droeg bij aan het herstel van mijn stukgeslagen zelfvertrouwen. Mijn hart ging toen en gaat ook nu uit naar al die mensen die zulke steun meer verdienen, maar het niet krijgen. Liggend in bed vloog de tijd voor mij om terwijl ik met een blij gevoel deze brieven langzaam en met aandacht, zoals je dat doet met een brief van een vriend, las.

Geleidelijk aan versmalde mijn wereldje tot het niet meer omvatte dan het kamertje waarin ik lag. Net als een kind kon ik urenlang in hoeken turen en naar dingen kijken, op een manier zoals ik dat tientallen jaren niet had gedaan. Normaal was er nooit tijd om gewoon wat voor me uit te zitten staren. Mindy verscheen weer. Waarschijnlijk was ze alleen maar even de gang op gegaan voor een praatje met de artsen of voor een telefoontje, maar mijn tijdsbesef was, net als bij een hond, beperkt. Wanneer ze niet in de kamer was, was ze er gewoon niet. Of ze nu een paar minuten weg was of uren, dat maakte geen verschil; ik wilde alleen maar dat ze terugkwam. Ditmaal kwam ze binnen met een doos onder haar arm. Hij was groot, felgekleurd, en eerder intuïtief dan door het bekende roodwitte logo te zien wist ik wat het was: een legodoos. Mindy zei dat James May hem voor me had gekocht. Hij en ik houden allebei van techniek en bouwkunde, en zo genieten we van het onderzoeken en bekijken van een F1-motor of gewoon van het aanklooien met een oude motorfiets. Hij had het helemaal bij het rechte eind gehad dat ik met mijn verwarde geest het vooruitzicht van het eenvoudige maar tegelijk ook constructief moeilijke proces van legomodellen bouwen prettig zou vinden. Ik wilde gewoon spelen.

Het was een model van een tractor. Een grote groene. De plastic legostenen vielen net zo lekker uit hun verpakking als in mijn dromen. De instructies waren kleurrijk en, op dat moment voor mij, complex genoeg om mijn volle aandacht op te eisen. Ik kan me slechts voorstellen wat Mindy moet hebben gedacht toen ik me op een project wierp dat op dertig jaar jongere kinderen gericht was. Voor mij kwam de wereld in een helder gekleurde en als een technisch veeleisende uitdaging tot leven. Ik bouwde de tractor. Mensen betraden mijn kamer en gingen weer weg. Verpleegkundigen staken naalden in mijn buik die pijn deden maar me goed zouden doen, zo werd me verzekerd. Artsen kwamen langs en mensen brachten eten. Ik concentreerde me op de taak en ging er helemaal in op, in de ernst van mijn prestatie. Dokter Holloway was het eens dat als ik met lego wilde spelen, ik dat moest doen. Volgens hem zou het omvormen van tweedimensionale instructies tot driedimensionale modellen zelfs weleens een heilzame uitwerking kunnen hebben. Het zou, zo legde hij uit, mijn ruimtelijke bewustzijn en mijn concentratie helpen ontwikkelen of herontdekken. Meer hoefde ik niet te horen. Ik smeekte Mindy om meer lego mee te nemen. Ze zag dat het goed voor me was, zag het enthousiasme van mijn gezicht af stralen en rende naar de winkel.

Richard raakte steeds gefrustreerder over zijn bedlegerigheid. 'Waarom mag ik niet even de benen strekken? Ik moet er echt even uit. Ik wil naar een winkelcentrum en domme dingen kopen, stom spul om wat mee te klooien, gewoon winkelen. Alsjeblieft? Waarom mag ik verdomme niet winkelen?'
Richard háát winkelen. Verafschuwt het. Mijdt het tot elke prijs. Tijdens zijn jaarlijkse winkeluitje voor de kerstcadeaus belt hij me steevast verschillende malen op:
'God, wat moet ik in hemelsnaam voor je kopen? Heb overal gekeken. Ik geef het op.'
Dan, vijf minuten later:
'Geen ontkomen aan. Shit. Welke maat heb je ook alweer?'
Daarna...
'Ik trek het niet meer. Sorry, Mind. Ik hoop dat je het begrijpt. Ik heb iets voor je gekocht, maar ik trek het niet meer. Ik kom naar huis.'
Elk jaar zeg ik, doe het via internet, maar dat is een goedkope uitvlucht. Hij moet lijden, vindt hij.
Dus vanwaar opeens dit onbeheersbare verlangen om te gaan winkelen? Eindelijk weg hier, natuurlijk. Maar we spraken af dat hij me een lijstje zou geven. Ik zou eropuit gaan en ondertussen kon hij wat telefoontjes plegen.
Zijn lijstje vermeldde:

Classic Bike (tijdschrift)
Classic Car (tijdschrift)
Pen en papier om te schrijven.
Lego

Ik reed snel naar Cribbs Causeway, een groot winkelcentrum aan de rand van Bristol. De eerste drie artikelen waren zo gevonden, en voor mezelf kocht ik ook meteen een nummer van *Horse & Hound*. Lego kopen bleek – belachelijk genoeg – een nachtmerrie! Ik marcheerde het complete winkelcentrum door, van winkel naar winkel, maar zonder resultaat. Wanhopig dook ik bij Boots naar binnen. Daar vond ik op de kinderafdeling een paar legomodelletjes die geschikt waren: een boot en een autootje met draadloze besturing. Ik kocht de boot plus twee autootjes, aangezien ik wist dat Richard een bezoekje van een van zijn broers kon verwachten en dit ze misschien wat kon bezighouden.

Om het gebrek aan lego te compenseren, spendeerde ik tien minuten in een snoepwinkel en kocht daar al zijn lievelingssnoep: zoetpoeder, boterbabbelaars, drop en Turks fruit in belachelijke hoeveelheden.

Ik keek voortdurend op mijn horloge en wist dat de tijd veel te snel voorbijvloog. Ik had nog een uur om terug te rijden, hem op zijn gemak te stellen en op huis aan te gaan.

Het rustig slenterende winkelpubliek keek verbijsterd toe terwijl ik als een wervelwind van hot naar her schoot, de trap af en hup, naar mijn auto. Ik zweette en zag eruit als een verfomfaaide, licht hysterische tante. Ik schold op het trage verkeer, maar eenmaal verlost uit de drukte schoot ik lekker op. Uiteindelijk had ik nog tijd om samen met Richard redelijk ontspannen van een kop thee te genieten terwijl we de inkopen bekeken, voordat ik wederom de terugreis naar Gloucestershire aanvaardde.

Al na een paar dagen was mijn kamer totaal veranderd in een zee van veelkleurige legoverpakkingen en stroopte ik de mouwen op om mijn nieuwe taak ter hand te nemen. Het leek hier wel een speelgoedzaak. Of beter nog, een testafdeling van de legofabriek uit mijn kinderfantasie. Met mij als hoofdtester. Mindy kwam nog even langs. Met een glimlach stapte ze de chaos binnen terwijl ik zittend op de grond, waar ik net bezig was een schip te bouwen, naar haar omhoogkeek. Ze had de kinderen bij zich. Ik glimlachte en zei hallo. Ze kwamen dichterbij en zeiden hallo terug. Mijn hart maakte even een vreugdesprongetje. Ik vroeg of ze zin hadden om mee te spelen. Ze zeiden van ja en knielden naast me neer.

Ik zou het stom kunnen hebben gevonden om hun te vragen mee te doen met iets waar ik mezelf al de hele ochtend met plezier in had verloren, maar dat was niet zo. Met Izzy en Willow om me heen vond ik mijn oude plek terug. Ik was hun vader, maar lag in het ziekenhuis omdat ik hoofdletsel had opgelopen en ik mocht hen niet verdrietig maken. Ik hield meer van hen dan van wie dan ook, maar ik kon niet met hen terug naar huis.

We speelden en kletsten, en mijn herinnering aan dit samenzijn verdween na afloop alweer net zo snel, want alleen zo kon ik het ellendige feit verdringen dat ik weliswaar in hun wereldje verkeerde maar er tijdelijk ook buiten stond. Hoelang we bezig waren, weet ik niet, maar opeens stond Mindy op van het bed met de mededeling dat ze moesten gaan. Ik drukte de meisjes stevig tegen me aan. Zo hielden we elkaar nog even vast. Ik liep met hen mee tot de deur, en vervolgens spontaan de gang op. Ik stond nog altijd wankel op mijn benen, maar camoufleerde het verbeten. Met ons viertjes liepen we naar de lift. Mindy drukte op de knop, en de lift kwam veel te snel. De meisjes en hun moeder stapten naar binnen. Terwijl de deuren zich sloten glimlachte ik naar hen, badend in het schijnsel van het gedempte licht. Ze vormden een warm portret, ingelijst door de metalen deuropening met mij als toeschouwer onder het harde tl-licht van de ziekenhuisgang. Ze glimlachten terug.

Toen de deuren langzaam dichtgleden, wendde Izzy haar gezichtje af en keek op naar Mindy. Haar glimlach verbleekte, en haar ogen vulden zich met tranen. Die had ze al die tijd dapper weten te verdringen, maar ze hield het niet langer vol. Ze keek omhoog naar Mindy, zoekend naar steun, maar haar weerstand begaf het en de tranen vloeiden. Een meisje van zes dat haar papa vreselijk miste. Bang en bezorgd. Ik keek Mindy aan. De deuren sloten zich met een zachte klik en gumden zo het tableau uit. Nog even staarde ik naar de dichte deuren waarachter zo-even mijn gezin had gestaan. Ik liep terug naar mijn kamer, en ook ik huilde nu. Het gevoel van de ziekenhuisvloer onder mijn blote voeten terwijl ik het kleine eindje terugslofte, benadrukte mijn machteloosheid nog eens.

Al meteen toen de liftdeuren dichtgleden, viel Izzy snikkend tegen me aan. Ik hurkte om haar te troosten, prees haar dapperheid en stond compleet verbijsterd. Ze wist precies hoe ze haar vader moest helpen, putte uit alle kracht die ze uit haar kleine lichaampje kon opdiepen. Voor hem. Alleen maar voor hem. Als meisje van zes was ze een heel stuk wijzer en meelevender dan veel volwassenen ooit zouden kunnen opbrengen. Zelfs zonder enige aanmoediging wist ze zich te beheersen, want toen we een paar minuten later de achteruitgang bereikten, zwaaide ze naar de ramen van de hoge verdieping, wetend dat haar papa haar zou zien. Hij zwaaide terug toen we naar de auto liepen, en ze moedigde haar zusje aan om ook te zwaaien. Met onze betraande gezichten – behalve Willow, want die zag het niet – volgden Ela en ik in hun kielzog.

'O, Izzy, goed gedaan, zeg!' beloonde ik haar toen we in de auto zaten.

Ze knikte slechts, glimlachte vanaf de achterbank en reikte me met een duim in haar mond haar andere handje terwijl de tranen over haar wangen biggelden.

'Gaat het, Izzy?' vroeg Willow.

Izzy knikte naar haar zusje, en we reden weg. Op naar huis. Samen, maar zonder papa. Voor Izzy was het vreselijk, maar op de een of andere manier begreep ze het. Zo zou het zijn, voor een tijdje, althans. Maar, zoals ik haar er voortdurend aan herinnerde: 'Hij wordt weer beter, Iz. Dat beloof ik.'

Dan knikte ze en huilde ze weer, en drukte ze zich tegen me aan.

Maar ze komt uit een taai nest, deze kleine meid, grootgebracht op een dieet van liefde en oprechtheid. Ze geloofde mij, en in haar vader. Willow werd haar verantwoordelijkheid en ik denk dat ze zich vooral sterk hield voor haar kleine zus, die het allemaal niet begreep. Op een dag zal Izzy beseffen wat ze allemaal heeft doorgemaakt, zal ze perplex staan over haar eigen ontdekkingsreis en misschien beseffen hoe ze de persoon is geworden die ze dan is. Ik weet slechts dit: een meisje dat uit eigen wil meer wenst te zijn dan alleen maar een dochter – als er al iets mooiers te bedenken valt – en in de woorden van haar vader zijn 'maatje' wordt. Ze was begripvol en sterk, lief en grappig, volwassen en kinderlijk, maar vooral helemaal onze eigen Izzy.

Het was heerlijk om weer met onze dochtertjes thuis te zijn. Toen we het erf op reden, hoorden we de honden in de keuken al opgetogen blaffen. Het was een geluid waarvan ik nu pas besefte hoe ik het had gemist. Eindelijk weer thuis.

Pat, onze buurvrouw, was zo aardig geweest om voor de pony van de meisjes te zorgen en bracht haar vanuit de onberispelijke stal naar het veldje. Pat behoort tot die zeldzame prachtmensen die meteen voor je klaarstaan, daar niets voor terugverlangen en toch al hun kostbare tijd voor je over hebben. Zelfs met haar eigen drie paarden om te verzorgen, had ze onze kleine pony tot haar prioriteit gemaakt. We maakten een praatje. Ze vroeg expres niet hoe het met Richard was om me niet van streek te maken, en stelde me al meteen gerust over hoe het met de pony ging. Zolang we haar nodig hadden zou ze voor ons klaarstaan. Pat is recht door zee, iemand die gewoon de handen uit de mouwen steekt en precies dat doet wat nodig is. Ik bedankte haar en gaf haar een stevige knuffel en nam afscheid.

Ela en de meisjes openden de voordeur, waarna we meteen de honden uit de keuken bevrijdden. Ik werd omringd door springende, blaffende, kwispelende euforie. TG nam mijn hand in haar bek, Captain sprong tegen me op, Pablo blafte en Crusoe strekte zich naar voren en jankte. Alle vier streden ze om het hardst om me te verwelkomen. Willow en Izzy lachten en giechelden.

'Volgens mij hebben ze je gemist, Mindy!' zei Ela met een glimlach.

Samen met de meisjes rende ik naar buiten met ze en keken we toe terwijl ze over de heuvel naast ons huis dolden en renden; blaffend, hollend, blij om weer vrij te zijn. Daarna liepen we naar Hattie, onze reusachtige buitenhond. Kwijlend en kuchend ging ze op haar rug liggen om over haar buik gekrabd te worden. 'Oo! Hattie Pudding!' riep Willow en ze aaide haar zacht over de borst terwijl Hattie in pure extase haar lippen likte. Hattie is een waakhond, en de afgelopen week had ze heel wat afgeblaft naar de vele vreemden voor het hek, waardoor ze nu schor was. Haar volle, diepe geblaf klonk nu wat hees en pieperig. Ze was minstens driemaal zo groot als Willow, maar met de kinderen was ze zo mak als een lammetje. Dit waren haar eigen kindertjes en ze nam haar taak als beschermer heel serieus op. Toen Izzy en Willow naar Bristol vertrokken, was ze, verlangend naar het weerzien, naar het scheen stil en onverschillig geworden, en tuurde ze met haar voorpoten op het hek van de ingang in de verte, wachtend op een auto.

We liepen weer naar binnen, en Ela bereidde snel een maaltijd voor de meisjes. Ondertussen stoof ik naar boven om wat kleren voor Richard mee te grissen. De meiden waren druk aan het spelen in de speelkamer, en dus had ik nog even tijd voor een babbel met Ela toen Izzy opeens binnenkwam. Ze had de koffer in de gang zien staan en haar gezichtje stond beteuterd.

'O, mammie, moet je alwéér weg?' Ze sloeg haar armpjes om mijn been.

Ik keek even naar Ela en vocht tegen mijn tranen. Ela trok het niet en wendde haar gezicht af. Ze was als een grote zus. Ze hield van hen en leefde helemaal met hen mee.

Ik bukte, tilde Izzy op en droeg haar naar de gang, waar Willow ons hopelijk niet zou vinden. Ik zette haar neer op de trap en ging naast haar zitten. We hadden een van onze 'grotemensengesprekjes'. Richard deed dat vaak met haar. We praatten over papa, over hoe ze zich voelde, en waarom ik juist nu bij hem moest zijn. Een tijdje maar, totdat hij weer beter was.

'Ik mis papa,' zei ze snikkend, maar ze begreep het. Zo bleven we nog even zitten.

'Papa mist jou ook, schat. Hij mist alles, maar we gaan hem helpen om weer beter te worden, toch?'

Ze knikte, haalde een mouw over haar gezichtje, en haar neus. 'Bèèh! Snottebel!' riep ik lachend. Ze giechelde, en we gaven elkaar een knuffel.

'Ik hou van je, mammie.'

Ik hield haar stevig vast, want ik was mijn tranen niet meer de baas. Ze merkte het niet, of deed net alsof.

We voegden ons bij Ela en Willow aan de tafel voor het avondeten. Maar voordat we klaar waren, belde het ziekenhuis. Richard maakte zich zorgen. Mijn tijd thuis zat er alweer bijna op.

Ik denk dat veel mensen net als ik niet echt graag in een instelling vertoeven. Maar hier, in Bristol, droegen de regelmaat, de voortdurende aanwezigheid van opgeleid personeel dat het beste met me voor had, het gevoel dat ik me hier op de juiste plek bevond en ik op een goede manier aan mijn herstel werkte, een beetje bij aan het verzachten van de angst en de verwarring. Ik stelde me in op het nieuwe levensritme en werd, wellicht voor het eerst van mijn leven, 'opgenomen'. En ik begon me blijer te voelen. 's Ochtends werd ik als vanzelf wakker, kletste met de verpleegkundigen en dokters die zich over me ontfermden, at een ontbijtje en speelde met mijn lego. Rond het middaguur werd de lunch gebracht. Daarna sliep ik een paar uur, werd weer wakker, ging verder met mijn lego en vroeg me af wat we bij de maaltijd zouden krijgen.

In zekere zin was de transformatie compleet: ik was weer tien, en vond dat best fijn. Maar ik begon mijn twee broers te missen op een manier zoals ik dat in geen jaren meer had ervaren. Omdat ik de twee als speelkameraadjes miste, wilde ik hen bij me hebben, in kleermakerszit op de grond, met de benen gekruist terwijl we probeerden te verzinnen wat we nu weer eens gingen bouwen, of ons afvroegen wat er die middag op tv kwam. Zelf zijn ze ook getrouwd, met kinderen, een baan om hun gezin te kunnen onderhouden, en een complex maar mooi volwassen leven. Maar ik miste hen als de broertjes met wie ik opgroeide, die mijn jeugd deelden. Ik was weer een jongetje, en ik vroeg me af waar mijn twee beste maatjes waren.

Later, toen ik er met hen over praatte, kwam ik erachter dat zij iets soortgelijks hadden gevoeld. Wat er verder met ons drieën mag gebeuren, iets van die drie kleine musketiertjes die met hun fietsje om de 'driehoek' crosten, hutten bouwden op 'het veldje' achter ons huis en met speelgoedautootjes in 'de sloot' speelden, zullen we altijd met ons mee blijven dragen. Maar nu had een van ons een vervelend ongeluk gehad. De voorgaande weken waren ze me natuurlijk al vaak in het ziekenhuis komen opzoeken. Al een paar uur na mijn aankomst in Leeds waren ze er. Maar ik klampte me vast aan de herinneringen van die eerste bezoekjes. Terwijl mijn herstel vorderde, troffen ze me soms verward en verbijsterd aan. Ik moet me waarschijnlijk hebben afgevraagd wie die twee volwassen kerels waren en waar mijn beide broers in hemelsnaam uithingen.

Maar het waren kinderlijke gedachten die, hoewel indringend, alweer net zo snel verdwenen als dat ze me hadden overvallen. Blijmoedig hield ik mezelf in deze geordende, rechttoe rechtaandagen bezig. De artsen verschenen regelmatig aan mijn bed, en ik genoot van onze gesprekjes. Ik was al een dikke dag bezig met een legomodel van een grote Batmobiel die Mindy voor me had gekocht. Wie kende Batman en zijn bolide nu niet? En dus was het voor mij iets bekends waarop ik me met hart en ziel kon storten. Ik was genoeg bij de pinken om te beseffen dat ook Batman zich had ontwikkeld, dat deze auto veel geavanceerder was dan de modellen die ik vroeger had gemaakt. Maar de stijl, de uitstraling, waren onveranderd gebleven.

Er werd geklopt en dr. Holloway kwam zachtjes binnengelopen. Hij vroeg hoe het ermee ging en ik verzekerde hem dat alles kits was. Hij vroeg hoe de Batmobiel ervoor stond. Ik begon uit te leggen dat het soms niet meeviel en dat je de instructies goed moest lezen. Ik veronderstelde dat ook hij er eentje aan het bouwen was, gezien zijn vraag, en dat ook hij wat moeite had. Ik wist zeker dat hij zijn voordeel kon doen met mijn jarenlange modelbouwervaring en gaf mijn kennis dan ook graag door aan hem. Pas nadat ik een paar minuten lang geduldig en gedetailleerd had uitgeweid over de constructie van mijn legomodel drong het tot me door dat hij me alleen maar terwille wilde zijn, en voor het eerst sinds een tijdje geneerde ik me. Wat waarschijnlijk een goed teken was.

Op een gegeven moment bevroedde iemand dat ik behoefte aan beweging had. Normaliter jog ik elke dag, wat niet alleen lichamelijk maar ook mentaal goed voor me is. Misschien dat ik in mijn kleine kamertje vol lego neigingen tot inkakken vertoonde. Gegeven het feit dat ik, afgezien van mijn hoofd, nauwelijks lichamelijk letsel had opgelopen, verkeerde ik nog altijd in redelijk goede conditie. Maar ik was wel flink vermagerd, daar ontkom je nu eenmaal niet aan als je een week of twee enkel sondevoeding krijgt.

Op de vraag of ik zin had om in de sportzaal van het ziekenhuis wat te gaan fitnessen, sprong ik als een tienjarig ventje opgewonden op en neer. Mindy bracht me mijn joggingkleren. Toen de grote dag eindelijk daar was, verscheen een fysiotherapeut en liepen we samen door de smalle gangen en de trappen af naar een volgende verdieping. Het was net alsof ik jaren niet zo ver van huis was geweest en gretig zoog ik de nieuwe, vreemde omgeving in me op: een brandblusapparaat, een zeepdispenser, een gele prullenbak doken onverwacht op uit hoeken en gaten en prikkelden mijn zintuigen. Ik keek door de ramen en zag allerlei dingen die me tegelijkertijd nieuwsgierig en bang maakten. We kwamen bij een deur en liepen een zaaltje in.

Daar stonden een paar oefenapparaten en er lagen enkele lichtgroene gymnastiekmatten op de grond. Ik moest wat yogabewegingen doen. We stretchten, kletsten een beetje, en stretchten weer. De fysiotherapeut was heel vriendelijk, en ik sloofde me flink uit. Maar zo goed in yoga was ik niet. Daarna vroeg ze of ik het roeiapparaat wilde proberen. Wat dacht je! Voortvarend ging ik aan de slag. Na vier minuten aan de riemen te hebben getrokken was ik bekaf. Het duurt echt niet lang voordat de conditie die je hebt opgebouwd alweer door het afvoergat is verdwenen. Bij mij was dat al vanaf het moment dat ik in een ziekenhuisbed belandde. Maar het was heerlijk om weer lichamelijk bezig te zijn. En het was eerder een mentale weldaad dan een fysieke.

Eindelijk kon ik weer eens de handen uit de mouwen steken, me ergens op storten, mezelf afmatten. Het draaide zowel om het besef dat de artsen vonden dat ik genoeg hersteld was om me een beetje in het zweet te mogen werken, als om het fitnessen zelf. Telkens als mijn plastic zitje op de rails halverwege was, gaf het apparaat een luide piep. De dagen daarna vroeg ik me af of mijn fanatieke geroei en het vergezellende gepiep de patiënten boven me uit hun slaap hielden. Ik hoopte maar van niet. Het gaf me een vervelend gevoel, maar toch roeide ik door en schroefde ik langzaam mijn uithoudingsvermogen op. Mindy wist hoeveel ik van deze bescheiden oefening zou profiteren en deed er alles aan om me aan te moedigen, luisterde geduldig als ik haar trots en buiten adem vertelde dat ik al aan de zeven minuten zat en nu ook op de loopband mocht.

Ik droomde ervan om buiten, in de echte wereld, op eigen houtje te kunnen rennen; droomde dat ik over lommerrijke paden jogde die bedekt waren met grote gele bladeren; over hekjes klom om daarna door weidse, modderige velden te rennen, onder een echte hemel met echt weer, zonder dat er ook maar een vuiltje aan de lucht was. En hier, in een onopvallend zaaltje ergens in een ziekenhuis in Bristol, rende ik verder, met de ogen dicht en mijn jogging-schoenen klepperend op de loopband terwijl ik in mijn fantasie de goudkleurige herfstbladeren onder mijn voeten hoorde kraken en ik de natuurlijke, dynamische geuren van de echte wereld inademde.

Ik ging verkassen. Het was bediscussieerd en akkoord bevonden: ik mocht weg uit het ziekenhuis. Maar niet naar huis. Inmiddels was me uitgelegd dat ons huis door de media was omsingeld en dat de artsen zich zorgen maakten over hoe ik daarop zou reageren. Dr. Holloway legde uit dat alles wat ik zag, wat mijn aandacht ving of om me heen gebeurde als een episode, een gebeurtenis, een prikkel moest worden beschouwd. Vanwege de nog altijd fragiele toestand van mijn hersenen, en omdat je bij hersenletsel nu eenmaal niet afdoende kunt testen hoe de zaak ervoor staat, moesten we voorzichtig zijn. Even een peilstok in mijn hoofd duwen om te zien of er soms convulsies of complicaties op de loer lagen, was onmogelijk. Maar, men beschikte over statistieken.

Talloze ziektegevallen en hersteltrajecten worden onderzocht en bijgehouden, zowel ten behoeve van de onderzochte persoon als patiënten in de toekomst. Het is triest dat er zoveel gevallen van herenletsel moeten worden geboekstaafd, maar de statistieken kunnen problemen van nu in de toekomst voorkomen. In mijn geval vertelden ze de dokters dat bij ernstig hersenletsel overstimulering in deze fase een risico vormde. Ik was in geen weken buiten geweest, had de wind niet door mijn haren gevoeld, had enkel in een veilige omgeving vertoefd. De veiligheid en waarborg van een ziekenhuis achter me laten zou al heftig genoeg zijn, maar thuiskomen en geconfronteerd worden met een horde nieuwsgierige journalisten, tv-camera's en flitslampen, kon weleens tot ernstige problemen leiden. Tegelijkertijd onderkende dr. Holloway dat ik hevig naar mijn vertrek en het hernieuwde contact met de buitenwereld verlangde.

Er was nog veel wat ik niet aankon, maar het was net zo hard nodig om mijn snelle herstel te kunnen voortzetten. En dus werd er een plan bekokstoofd. We zouden ongemerkt naar een anonieme plek verkassen, een gegarandeerd veilige plek waar we over privacy konden beschikken en vanwaar ik behoedzaam de wereld uiteindelijk weer tegemoet kon treden. Mindy had die plek gevonden. Over een paar dagen was het zover.

Ik haatte het stiekeme gedoe.

Niemand mocht weten waar we heen gingen, zelfs onze vrienden niet. Want als het uitlekte, zouden we ons weer in het ziekenhuis moeten verschuilen, en zouden we geheid een zondebok zoeken, waar ik niet aan moest denken. We wilden niemand met een geheim opzadelen dat anders toch wel zou uitlekken. Zolang je niet wist waar we zaten, hoefde je het je immers niet aan te rekenen als het toch bekend werd.

Mijn instructies waren dat ik aan de vooravond van de Grote Ontsnapping gewoon zou gaan slapen en de volgende ochtend vroeg zou worden gewekt. Ik moest mijn tas met daarin de paar dingen die ik nodig had alvast klaar hebben staan. Vanaf dat moment pakte ik elke dag mijn tas in, en nog eens, om mezelf er maar van te overtuigen dat ik gereed was.

14
Op kousenvoeten naar Schotland

Naarmate de dagen verstreken, werd Richards medicatie minder zwaar. Zijn evenwichtsgevoel werd steeds beter. Inmiddels kon hij door een gang lopen zonder zo nu en dan tegen de muur te botsen. Hij lag minder vaak op bed en kreeg nu tweemaal per dag fysiotherapie. In het begin hield hij het niet langer dan hooguit tien minuten vol, waarna hij doodop was. Dit deprimeerde hem. Richard was echt een hardloper. Dat deed hij bijna dagelijks en kilometers ver. Maar nu kon zijn lichaam de energie niet meer opbrengen. De fysiotherapeuten concentreerden zich op pilatesoefeningen en aerobics, gecombineerd met ontspanningstechnieken. Ze waren een geweldig team dat erop gericht was om hem met kleine stapjes op krachten te laten komen.

De massages verlichtten zijn stijve rug en schouders, en er werd een tijdschema opgesteld om zijn algemene vooruitgang te volgen.

Toen er eenmaal meer sessies volgden en hij zijn basisconditie weer ontwikkelde, voelde hij zich niet alleen lichamelijk, maar ook mentaal sterker en positiever. Hij kon altijd lyrisch vertellen over de endorfinen die vrijkwamen als hij aan lichaamsbeweging deed en die hem zo'n lekker gevoel gaven. Als hij zich down voelde, moedigde ik hem altijd aan even naar de sportschool te gaan of een stukje te gaan hardlopen. Altijd kwam hij weer vrolijk en helemaal opgeladen terug. Ik zag wel dat het lekkere gevoel nog niet terug was, maar wel dat zijn lichaam eindelijk weer een beetje ging presteren.

Omdat hij zich nu vrijer kon bewegen, waren de vervelende dagelijkse injecties verleden tijd. De maaginjecties om klonteringen tegen te gaan hadden een ketting van pijnlijke blauwe plekken veroorzaakt. Bij elke nieuwe injectie vertrok zijn gezicht weer van de pijn. We zouden ze bepaald niet gaan missen.

De gesprekken met Rick Nelson hadden Richards 'toegenomen inzicht' omtrent zijn toestand aangetoond. Het feit dat hij zijn situatie nu beter doorgrondde, over wat hem was overkomen en hoe hij herstelde, was erg positief.

Hij werd voorgesteld aan dr. John Holloway, medisch directeur van het neurologisch revalidatiecentrum in Frenchay. Hij was een specialist in de neuropsychiatrie en zou de leiding over Richards hersteltraject overnemen.

John was zeer overwogen. Voordat een zin over zijn lippen rolde, was daar eerst de afweging, de inwendige formulering: hoe moet ik het zeggen? Hoe zal het overkomen? Hij had iets begripvols en meelevends, maar wanneer hij met Richard sprak, was dat nooit neerbuigend, maar altijd in het besef dat Richards intelligentie tijdelijk even op slot zat. Hij was een expert.

Richard mocht hem meteen en kapte al snel met zijn toneelstukjes. John was erg bedreven in het subtiel ter zake komen en zo de echte problemen ter sprake te brengen. Zijn integriteit was een stimulans. Hij vertelde Richard genoeg om hem van de ernst van zijn letsel te doordringen zonder daarbij paniek te zaaien, precies genoeg zodat zijn adviezen serieus werden genomen. Ik luisterde en volgde de gesprekken met een enorm opgelucht gevoel. Richard luisterde, liet zich door hem leiden.

Zo zou John ons maandenlang bijstaan. Hij stond dag en nacht voor ons klaar en werd een onmisbare baken tijdens de moeilijkste fasen van het herstel.

Telkens als ik even wegging of terugkwam, werd ik bij de ingang opgewacht door een plukje reporters. Ze drongen zich niet op en probeerden ook niet om binnen te komen. Ook de fotografen waren niet opdringerig, maar wachtten totdat Richard misschien zijn neus zou laten zien.

Toch maakte ik me een beetje zorgen. We wisten niet goed wat we met al die media-aandacht aan moesten. Ik moest Richard tevreden houden, ervoor zorgen dat thuis alles goed liep, zijn collega's, vrienden en familie op de hoogte houden en overleggen met het medisch team, en had dus geen tijd om ervoor te zorgen dat ook de media goed geïnformeerd bleven. Dat laatste baarde me zorgen. Richards agent was al door verscheidene bladen benaderd die maar wat geïnteresseerd waren in zijn verhaal en ik had geen idee wat ik moest doen. Gelukkig werd ik voorgesteld aan iemand die dat wél wist.

Gary Farrow, een zeer gerenommeerd pr-man, werd een belangrijke pion in ons leven. Meer nog dan we ooit voor mogelijk hadden gehouden. Aanvankelijk zou hij zich om de media ontfermen, maar naarmate Richards conditie verbeterde, veranderde zijn rol totaal.

Ondertussen werd Richard steeds duffer. De artsen hadden hem naar een andere kamer in het ziekenhuis overgeplaatst om hem wat te kalmeren, maar het pakte niet goed uit. Hij wilde hier weg en raakte geïrriteerd.

John Holloway en Rick Nelson kwamen bijeen om, afgaand op hun eigen bevindingen, Richards herstel te bespreken. Het uitgangspunt was helder: Richard bevond zich nu in een fase waarbij een nog langer verblijf in een ziekenhuis contraproductief zou zijn. De vraag was nu hoe hij uit het ziekenhuis kon worden ontslagen zonder dat de pers in groten getale zou opduiken. Het geflits van een kudde fotografen kon gemakkelijk een epileptische aanval of een hartaanval veroorzaken. En zodra bekend werd dat hij weer thuis was, zou ook ons gezin middelpunt van alle aandacht worden.

Ons huis lag aan een landweg. De pers kon letterlijk, leunend over het hek, zo naar binnen kijken.

De twee artsen maakten zich zorgen dat hij na zijn ontslag, in plaats van zich vrij te voelen, een gevangene in zijn eigen huis zou zijn. Ze opperden dat ik hem een tijdje ergens naartoe kon brengen. De vraag was alleen: waar naartoe, en hoe?

Ik belde Gary en we bespraken het probleem. Op een gegeven moment stelde hij voor om een tijdelijke, zes meter hoge muur om het huis te laten bouwen, maar dat zou wel een heel somber weerzien met thuis worden.

De artsen wilden het liefst dat hij naar een rustige plek ging waar hij zich kon ontspannen. Hun enige voorwaarde was dat hij daarvoor niet uren in een vliegtuig hoefde te zitten. Gary en ik overwogen om naar Ierland te gaan, maar dat was te lastig. Het Lake District? Te druk. Daar zou hij nergens de privacy hebben die hij nodig had. Opeens hadden we het: Schotland. Een cottage in de Hooglanden.

Perfect! Maar omzichtigheid was geboden. Niemand, zelfs Richard niet, mocht van het plan afweten. De media hoefden maar iets te horen en we konden het vergeten. Ze zouden weten dat hij het ziekenhuis zou verlaten en daarna zou hij zich nergens meer kunnen verbergen.

Gary regelde een team van uitstekend getrainde ex-special forces militairen die voor ons in actie zouden komen. Het waren prima kerels en professioneel tot op het bot. Met hen ging het lukken, dat wist ik gewoon.

Operatie Joystick ging van start. Het scenario was als volgt:

Een operatie in meerdere fasen met als doel voor desbetreffende persoon en zijn gezin een zeven dagen lange rustperiode te realiseren zonder dat de media de plannen en de gekozen locatie weten te achterhalen.

Het aantal betrokkenen wordt zo klein mogelijk gehouden en daarmee ook het risico om door derden te worden waargenomen. We willen het gezin en desbetreffende persoon afzonderlijk naar een rendez-vouspunt brengen vanwaar ze met een grote camper naar de eindbestemming worden gebracht.

Eén persoon dient alvast vooruit te vliegen, ter plaatse een auto te huren om de locatie te verkennen en als vervoer te fungeren in ge-

val de camper de eindbestemming niet op eigen kracht kan berei-
ken.

Er dient voortdurend radiocontact te worden onderhouden.

Het viel bepaald niet mee om alles geheim te houden voor Richard, maar hij was zo snel opgewonden, hij hoefde maar iets te merken of hij zou het meteen rondbazuinen.

Op vrijdagavond moest ik thuis zijn. Ela ging bij ons weg. Ze was al twee weken langer gebleven om het huishouden draaiende te houden, maar moest terug naar de universiteit in Polen.

Richard begreep dat ik naar huis moest om afscheid van haar te nemen en zelf weer bij onze kinderen te zijn. Maar ik zat met een probleem. Hij verwachtte dat ik die zaterdag met de meisjes op bezoek zou komen, wat onmogelijk was omdat het team langs zou komen voor de laatste details omtrent ons vertrek op zondag. Dus, tegen alle adviezen in, vertelde ik hem dat we maandagochtend in alle vroegte het ziekenhuis gingen verlaten. Ik liet hem beloven dat hij zijn mond zou houden, en legde uit waarom. Hij was opgetogen, maar begreep het.

Ik belde zijn moeder en liet haar weten dat we 'er eventjes uit' moesten. Ik verzocht haar om een mobiele telefoon met beltegoed te kopen en mij het nummer te geven. Ik zou hetzelfde doen. Met deze 'geheime' mobieltjes konden we contact met elkaar opnemen zonder dat verkeerde personen iets konden oppikken of ons konden afluisteren. En als er een tsjirpte, zouden we precies weten wie er aan de lijn hing.

Richards broer Andy zou hem die zondagmiddag komen bezoeken. Richards heldere momenten in het ziekenhuis van Leeds waren helaas aan de arme Andy voorbijgegaan. Als leraar moest hij weer voor de klas staan en hij vond het verschrikkelijk dat hij nog geen normaal gesprekje met zijn broer had kunnen voeren. Hoewel hij goed op de hoogte was gehouden, wilde hij hem natuurlijk het liefst zelf zien. Hopelijk zou zijn bezoek Richards gedachten van de aanstaande gebeurtenissen kunnen afleiden en voor een aangename middag kunnen zorgen.

Zaterdag

De twee mannen die de leiding over de operatie hadden, kwamen naar ons huis in Gloucestershire. Ze werden op de voet gevolgd door een paar voertuigen met daarin enkele teamleden die de omgeving van ons huis zouden uitkammen. Een stel fotografen hadden in volledige camouflagekleding in de bossen hun kamp opgeslagen en hun telelenzen in gereedheid gebracht, klaar om elke interessante beweging vast te leggen. Je kon je hier overal verbergen, en de mannen van ons team wilden, met het oog op de komende zondag, weten waar ze zaten.

Ze belden me dat ze eraan kwamen en bij de deur begroette ik hen alsof ze oude vrienden waren, zoals afgesproken. In de keuken kletsten we gezellig wat en onder het genot van een kopje thee bespraken we de bijzonderheden van het plan.

Zondag

Die middag arriveerde de dochter van een van de teamleden. Ze was ongeveer achttien jaar en kwam om onze dochtertjes een beetje te leren kennen. De komende avond zou ze een cruciale rol spelen. Urenlang vermaakte ze zich met hen en bij het afscheid beloofde ze dat ze snel weer zou komen.

Ik ging bij onze dierenwinkel langs en sloeg voor een week aan honden-, katten- en paardenvoer in; schreef briefjes naar onze buren die op het huis zouden passen, en begon in de slaapkamer de bagage in orde te maken terwijl de meisjes in de tuin speelden.

Ik belde regelmatig met Richard, maar we spraken met geen woord over het plan. Voor hem leek het eeuwen te duren. Hij had twee nachten in zijn eentje doorgebracht, had die vrijdag geen oog dichtgedaan en ook zaterdag verliep niet veel beter, maar de redding was nabij.

Zondagavond stopte ik de meisjes zoals gewoonlijk weer in bed en rende daarna de trappen op en af terwijl ik alle spullen bij elkaar zocht en koffers en tassen inpakte.

Jongens van het team hadden zich inmiddels al om de woning geposteerd om ervoor te zorgen dat er geen pottenkijkers waren. Andere teamleden patrouilleerden rondom het ziekenhuis in Bristol.

Om elf uur die avond keerden de jongens terug en reden hun fourwheeldrive in zijn achteruit tot vlak voor de voordeur zodat we zeg maar vanuit de gang zo achterin konden instappen. Een grote berg koffers en tassen stond klaar bij de deur.

Toen die eenmaal waren ingeladen, hielp het meisje van achttien me om Izzy en Willow wakker te maken. 'Kom, we gaan op vakantie,' zei ik.

Ze waren slaperig maar blij. Even later zaten ze veilig in hun kinderzitjes waarna Captain, onze Jack Russell, en Top Gear Dog zich, onder vrolijk gegiechel, bij hen op de achterbank voegden. De andere honden zouden worden verzorgd door diverse betrouwbare vrienden en buren die zo genereus waren geweest om hulp aan te bieden.

Ik legde de meisjes uit dat ik papa ging ophalen en hen daarna weer zou zien. Er waren totaal geen twijfels of vragen, ze waren een en al glimlach en plezier nu we aan ons avontuur begonnen, en opgetogen over het vooruitzicht dat papa zo meteen weer terug zou zijn.

Ik sprong in de andere, identieke, fourwheeldrive en reed achter hen aan naar de snelweg waar onze wegen zich scheidden: zij richting het noorden naar een benzinestation en een gereedstaande camper, wij in zuidelijke richting naar het ziekenhuis in Bristol.

Een kwartier voor onze aankomst daar kregen de jongens ter plaatse via de walkietalkie de opdracht te controleren of alles veilig was. Toen we de bevestiging ontvingen, belde ik zoals afgesproken de dienstdoende verpleegkundige en meldde hoe laat we er ongeveer zouden zijn.

'Prima,' antwoordde ze. 'Ik ben net nog even bij hem geweest en hij verkeert in diepe slaap. Moet ik hem wakker maken?'

'Nee, laat maar. Het is goed zo. Dat doen wij wel.'

Richard wist donders goed dat de ontsnapping nabij was, en ik wist zeker dat hij klaarwakker was.

Dit was nog leuker dan kerstfeest op mijn vijfde. Over een paar uur zou ik het ziekenhuis verlaten en voor het eerst, zo had ik het gevoel, de wijde wereld begroeten. Liggend op mijn rug in het ziekenhuisbed trok ik de dekens omhoog en greep de zachte boord stevig vast. Mijn tas was ingepakt en lag onder het bed. Ik rilde van opwinding, maar probeerde rustig te blijven ademen. Mijn broer Andy was die dag op bezoek geweest. Ik had hem gebeld en gesmeekt om langs te komen. Het verlangen om met mijn broers lekker wat tijd te doden was bijna ondraaglijk geworden. Ik wist dat ik al snel zou vertrekken en voordat het zover was, wilde ik hem nog even zien. Het werd een gezellig bezoekje. Ik mocht lekker met lego spelen en we praatten over wat er ging gebeuren. Ik vertelde hem dat we de volgende dag stiekem zouden vertrekken en dat niemand, zelfs het ziekenhuispersoneel niet, ervan af wist. Ik vertelde het op samenzweerderige toon, over dat we niet het vliegtuig wilden nemen omdat ik op de luchthaven misschien zou worden gezien en ook omdat de dokters niet wilden dat ik naar het buitenland ging.

Ik heb het volste vertrouwen in hem en al mijn vrienden en mijn familie en ik wist dat geen van hen zelfs maar zou overwegen dit vertrouwen in zo'n kritieke fase te beschamen. Uiteindelijk was het voor iedereen al voldoende om te weten dat ons niets zou overkomen, dat dit op advies van de artsen gebeurde en dat ze meehielpen, en dat er mensen voor ons zouden klaarstaan zolang we weg waren. Desalniettemin viel het voor mijn fragiele geest niet mee om niet uit de school te mogen klappen, en ik wist dat ook Andy en mijn familie er moeite mee hadden.

Achteraf had ik hen liever gewoon verteld waar we naartoe gingen en dat we het hen niet zouden aanrekenen als alles bekend werd en we ons weer naar de veilige beslotenheid van het ziekenhuis zouden moeten haasten. Maar de artsen hadden bepaald dat we het absoluut geheim moesten houden en dat ik behoefte had aan een veilige, rustige plek. Ik vertelde Andy dus dat we in Groot-Brittannië zouden blijven, we stiekem per auto zouden reizen, we in de vroege uurtjes zouden vertrekken en verzekerde hem dat, ja, de dokters op de hoogte waren en hun goedkeuring hadden gegeven. Al dit geheimzinnige gedoe was niet echt bevorderlijk voor mijn toenemende paranoia. Andy nam afscheid, ik pakte mijn tas in, en nog eens, was mijn bed in geklommen waarin ik nu naar het plafond lag te staren en als een kind op kerstavond de minuten aftelde.

Toen er dan eindelijk op de deur werd geklopt, hoefde ik echt niet te worden gewekt. Ik was al klaarwakker. Gespannen als een skispringer boven aan de schans hield ik de dekens nog altijd stevig vast. Om vooral maar niet te gretig en kinderlijk over te komen weerstond ik de verleiding om meteen uit bed te springen, en hees ik mezelf voorzichtig rechtop. Ik onderdrukte een dikke, theatrale geeuw nu de gestalte mijn kamer in kwam.

'Is het al tijd dan?'

'Ja. Kom, we gaan.'

De lichten op de gang waren gedempt en de gangmuur oogde duister en grauw. Ik pakte mijn reistas met alle spullen die ik de afgelopen weken had vergaard, met daarin mijn geliefde legostenen en zoveel mogelijk kleren. Mijn horloge, dat ik ook tijdens mijn ongeluk met de jetcar had gedragen, zat al om mijn pols. Verder was er niets meer om mee te nemen. We liepen de gang op, en ik voelde de zenuwen in mijn maag. De nachtelijke stilte in het ziekenhuis was indringend. De indruk die ik ervan kreeg hield het midden tussen een scène uit een actiefilm en het als kind voor dag en dauw wakker worden om met papa en mama op vakantie te gaan. Ik verwachtte een beetje dat mijn vader zou verschijnen, op zijn horloge zou wijzen en zou vragen of we alles, samen met de tenten, in de auto hadden geladen. We liepen de gang door en terwijl we de op een kier staande deuren passeerden, probeerde ik niet naar binnen te gluren.

Gespannen fluisterend praatten we met elkaar.

'Onderweg dus geen problemen gehad?'

'Nee.'

'De auto staat buiten?'

'Ja.'

'Alles goed met de kinderen?'

'Ja. Ze wachten in de camper. We rijden erheen en dan stappen we over.'

Ik wilde iets zeggen over hoe vroeg het nog was, en hoe opwindend om nu al op te zijn, hoe koud het buiten wellicht was. Mindy hield mijn hand vast. Gek genoeg leek de rustige, donker aangeklede gestalte naast me helemaal niet zo opgewonden. We liepen een trap af en daarna door nog meer gangen, passeerden het schijnsel van drinkautomaten en rijen plastic stoelen. Zelfverzekerd duwden we deuren open en sloegen zijgangen in. Mijn gids wist duidelijk de weg en uit zijn zelfverzekerde tred leidde ik af dat hij wist dat een verkeerde gang in een donker gebouw midden in de nacht meer dan slechts een vervelende vergissing was. Hij had de route van mijn kamer naar de auto goed bestudeerd en in zijn hoofd geprent. Die zou hij niet meer vergeten, wat er ook gebeurde.

Na nog wat gangen en kruispunten liepen we door een lobby met vloerbedekking en glazen wanden. Daarna liepen we naar buiten. De koude lucht kwam me tegemoet, sloeg me in het gezicht en leek dwars door me heen te waaien. Ik wilde gillen, schreeuwen, rennen. Maar ik deed het niet. Achter me ving ik het blauwe schijnsel vanachter de ziekenhuisramen op. Een vogeltje kwinkeleerde. De auto stond klaar bij de ingang. Het achterportier was al open. Ik keek omhoog naar de lucht en naar de silhouetten van de gebouwen, zoog mijn rillende borst nog eens vol met koele avondlucht en klauterde naar binnen.

'Je dochters wachten op je, Richard. Alles is prima in orde met ze, en ze hebben ook een paar van de honden mee.'

Ik voelde me veilig bij de man die me had opgehaald, en het was me wel duidelijk dat hij vertrouwd was met dergelijke vreemde, geheimzinnige rituelen. En ik voelde me gesterkt. Elke minuut die verstreek, was als een mijlpaal. Ik probeerde ze in mijn geheugen te prenten. Dit zou me nooit meer overkomen en ik wilde alles onthouden. Desalniettemin viel ik al bijna meteen in slaap en ik ontwaakte pas weer toen we naast de camper stopten. Erin wachtten de kinderen. Ik stapte uit. Iemand pakte mijn tas en gaf hem door naar het openstaande portier.

De meisjes zaten op een bank. TG en Captain, twee van onze honden, waren er ook.

Iets voor twee uur 's nachts arriveerden we bij het ziekenhuis. De nachtportier deed de zij-uitgang van het slot. Snel zochten we de lift op, en even later liepen we door de gang naar Richards kamer. Onderweg troffen we de nachtzuster, die naar ons glimlachte.

Ik deed de deur van Richards kamer open. Afgezien van de gloed van een leeslampje op het nachtkastje was het donker. Onder de dekens lag een roerloze gestalte. Even vroeg ik me af of hij in slaap was gevallen.

'Richard?' vroeg ik op harde fluistertoon.

Hij herkende mijn stem onmiddellijk en gooide de dekens van zich af. Hij was aangekleed en klaar om te gaan, en op zijn gezicht prijkte een dikke grijns.

Al meteen stond hij naast zijn bed en omhelsde me.

'God, wat heb ik je gemist.'

Ik glimlachte terug en maande hem om stil te zijn, waarna ik hem aan zijn redder voorstelde, die meteen vroeg welke tassen er mee moesten. Richard trok zijn laarzen aan en wees naar verscheidene legodozen, de vele jasjes en spijkerbroeken.

'Nee, schat. Alleen je reistas is voldoende. Verder heb ik alles.'

'Maar we kunnen dit toch niet allemaal achterlaten?'

'Morgen komt iemand langs om de boel mee te nemen.'

'O. Oké.'

We liepen de kamer uit en passeerden de balie van de nachtzuster weer.

'Tot ziens. Veel geluk,' fluisterde ze.

'Bedankt. Tot ziens.'

Bij mijn laatste bezoek had ik voor Richard een zwart fleecejack met capuchon en een zonnebril achtergelaten. Ondanks zijn protesten had hij ze toch aangetrokken om niet op te vallen, want onderweg naar Bristol moest hij vooral onherkenbaar blijven. Het was slechts een paar stappen naar de gereedstaande auto. Eenmaal op de snelweg trok hij me dicht tegen zich aan en vertelde hoe opgewonden hij was en hoe hij de verpleegkundige voor de gek had gehouden die herhaaldelijk was binnengelopen om te kijken hoe het met hem was. Hij had geen oog dichtgedaan, en telkens als ze binnenkwam, had hij net gedaan alsof hij snurkte.

Om drie uur 's nachts stopten we naast de Winnebago-camper. De meisjes sprongen in het rond, zo opgetogen als ze waren om hun papa weer te zien.

Opeens had de wereld weer kleur; ik was weer thuis bij mijn meisjes. Ik greep mijn dochters stevig vast, alle twee, en ze stonden te trappelen om me de camper vanbinnen te laten zien, zoals een grote slaapruimte achterin, met een echt bed; hun eigen bed, met daarboven, heel slim bedacht, een rij kastjes, en de slaapplek die onze hond Top Gear voor zichzelf had opgeëist. Ik voelde dat Mindy naar ons keek. Van een afstandje zag ze hoe ik mijn kinderen weer in mijn armen sloot. Ze had ons door de eerste fase van het herstel geleid en dit was het begin van fase twee. Mijn mond voelde droog aan, zoals je dat 's ochtends vroeg wel hebt. Ik was moe maar ook te levendig om te kunnen slapen. Mindy kwam naast me zitten op de slaapbank. De kinderen sliepen met hun hoofd in onze schoot en TG vlijde zich aan hun voeten, wakend over haar roedel.

Zachtjes praatten we over ons leventje, over hoe al deze ervaringen ons leven misschien zouden veranderen. De artsen hadden ons verzekerd dat, hoewel de weg lang en zwaar zou zijn, ik volledig zou herstellen. Op dit moment leek dat nog heel ver weg. Ik was nog veel te zwak om me zelfs maar te kunnen voorstellen dat ik me ooit weer normaal zou voelen. Maar over één ding waren we het eens: we zouden er helemaal voor gaan, ervoor zorgen dat we, gezien de kans die we hadden gekregen om de draad weer op te pakken nadat het er zo somber had uitgezien, er alles aan zouden doen om er het beste van te maken.

Ik moest nu gaan slapen, de opwinding eiste zijn tol. Terwijl de camper verder reed door de nacht wist ik dat ik mijn hoofd de nodige rust moest gunnen en moest verlossen van de druk. Ik vreesde dat alles wat ik deed en zag, al die plotselinge nieuwe ervaringen, me weleens te veel konden worden. Ik werd weer bang.

We bedankten het team dat ons tot dusver had begeleid en namen afscheid. Daarna werden we voorgesteld aan onze twee chauffeurs. Ook dit waren weer twee meer dan gekwalificeerde ex-special service-militairen. Ze zouden ons naar de Schotse Hooglanden brengen en onderweg voor ons zorgen.

De artsen hadden beschreven hoe een teveel aan prikkels tot epileptische aanvallen kon leiden. Ik verroerde me niet, sloot mijn ogen en wachtte totdat er iets zou gebeuren. Ik had geen idee hoe zo'n aanval zou aanvoelen, en al bij het minste of geringste beeldde ik me in dat het zover was.

Achter in de camper was een slaapruimte. De kinderen waren diep onder de indruk van het grote tweepersoonsbed, en staand tussen de schuifdeuren bekeek ik het interieur. Achterin en aan de zijkant waren ramen. Dwars door de jaloezieën heen flitste de gloed van de lantaarns langs de snelweg. Ik draaide me om, in de richting van de bestuurderscabine, en zag ook hier hoe de bovenverlichting van de snelweg langs flitste. Met de slapende kinderen nog in haar schoot keek Mindy op.

'Ga maar slapen, schat. Je redt het wel.'

Ik voelde me bleek en mager. De angst was de afgelopen weken een bijna permanente metgezel geworden, maar de vertrouwdheid ervan maakte dat er bepaald niet aangenamer op.

'Mind, ik pieker me een ongeluk. Ze hadden me verteld dat flitslicht, zelfs van de tv, een epilepsieaanval kan oproepen. Als normale mensen thuis voor de buis zoiets al kan overkomen, hoe staat het dan met mij nu?'

Het klonk zeurderig en ondankbaar. Mindy had deze hele ontsnapping met instemming van de arts op touw gezet, en nu vond ik het opeens te gevaarlijk. Wat wist ik nu eigenlijk?

'En hier, waar ik moet slapen...' ik wees naar de warme slaapruimte achter me '... flitst het zelfs nog méér.'

'Nee,' zei ze, 'want kijk... ik trek de gordijnen dicht.'

Om Izzy en Willow niet wakker te maken stond ze heel voorzichtig op van de slaapbank en ze wurmde zich langs me heen de slaapruimte in. Ze reikte over het bed en trok de gordijntjes dicht. Ik keek even bewonderend naar haar figuur terwijl ze zich vooroverboog, maar ik was te bang en te zenuwachtig om blijk te geven van mijn waardering.

'Kijk. Klaar.'

'Dank je. Ik hou van je.'

Het kamertje was nu verduisterd, en Mindy keek me in het donker aan.

'Je redt het wel. De artsen weten ervan en ze hebben gezegd dat je het aankunt. Wat jij nu nodig hebt, is slaap. Vergeet niet dat hoe vermoeider je bent, hoe groter het risico is. Slaap is dus het allerbeste. Kom.'

Ze trok de deken weg en deed een stap naar achteren zodat ik naar binnen kon lopen en op het bed kon ploffen.

'Sorry. Ben gewoon bang. Zijn we eindelijk op weg, om dan...'

Ik verstomde. De uitputting werd me te veel. Ik begreep dat ik moest slapen, dat het niet alleen ging om van mijn vermoeidheid af te komen, maar dat mijn herstel ervan afhing. Ik sloot mijn ogen en Mindy trippelde weg. Maar de slaap kwam niet. Ik lag wakker, wachtend op een stuiptrekking, hield al mijn zintuigen gespitst uit vrees diep vanbinnen een tintelingetje te voelen, een waarschuwingssignaal dat iets onaangenaams op het punt stond om overweldigend los te barsten.

De wielen van de camper dreunden hard over een paar ribbels in het asfalt. Ik probeerde hardnekkig de slaap te vatten, maar wist dat het me niet zou lukken. Ik wierp de dekens van me af en stapte uit bed terwijl de schuifdeuren achter Mindy dichtgleden. Ik duwde ze weer open en keek. Mindy zag me en liep weer naar me toe.

'Ik kan niet slapen. Te bang. Dit is een hel... Ik weet niet of ik hiermee door moet gaan.'

'Wil je terug?'

'Nee. God, nee. Maar ik vind gewoon... Misschien dat we toch beter terug kunnen gaan, ja. Dit is een stom plan. Jezus, ze zeiden nog zo: geen flitslicht, geen plotselinge geluiden. Moet je horen, elke hobbel geeft een hels gedreun. Dat hoor je omdat we pal boven de achteras zitten. Zo meteen krijg ik verdomme een aanval en dan zit ik er voor mijn leven aan vast, kan ik mijn rijbewijs inleveren, mijn brood niet meer verdienen en zitten we compleet aan de grond. Waarom heb je niet gewoon een vlucht geboekt? We hadden toch stiekem ergens heen kunnen vliegen waar het warm is? Wie zou me zelfs maar hebben herkend? Wie interesseert zich nou voor een of andere vent die onlangs zijn harses heeft gestoten en op een vliegtuig stapt? Dit is het slechtste wat je voor me had kunnen bedenken. Laat me verdomme alleen. Ga jij daar maar maffen, dan blijf ik hier wel zitten. Klaarwakker.'

Ze greep de rand van de deur. Ik viel haar aan, gaf haar de schuld van alles. De artsen hadden al gewaarschuwd dat patiënten die herstellen van een hoofdletsel last kunnen krijgen van woedeaanvallen. Misschien was dat inderdaad het geval. We wisten het allebei, en de wetenschap maakte me alleen maar kwader. Niet vanwege die klap tegen mijn hoofd, maar omdat iedereen het op me had voorzien, me gek wilde maken, alle moeite die ik had gedaan om mezelf beter te maken ongedaan wilde maken. Het zou allemaal verkeerd aflopen, en dat kwam alleen maar omdat niemand zijn verstand gebruikte.

'Schat, ga nou slapen. Toe.' Haar stem was zacht en warm terwijl ze me kalm maar zelfverzekerd kalmeerde. Ik ging weer liggen, trok de deken over mijn hoofd om het licht te weren en wachtte wederom een op de loer liggende stuiptrekking af. Ik vroeg me af hoe zoiets aanvoelde. Zou Mindy het merken, of zou ik gewoon verkrampen waarna het met me gedaan was? Onder mijn bed schoot het asfalt voorbij terwijl we de ene wereld steeds verder achter ons lieten en we de andere tegemoet reden.

De meisjes waren in slaap gevallen. Het was zo'n prachtig gezicht, zo lief als ze tegen elkaar aan lagen op de grote slaapbank in het zitgedeelte, onder een paar dekens terwijl TG, die echt bij elk autoritje wagenziek werd, aan hun voeten lag en ze aldus in het veiligste hoekje van de bank dwong. Van meet af aan had ze de rol van kinderjuf op zich genomen en bij elke scherpe bocht die we maakten, dwong ze de meisjes verder hun veilige hoekje in, samen met Captain, hun trouwe Jack Russell.

Maar aan dit vredige moment kwam snel een eind. Richard kon de slaap niet vatten en hij was doodsbang dat hij een epileptische aanval zou krijgen. Ik hield me rustig en probeerde hem op zijn gemak te stellen. Er viel maar heel weinig licht naar binnen, het waren getinte ramen met jaloezieën en daarachter weer gordijnen, maar dat haalde niets uit. Ik begreep genoeg van zijn toestand om te weten dat discussiëren geen zin had. Ten slotte was hij zijn bed weer ingedoken en had de dekens tot over zijn hoofd getrokken.

Terwijl ik de slaapruimte verliet, zag ik dat hij de schuifdeur van de rail had getrokken. Ik probeerde hem terug te zetten, maar de deur was nogal zwaar. Hij hoorde het en werd boos. 'Kolere, zeg!'

Ik zou het niet kunnen repareren, maar ik moest dicht in zijn buurt blijven zodat ik er zou zijn als hij me nodig had. Ik kon niet naast hem gaan liggen, want dan zou de schuifdeur de hele tijd heen en weer slaan. Ik had slechts één keus: ik plaatste een hand tussen de deur en de wand, leunde haaks tegen de muur en met mijn rechtervoet tegen de andere wand van de camper – de toiletdeur – om te verhinderen dat ik omlaag zou glijden zodra ik indutte. Zo bleef ik de hele nacht staan, zo nu en dan worstelend met de deur wanneer deze bij een bocht naar links uit mijn hand gleed, dan weer opschrikkend van de pijn wanneer hij bij een bocht naar rechts mijn vingers klemzette. Het ochtendgloren bood me echter geen respijt. Zolang Richard nog sliep, kon ik mijn plek niet verlaten en ik was niet van plan hem wakker te maken. In elk geval werd de omgeving nu zichtbaar en het leek een zonnige dag te gaan worden.

We waren onder elkaar, vormden weer een gezinnetje. Richard was de afgelopen nacht nerveus geweest, maar dat was begrijpelijk. De afgelopen weken had hij enkel ziekenhuiskamers gezien, en deze externe prikkels hadden hem overvoerd. Maar hij had het aangekund. Hij zou het wel redden. Ik wilde het allerliefst naast hem in bed duiken, hem vasthouden en hem geruststellen, maar hij had alle rust nodig die hij kon krijgen. Ik kon maar het beste hier zo blijven staan, met mijn verkrampte vingers tussen de deur.

Ik werd wakker en merkte dat we nog steeds over de snelweg reden, maar ook dat het daglicht het geflits van de lantaarns had verdrongen. De verschrikkingen van de nacht waren voorbij. Izzy en Willow lagen nog op de slaapbank, samen met TG. Mindy, vermoeid en gespannen, stond achter de deur, maar ze gaf me een kus toen ik de deur openschoof en de cabine in tuurde.

'Morgen, schat. Je hebt dus eindelijk wat kunnen slapen?' Ondanks de afgelopen nacht klonk ze liefdevol en warm. Ik wist hoeveel ze om me gaf.

'Ja. Dank je. Het spijt me dat ik zo tegen je uitviel. Ik was bang.' Als een schooljongetje dat net een uitbrander had gekregen, liet ik mijn hoofd even hangen.

'Laat maar. Geeft allemaal niks.'

'Waar zijn we?' Ik wierp een blik door de camper en door het grote rechthoekige raam en zag slingerende wegen met bomenrijen en een warme, zonnige dag. Langzaam liep ik verder, steun zoekend langs het keukenaanrechtje.

'We zijn in Schotland. De jongens hebben het perfect gedaan.' Ze gebaarde naar de twee chauffeurs, voorin.

'O, ja. Morgen, jongens. Alles rustig gebleven?'

Ze mompelden dat ja, alles in orde was. Links en rechts van de weg begon het landschap steeds meer te glooien. Rechts in de verte, aan de rand van de horizon, staken bergen groot en groen af tegen de lichtblauwe hemel.

'Hoe laat is het?' vroeg ik, ook al had ik nog altijd mijn horloge om. Weten hoe laat het was, gaf me het gevoel dat ik zelf wat meer deelnam aan de dag, in plaats van slechts een toeschouwer te zijn. Als ik wist hoe laat het was, kon ik misschien een belangrijke beslissing nemen of onze voortgang becommentariëren.

'Het is pas negen uur, schat. Maar je hebt toch vier uur geslapen. Goed gedaan.'

'Ja. Mooi. Hoe laat zijn we er?' Ik voelde me alweer moe. En ik had honger.

'Tegen halfvijf, denken de jongens. Maar we zien wel. Hangt af van het verkeer. Honger?'

'Ja. Wat hebben we te eten?'

'Nou, we kunnen even ergens naartoe gaan. We kunnen alles regelen voor je.'

Opeens stak een nieuwe paranoia, een nieuwe vrees, de kop op. Ik wilde helemaal niemand zien. Waarom iemand foto's wilde maken of een krant wilde bellen, was me niet helemaal duidelijk, en op dit moment was dat ook niet mijn zorg. Ik wilde gewoon geen vreemden zien; daar werd ik bang van. Bij de gedachte tegen mensen te moeten praten die ik niet kende, kwam mijn maag al meteen in opstand. Zelfs die twee daar, voor in de cabine, stonden me niet aan. Niet dat ik vreesde dat ze me iets ergs zouden aandoen, ik was alleen als de dood voor hen. Voor iedereen. Vraag me niet hoe het kwam. Mindy moet de angst op mijn gezicht hebben gezien.

'Schat, we kunnen gewoon bij een benzinestation stoppen en ergens op een stil plekje parkeren, waar niemand ons ziet. Bovendien moeten de honden even een plas doen. Jij kunt gewoon binnen blijven, met de gordijnen dicht, en dan zorgen de jongens dat je op je wenken wordt bediend. Heb je zin in een broodje bacon?'

Ik had eigenlijk geen honger meer. De gedachte aan vreemden om me heen had mijn eetlust om zeep geholpen. Toch wilde ik een sandwich, voornamelijk als teken dat ik weer terug was. Ik wilde een broodje bacon bij het benzinestation, want in het echt deed je dat ook.

'Ja, graag. Lekker. Laten we dat doen, even stoppen.'

Even later voelde ik de camper naar rechts hellen terwijl we uitvoegden. We reden een groot parkeerterrein op. Ik trok me terug in de slaapcabine. Daar gluurde ik vanonder het gordijntje naar buiten en zag links en rechts wielen van andere auto's. Opeens huiverde ik en ik voelde mijn schouders verstijven. Mindy gaf TG en Captain aan een van onze chaperons. De twee mannen stapten uit. Ik kon het me niet voorstellen om het trappetje af te dalen, om me heen te kijken, de omgeving in me op te nemen en tegelijkertijd door anderen te worden bekeken. Door vreemden. Ik trok mezelf nog verder terug in het gedempte licht van de slaapcabine en wachtte. Dit was een belangrijke stap: iets doen omdat het nu eenmaal moest gebeuren. Ik had weer een takenlijst. En ik rende ervoor weg.

We aten een 'volledig Schots' ontbijt, althans, we aten er allemaal een beetje van. Richard was duidelijk gespannen en voelde zich ongemakkelijk nu we stilstonden. De meiden werden rusteloos en ik zag dat Richard te midden van de gillende kinderstemmetjes zo af en toe geïrriteerd de ogen sloot. Dit was zo zwaar voor hem. Hij was dol op de meiden, maar sinds het ongeluk verkeerde hij in een totaal andere wereld en nu was hij opeens weer teruggeworpen in de drukte en het lawaai van een jong gezin.

Ik vroeg hem of hij liever weer wat wilde gaan slapen, maar hij hield voet bij stuk: 'Ik heb nu wel genoeg op bed gelegen. Ik wil bij jou zijn, en de meisjes.'

'Goed, maar maak het niet te dol, oké?' Willow zat op zijn schoot. Ik ging naast hem zitten op de bank en sloeg mijn arm om hem heen. Izzy was lekker bezig in haar kleurboek, de honden lagen rustig op de grond, alsof ze aanvoelden dat Richard nu even rust nodig had zodat hij een beetje tot zichzelf kon komen, hij de tijd kreeg om een beetje te wennen.

Nu de laatste etappe was aangebroken, wierp hij zo nu en dan nog slechts een blik naar buiten. Zijn hersenen konden de aanblik van het enerverende, voorbijflitsende landschap niet aan, en hij had dan ook moeite om de beelden te verwerken. Het was een stuk gemakkelijker om niet te kijken, en dat deed hij dus maar. Telkens als we vaart minderden of stopten, genoot hij weer van het uitzicht en wees hij de meisjes op interessante dingen.

We zagen kabbelende beekjes die zich een weg door het berglandschap kronkelden, machtige rivieren die majestueus valleien doorkliefden, de donkerste bossen die vanaf de voet van de heuvels trots en fier naar de hemel reikten. En daar, in de verte, onze bestemming: de Hooglanden.

Iets na kwart over vier stopten we bij een groot hek. Een jonge vrouw wachtte ons al op en ging ons voor in haar auto naar de cottage die we voor drie weken hadden gehuurd. De camper kon het kronkelige landweggetje maar net aan. Nog één scherpe bocht, en daar was het, op een open plek omringd door bos: een behoorlijk afgelegen en verpletterend mooi huisje.

Buiten stond een Land Rover geparkeerd. Die had ik speciaal geregeld om tijdens ons verblijf als vervoermiddel te dienen. Toen Richard hem zag staan, was hij meteen opgetogen. We werden het huisje binnengeleid, en hij was er al meteen weg van. In de woonkamer knapperde de open haard, en terwijl we over de drempel liepen, stonden de mokken dampende thee al klaar. De mannen droegen de tassen naar binnen en zetten ze in de gang. Richard excuseerde zich en verdween snel naar de slaapkamer. Hij was bekaf. Ik was zo trots op hem. Hij was helemaal in zijn nopjes, kon zich nu eindelijk ontspannen. Een beetje privacy was het enige wat hij nodig had.

15
De cottage in de Hooglanden

Ik was nog nooit op deze plek geweest, dat wist ik zeker. En ik kon me zelfs geen seconde voorstellen dat ik ooit, in een eerder leven, als jager of stroper in de Hooglanden had gewerkt. Toch had de plek iets heerlijk vertrouwds en rustgevends. De kamers waren groot, maar geen balzalen. Er hingen weliswaar zware gordijnen voor de ramen, maar die leken vooral bedoeld om de kou buiten te houden in plaats van bezoekers te imponeren. Zachte, rode tapijten voerden me van kamer naar kamer. Aan alle muren hingen aquarellen die het uitzicht en de kleuren en vervlogen tijden van de heuvels en bossen rondom de cottage verbeeldden. Maar het leek helemaal niet op een kunstgalerie. De schilderijen gaven slechts de werkelijkheid weer en waren niet bedoeld om de kijker te laten zien hoe rijk of intellectueel de eigenaren wel niet waren. Dit was niet protserig, maar juist warm en vriendelijk, perfect geschikt voor een gezin dat een tijdje in een mooie omgeving wilde doorbrengen. Blijmoedig zwierf ik door het huis, ik streek met mijn hand over de gepolitoerde houten dressoirs, over de gezellig versleten stof van de banken en trok de frisse, feestelijke tafellakens op de degelijke eikenhouten tafels een beetje recht.

Dit huis was het equivalent van troostvoedsel: warm, uitnodigend, eenvoudig en eerlijk. Een reusachtige vleespastei waarin ik mezelf veilig kon opkrullen voor een tukkie. Hier zouden we ons prima kunnen redden; het was voor mij dé plek waar we in alle rust konden herstellen... Dat was het moment waarop ik de deur zag, achter in een gang naar de achterkant van het huis. Niet dat het een griezelige deur was, hij had geen grote, enge klopper of van die sinistere ijzeren noppen die de indruk wekten alsof erachter zich iets bevond wat er dwars doorheen wilde breken. Toch viel hij uit de toon. Hij besloeg de gehele breedte van de gang, van muur tot muur. Rechts ervan was nog een deur. Deze bood toegang tot de eenvoudig ingerichte badkamer. Maar waar voerde die andere dan naartoe? Ik legde mijn hand op de koele metalen deurknop, trok hem snel weer terug en bestudeerde het nerfpatroon dat door de donkere beits heen te zien was. Deze deur hoorde hier niet. Hij hoorde niet bij een kamer en het was ook geen buitendeur. Deze deur voerde ergens anders naartoe.

Mindy was in de keuken, druk bezig om de eenvoudige, roomwitte houten keukenkasten met levensmiddelen te vullen. Dozen ontbijtgranen, zakken met appels en pakken melk vochten om een plekje op de keukentafel. Ik vroeg haar naar de deur. Geduldig legde ze uit dat we gelukkig iemand hadden kunnen inhuren om één keer per dag voor ons te komen koken, zodat we als gezin wat meer tijd voor onszelf zouden hebben. De kokkin woonde naast ons, samen met haar man, en de gang voerde naar haar huis. De deur zou echter niet worden gebruikt en zat dus op slot, maar toch, het bleef een verbindingsdeur. Ik verstijfde van angst. Dit veilige plekje in het bos had dus een deur die een verbinding vormde met een ander huis, waar vreemden in woonden. Behoedzaam deed ik een paar stappen naar achteren. Een potdichte, wezenloze deur. Hij hing stevig in zijn hengsels, boog niet door, maar toch vertrouwde ik het niet.

Ik wendde mijn blik af en keek door het raam in de gangmuur. Ik tuurde onder de zware, golvende dakrand naar het erfje verderop. De muren eromheen waren van dezelfde donkere steensoort als die van onze cottage, en kleurden door de regen die op de betonnen vloer drupte zelfs nog donkerder. Keien staken uit de regenplasjes omhoog, als miniatuurijsbergen in een ruwe zee die door de regen werd opgestuwd. Verderop klampten de hoge coniferen zich vast aan de bergrand en lieten hun regendruppels op het tapijt van dennennaalden vallen. Het vensterglas was oud, met luchtbelletjes en oneffenheden die maakten dat de omgeving rimpelde en golfde als ik mijn hoofd bewoog. Het was maar een enkel venster en geen dubbel glas, dus ik hoorde het geklater van de regen en de trage zucht van de wind tussen de bomen door. Ik keek weer naar de deur. De aangename vertrouwdheid van de cottage had plaatsgemaakt voor mijn onaangename maar niet minder vertrouwde metgezel: angst.

Een week eerder had ik telefonisch een enorme boodschappenlijst doorgegeven. De keukenkastjes waren gevuld met lekkernijen, en ik had ook een lijstje met diverse stoofschotels en pasteien opgesteld die de kokkin zo vriendelijk bereid was voor me te maken en in de vriezer te bewaren. Helaas wist ik uit ervaring maar al te goed dat vakantievoorbereidingen zelden volgens plan verliepen, maar ditmaal zaten we op rozen. Alles bleek geregeld zoals beloofd. Het huis was comfortabel, schoon en gastvrij. Buiten dartelden de kinderen met de honden, helemaal opgetogen om met vakantie te zijn. Door het keukenraam zag ik hoe ze in het rond renden, luisterde ik naar het geschater en hoorde vervolgens de verraste kreetjes toen ze in het weitje twee Highlandpony's ontdekten. Even later zag ik Izzy en Willow naar de keuken rennen.

'Mama, mama! Snel! Kom eens kijken. Ze zijn zo mooi!' riep Izzy.

'Wat, wie?' vroeg ik, zogenaamd niet wetend wat ze bedoelden.

'Kom maar mee. Je gelooft je ogen niet,' ging Izzy verder.

We liepen door de voordeur naar buiten, de hoek om en langs de zijkant van de cottage. 'O, jongens! Zijn ze niet prachtig?'

De twee potige grijze pony's graasden onverstoord verder. Ik klakte met mijn tong. Ze blikten even opzij en slenterden rustig naar ons toe om ons te begroeten.

Het waren twee dikke lieverdjes en ze lieten toe dat de kinderen ze door het hek heen aaiden. Terwijl ze zacht tegen de dieren praatten, liep ik terug naar de keuken om thee te zetten. Toen ik door het keukenraam weer naar buiten keek, was ik tot tranen geroerd. Wat mij betrof was dit precies wat we nodig hadden, twee kleine meiden helemaal in de ban van een paar pony's. Simpele genoegens. Kon alles maar zo eenvoudig zijn.

Richard kwam naast me staan en sloeg een arm om mijn middel. 'Goed werk, Mind.' Hij glimlachte. 'Deze plek is helemaal fantastisch.'

Ik zuchtte. 'Mooi. Ben blij dat het naar je zin is. Ik maakte me al zorgen.'

'Ik weet het. Ik ben een moeilijke jongen wat dat betreft, maar hiermee heb je jezelf overtroffen.' Hij klonk rustig, maar toch bespeurde ik iets ongemakkelijks. Ik liet het met rust.

Hij nam een slokje van zijn thee en keek naar buiten. 'O, wauw! Moet je de meiden zien. Ach, kijk ze nou toch eens!'

Willow zat inmiddels gehurkt, met haar handen tussen haar knieën, en was diep in gesprek met haar pony terwijl Izzy, leunend tegen het hek, de manen van de andere pony aaide. Zo keken we nog een minuutje toe, totdat ze het merkten en de koekjes zagen waaraan we knabbelden, en ze naar binnen renden.

Het ontbijt zou gigantisch zijn, zoals altijd, en ik keek ernaar uit. Elke ochtend kregen we dikke plakken bacon en kleine, stompige worstjes met champignons, tomaten en bonen. Mijn eetlust keerde snel terug en ik schrokte alles naar binnen. Deze ochtend lag ik nog op bed, keek naar het ruwe plafond en luisterde naar de sissende, spattende bakgeluiden vanuit de keuken. Mindy moest daar ook zijn, want de lege plek naast me was nog warm. Ik hoorde dat de meisjes ook al op waren: hun gegiechel en kinderstemmetjes drongen tot de slaapkamer door, maar zelf bleven ze buiten. Ze drongen zich niet aan me op, wetend dat de vertrouwde kermisdrukte binnen ons gezin nog eventjes moest wachten. Papa was ziek. Dat begrepen ze. Ze schikten zich ernaar en gaven me de ruimte.

Het raam aan het voeteneind van ons bed bood uitzicht op een groen veldje met daarachter de duistere, spookachtige wereld van het verstilde, statige bos. Maar nu waren de gordijnen dichtgetrokken, en het licht dat binnenviel was groenig. Ik zou opstaan en mezelf aankleden. Ik kon kiezen uit mijn kleren; Mindy had een paar overhemden en een paar spijkerbroeken meegenomen en in de kledingkast naast het raam opgeborgen. Ik keek ernaar en realiseerde me hoe heerlijk het toch was om je leven weer in eigen hand te hebben. Ik kon nu op eigen kracht opstaan en mezelf aankleden, ja, zelfs kiezen wat ik zou aantrekken en hoe ik mijn tijd besteedde. Ik hees mezelf in een spijkerbroek, trok een degelijk blauw overhemd aan en liep op blote voeten naar de woonkamer.

De meisjes speelden op het tapijt voor de open haard. In alle hoeken van de kamer lagen gekleurde legosteentjes. Ik had hen ieder hun eigen setje gegeven. Het deksel van de doos vertoonde een garage met vijf autootjes die gebouwd konden worden, opritten en stapels reservebanden op karretjes. Een man met een blauwe pet liep over het voorterrein met een grote moersleutel in zijn hand. Op de voorgrond stonden een grote kast met een toetsenbord en computerscherm zoals bij een modern apparaat om automotoren mee af te stellen. De autootjes waren gecustomized, met vlammen aan de zijkant. Ik meende dat ik als kind zo'n zelfde setje had, maar dan minder gelikt, natuurlijk. Hoe dan ook, als kind was ik uren zoet geweest met het bouwen van een soortgelijke garage, improviserend met de beperkte verzameling lego die in mijn tupperwaredoos rammelde en die ik thuis in de woonkamer bewaarde. Ik was blij dat de meisjes ook zo wilden spelen.

Een ruzie verstoorde mijn blije gemijmer. Izzy was boos want Willow wilde de groene auto bouwen. Ze riep dat dat niet mocht, dat het háár auto was en dat Willow de witte maar moest bouwen. Waarom moest ze alles zo vergallen? Het geschreeuw zwol aan, en mijn gezicht vertrok zich nu luid gesteggel mijn trommelvliezen en mijn hersenen teisterde.

'Meiden, toe. Kom op, jullie kunnen allebei spelen. Izzy, mag Willow de groene auto maken? Als ie klaar is, geeft ze hem aan jou. Toe, ze is nog maar klein en ze begrijpt het nog niet helemaal.' Izzy schoof de groene stukjes naar haar zusje.

'Toe maar, Willow. Zet hem maar in elkaar.'

'Zeg eens dank je wel, Willow.'

'Dank je wel,' mompelde ze, maar ze keek op naar haar zusje en glimlachte.

Alles was weer bijgelegd, maar inmiddels was ik bekaf. Het viel niet mee om kinderen in goede banen te leiden. Ik voelde me meer met hen verbonden dan ooit, denk ik, maar dan meer als gelijke dan als een vader. Ik had zo de hele dag met mijn dochters kunnen meespelen, maar zelfs een zweem van verantwoordelijkheid vond ik al heel onplezierig. Het was net als toen we Izzy een week na haar geboorte uit het ziekenhuis kwamen ophalen. We gingen zitten en hielden haar kleine, gerimpelde lijfje in onze armen, wachtend totdat iemand ons zou uitleggen wat we moesten doen. Er waren geen instructies, geen handleiding, en we beseften dat we voor het eerst in ons leven geheel en al op onszelf waren aangewezen. Dat gevoel keerde nu terug en drukte zwaar op me. Ik hoorde Mindy bezig in de keuken terwijl ze de borden en de glazen voor het ontbijt klaarzette, maar ik stond hier in mijn eentje, als een eenzame schildwacht in de woonkamer, wakend over alle handelingen en interacties. Ik wilde geen opzichter zijn. Ik wilde spelen.

'Wacht, wacht, laten we allemaal wat maken. Wacht, dan bouw ik de groene.'

Inmiddels was er sprake van een alledaagse routine, namelijk die van alledag: opstaan, ontbijten en de belangrijkste punten van de dag afvinken. Na het ontbijt gingen we altijd een stukje wandelen: een 'weer of geen weer'-wandeling. Daar waren we al jaren geleden mee begonnen. Dan kozen we een route uit en trokken eropuit, of het nu regende of niet. De kinderen waren er gek op en spetterden blij in het rond, gevolgd door Mindy en mij in onze zware waterafstotende jassen, waarvan de regen op onze laarzen en van de randen van onze brede hoeden op onze schouders drupten. Het was nat maar niet te koud, en de meisjes renden vrolijk rond in hun regenkleding. Izzy droeg een felblauw kinderjackje en Willow een roze. Hun stampende laarsjes vertoonden een bonte print van bijen, bloemen en kikkers.

'Niet in heel diepe plassen springen, hoor,' riep Mindy, 'want dan worden jullie broeken nat en zo meteen val je nog voorover en moet je naar de kant zwemmen.'

Ze giechelden en lachten om mama's rare woorden en grijnsden met gezichtjes glimmend van de regen en speelgenot vanonder de rand van hun regenmutsjes omhoog. Maar ze liepen netjes om de grote plas heen, dwars over het brede, stenige pad dat van de cottage naar de heuvelachtige bossen voerde. Het regende niet hard, maar wel gestaag. Het was, zo stelde ik vast, een 'behoorlijk natte' regen. Mindy schoot in de lach. Hand in hand keken we naar onze spelende dochters. Achter ons verkenden TG en Captain de bermen, snuffelend op plekjes waar schapen hadden geslapen en waar herten hadden gegraasd.

'Waar gaan we heen?' vroeg Izzy schril en vastberaden boven het getik van de regen uit.

'Naar de picknickplek natuurlijk,' antwoordde Mindy alsof iedereen dat allang wist. Izzy giechelde, maar fronste haar wenkbrauwen.

'O, maar dat is veel te ver. Dat is kilometers lopen.' Met een beteuterd gezichtje bleef ze opeens staan en ik zag Willows gezichtje ook al betrekken.

'Zo ver is het niet, Izzy,' zei ik in een poging Mindy te hulp te schieten. 'Je bent er al heel vaak langsgelopen. Kom, rennen, jullie.'

We liepen verder en bereikten even later het laatste stukje open plek aan de rand van het bos. De meiden renden zo hard ze konden, en ik trippelde met overdreven kleine stapjes mee. We liepen het groene, druipende baldakijn onderdoor.

'Nu weer gewoon lopen.' Izzy's stem doorkliefde de stilte van het bos. Haar koude, natte maar vanbinnen warme hand pakte de mijne.

'Kom, Willow, dan doen we het laatste stukje hand in hand.' Willow greep de vingers van mijn rechterhand, en ik liet eventjes los om haar hele hand beet te pakken en deze tegen de regen te beschermen. De honden renden ons voorbij, Captain parmantig trippelend, met zijn stompe staart als een vrolijk propellertje achter op zijn brede rug, en TG die ruw tegen Willow opbotste.

'O, nee! TG! Ze deed me pijn. Ze duwde me.'

'Willow, er is niets aan de hand, lieverd. Ze is gewoon stuntelig, meer niet. Gekke stuntelhond.'

Ik zette TG te kakken, stak mijn tong uit, draaide met mijn ogen en hijgde als een hond om de meiden aan het lachen te krijgen.

'Ze is echt een stuntel.' Willow giechelde en het kinderverdriet van zo-even was alweer verdwenen.

Onze picknickplek bevond zich op een open stukje bij de donkere naaldbomen waar ons bospad een bocht maakte. Houtblokken op de grond deden perfect dienst als tafels, stoelen en klimrekken. Met onze rug naar de heuvel gingen we zitten en keken uit over de boomtoppen naar de vallei en onze cottage. Rechts was een diepe bergspleet waarin een beekje over het graniet kabbelde. Achter ons torenden de dennenbomen met hun rechte, strakke stammen plechtig en hoog boven ons uit. Toen de meisjes verderop een interessant plasje bestudeerden of deden alsof ze paardjereden, praatte ik met Mindy over het verleden en de toekomst.

Hier in de bossen vertrouwde Richard me zijn diepste gevoelens toe. Het houtblok waar we bij onze picknickmomenten op zaten, werd zijn praatstoel.

'Ik ben behoorlijk ziek geweest, hè? Ik ben er nog steeds slecht aan toe.'

'Ja. Maar je bent wel aan de beterende hand. Je bent in een korte tijd enorm vooruitgegaan. Je mag best trots zijn op jezelf.'

Zijn mok met koffie rustte op zijn knie.

'Ik bleef maar denken dat me niets mankeerde, dat ik de boel voor de gek hield, en dat iedereen aardig tegen me deed maar ondertussen wel beter wist, maar dat was niet zo. Dat weet ik nu.'

Hij was erg terneergeslagen. Het was hartverscheurend. Hier, omringd door al dit moois, voelde hij zich nog altijd ellendig.

Ik had zijn waterverf en pastelstiften, schetsmateriaal en tekenblok meegenomen. Om me heen kijkend werd ik gebombardeerd met duizenden verschillende groentinten, een duizelingwekkend assortiment, variërend van mostapijt, het gespikkelde zonlicht dat tussen het baldakijn van bladeren door op de grond viel en tegen elk gesteente, elke kronkelige wortel weerkaatste; het witte schuim van het snelstromende rivierwater dat zijn wil oplegde aan de ronde keien die al bijna net zo wit waren, schoongeschrobd en gladgeschuurd na jarenlang door deze stortvloed van water onderhanden te zijn genomen.

Richard vertikte het om te schetsen en te schilderen, wilde zelfs niet eens fotograferen. 'Ik ben bang dat ik niet verder kom dan als in mijn studententijd,' vertrouwde hij me toe. 'Je weet hoe erg ik die tijd vond. Ik wil geen eeuwige miserabele puber zijn. Ik wil dat achter me laten.'

Ik begreep het en knikte.

Soms vielen herinneringen als reusachtige puzzelstukken weer op hun plek. Voor hem was het telkens weer behoorlijk schrikken. Hij vertelde me dat hij zich van de ene op de andere seconde opeens weer een periode van jaren geleden in verbluffend detail kon herinneren.

Als hij nog even niets met zijn artistieke talenten wilde doen, was dat prima.

De picknick was echt leuk geweest. De meiden hadden gezellig gespeeld en ik had een tijdje wat onder een boom geluierd, herinneringen koesterend aan de tripjes naar het Forest of Dean toen ik nog jong was. We hadden zo'n ouderwetse, blauwe puntdaktent waarin we urenlang konden vertoeven, met zijn vijven op een kluitje rondom een houten tafeltje terwijl we kaartten, de regen hard tegen het tentdoek kletterde en we wat ineengedoken zaten om vooral geen contact te maken met de schuine zijkanten en zo een lek te veroorzaken. Terwijl ik tussen de takken van de bomen boven onze Schotse picknickplek door omhoogstaarde, dacht ik terug aan de wandeling door het bos naar de rivier in het Forest of Dean en glimlachte ik bij de herinnering aan de metalen draaibrug. Je liep over een dik, metalen raster waar je het water van de rivier onder je door kon zien kolken. Als je eroverheen liep, voelde je de brug bewegen, wat mijn achtjarige zintuigen behoorlijk prikkelde. Overtuigd van mijn kinderlijke onoverwinnelijkheid wist ik me over de opwinding van de blootstelling aan deze hoogte heen te zetten en probeerde ik de brug te laten draaien. Maar zo licht als ik was kon ik weinig uithalen tegen de zware kabels die de brug aan beide oevers verankerden en ondersteunden. Toch vroeg ik me af of ik op een goede dag in staat zou zijn hem zo ver te draaien dat hij een volledige cirkel zou beschrijven, als een schommel in de speeltuin die over de kop ging.

Nu, hier in Schotland, dertig jaar later, pakten we na onze picknick de tassen en jassen weer op voor het korte wandelingetje naar onze cottage. Ik keek naar de meisjes in hun kleine, bontgekleurde jasjes en stevige laarsjes en ik voelde me gelukkig, maar op een vreemde manier ook stilletjes. Weer bij de plompe cottage met zijn grijze bakstenen aangekomen, viel mijn oog op iets felgekleurds. Het was een auto. Niet onze groene Land Rover, maar de auto van iemand anders. Het was een kleine hatchback die ik tot mijn grote schrik zelfs niet eens herkende. Ik werd weer gegrepen door paranoia en angst. Dat we zo meteen zouden worden overvallen en beroofd, deerde me niet. Nee, het was de gedachte dat ik oog in oog zou staan met vreemden, die ik gewoon niet kon verdragen. Met onbekenden is het voor mij hetzelfde als met spinnen; niet dat ik bang ben dat ik het leven zal laten, maar alleen al de gedachte aan hen bezorgt me de rillingen. Het was een fobie geworden.

Onze boswandelingen waren echt ideaal voor onze dochters. Ze verzamelden allerlei interessante dingetjes, van fossielen tot dennennaalden, en alles ging in hun zakken. Ook liepen ze behoorlijke afstanden, voor Willow een fantastische manier om zich lekker moe te spelen en dus een middagdutje te kunnen doen, een voorbeeld dat ik Richard aanmoedigde om op te volgen. Al snel vond hij het een goed idee, en ook zijn dutje werd een vast onderdeel.

Ook voor mij was dit een belangrijk deel van de dag. Als Richard sliep, pleegde ik de noodzakelijke telefoontjes, hield zijn ouders op de hoogte, sprak met de artsen en verzekerde het thuisfront dat alles op rolletjes liep. Elke dag waren er op z'n minst tien sms'jes die beantwoord moesten worden, waarvan de meeste buiten Richards gehoorafstand. Hij wilde te graag zijn werk weer oppakken, en bovendien voerde ik regelmatig gesprekken met de artsen. Ik mocht niets verdoezelen over zijn toestand, wanneer ik me ergens zorgen over maakte, stonden ze direct voor me klaar. Gelukkig hadden zich geen vreselijke dingen voorgedaan en na zeven dagen kreeg ik tot mijn grote opluchting een uitgebreide sms van Rick Nelson waarin hij ons feliciteerde met Richards geslaagde ontslag uit het ziekenhuis en de vlot verlopen overplaatsing naar Bristol. Zelfs hij wist niet eens waar we nu zaten, maar ik had hem verzekerd dat we Groot-Brittannië niet zouden verlaten. Hij begreep het helemaal en was gewoon blij dat alles goed ging.

Toen we terugkeerden van onze wandeling zagen we een onbekende auto naast de cottage geparkeerd. Het was een blauwe Vauxhall Corsa. Richard raakte geprikkeld en nerveus. Hij wilde niet verder lopen voordat ik poolshoogte had genomen. De meisjes liepen met me mee en we slenterden het huis binnen. Al meteen rook ik de geur van eten dat werd bereid. De huishoudster/kokkin was er en was bezig met het bereiden van het warme eten voor de komende week. Het was haar auto die buiten geparkeerd stond. Ze was net terug van wat extra boodschappen, en het was gemakkelijker om alles voor de deur uit te laden. Ik liep weer naar buiten en gebaarde Richard om te komen. Hij kon het niet aan om tussen vreemden te zijn en reageerde heftig op alles wat voor hem onbekend was. Hij was opgelucht toen we hem vertelden wie het was, maar zijn afkeer van onvoorspelbare situaties was wel duidelijk. Ik realiseerde me dat het advies van de artsen omtrent structuur en vaste routines helemaal op zijn plaats was. Zolang we ons maar aan een vaste dagelijkse routine hielden en hij dus wist wat hij van de dag kon verwachten, was alles in orde. Hadden we nu weer thuis gezeten, met de alledaagse onderbrekingen en invloeden van buitenaf en het risico van onverwachte bezoekers, zou hij het duidelijk een heel stuk zwaarder hebben gehad.

De volgende dag leek het tijdens onze wandeling belachelijk druk. Om de haverklap moesten we van het pad af om Land Rovers door te laten, en telkens trok Richard zijn hoed wat verder over zijn hoofd en keerde hij zijn rug naar het pad. Ook waren er veel wandelaars, wat de druk nog eens verhoogde. Het bedierf de dag voor hem, en zijn rothumeur hield aan.

Pas bij het eten van een stoofschotel – bereid door onze kokkin, en waarin ik al meteen een ingrediënt ontwaarde waar Richard van gruwde, namelijk selderij – ging het iets beter. Ik durfde zelfs bijna niet voor hem op te scheppen, maar tot mijn verbazing at hij in no time zijn bord leeg en vroeg zelfs om nog een portie.

Maar die avond was hij stil. Ik bestudeerde zijn gezicht terwijl de strijd in zijn hoofd voortwoedde. De wanhoop viel duidelijk op zijn gezicht af te lezen, zo alomvattend en zo afschuwelijk als die was. Hij daalde af in een wereld die voor mij gesloten bleef; ik stond machteloos. Er was niets aan te doen. Ik kon slechts steun bieden in de hoop dat hij er iets mee kon. Later vertelde hij hoe erg hij zijn letsel, dat hem zo kwelde, haatte. We praatten die avond nog lang door en ik verzekerde hem dat alles weer goed kwam. Maar, wakker liggend in bed, wentelde ik me in zelfmedelijden. Ik had geen vertrouweling, niemand om tegenaan te praten. Alle mildheid, alle zachtheid leken te zijn verdwenen. Alles was nu vooral moeilijk en lastig.

Dit was een ogenblik om te koesteren. Ik trok de veters van mijn sportschoenen eens goed aan, legde ze in een stevige knoop en al hurkend tuurde ik omhoog naar de loodgrijze hemel boven het dichte woud van groene dennenbomen. Het regende niet meer maar het leek nog altijd zwaar in de lucht te hangen, alsof er even een pauze was ingelast.

'Maak je het niet te dol?'

'Nee. Ik heb veel geleerd in het ziekenhuis. Dat ik mezelf in toom moet houden. Ik zal rustig aan doen, geen domme dingen. Echt.'

Achter in de gang, met zijn zware eikenhouten kapstok, glimlachte Mindy even en keek me wat schuin aan.

'Echt? Doe je wel rustig aan? Hoelang blijf je weg?'

'Eh... twintig minuutjes moet wel voldoende zijn.' Ik leunde met mijn handpalmen tegen de ruwe buitenmuur terwijl ik mijn kuitspieren strekte.

'Ik loop in de richting van de heuvel met de picknickplek en dan zie ik wel hoe ver ik kom. Of, beter nog, ik loop gewoon tien minuten die kant op, keer dan, en loop weer terug. Dat is beter dan een route te zoeken die twintig minuten duurt.'

'Doe voorzichtig, schat.'

Ik draaide me om naar de open plek voor onze cottage, trok mijn dunne sportjack nog een beetje strak, deed de rits goed, pakte de klep van mijn honkbalpet tussen duim en wijsvinger en drukte tegelijkertijd met mijn andere hand de pet stevig op mijn achterhoofd.

'Oké. Doe ik. Ik zal voorzichtig zijn, wees maar niet bang. Ik wil net zomin als jij dat er iets verkeerd gaat. Doei.'

En zo liep ik over het pad in de richting van de bossen en de heuvels.

Het gevoel van vrijheid was enorm. Ik kon gaan en staan waar ik wilde. Ik was alleen. Mijn sportschoenen klapten over het ruwe, oneffen pad waarbij de stenen, nog nat en glad van de regen, het geluid nog eens versterkten. Verderop waren het bos, de brug, de bocht en een reeks van nieuwe dingen waar ik nu in mijn eentje tussendoor mocht zwerven. Terwijl ik onder de dennentakken met hun dikke naalden, die als het ware een dakrand vormden, door liep en ik het bos betrad, leek het alsof ik werd omhelsd. Hier hing een indringende dennengeur, voelde de vochtige grond veenachtig aan. Ik hoorde de beek vanaf de heuveltoppen omlaag stromen, klaterend over de stenen die dankzij het zoekende, schurende water na jaren waren blootgelegd. Voor me glooide een pad omhoog en kruiste een andere. Links voerde het nieuwere, bredere pad verder langs de berghelling en door de bossen en volgde de contouren om horizontaal te blijven. Rechts liep het via een kort maar stevig houten bruggetje met leuningen van plankhout en dikke, gladde dwarsbalken als basis over de rivier en naar een volgende kruising. Ik sloeg rechts af en jogde op mijn tenen nu ik het donkere hout van de brug onder mijn schoenen voelde. Beneden was de bergstroom, inmiddels een kleine rivier die krachtig genoeg was om kleine stenen met zich mee te voeren, en met een brede, ondiepe plek van slechts tien centimeter diep waar het water luidruchtig langs de keien klaterde. Het geluid vervaagde terwijl ik mijn weg vervolgde en ik wederom voor een keuze stond: linksaf en nog een paar honderd meter het pad volgen naar de picknickplek of rechtsaf steil omlaag, weg van de heuvels. Ik ging naar links.

Terwijl ik de picknickplek passeerde, bezorgde het gevoel in een vertrouwde omgeving te zijn, maar dan in mijn eentje, me een kick. Ik kende deze plek inmiddels en in gedachten hoorde ik de vaste geluiden als we hier dagelijks onze sandwiches aten en de kinderen aan het spelen waren. Maar nu was ik alleen, gewoon iemand die even wat was gaan joggen en langs de plek liep waar hij met zijn kinderen picknickte. Mijn benen zwoegden nu ik heuvelop ging, maar niet zo erg dat ik vaart moest minderen. Sterker nog, ik vond de lichte pijn prettig. Ik zette wat aan, zette mijn lichaam voor het eerst in jaren, zo leek het, weer eens aan het werk. Terwijl mijn hart harder bonkte dan de inspanningen vereisten, en aangespoord door de kick liep ik door naar waar het pad weer naar een andere heuveltop omhoogvoerde.

Het genot kreeg nu iets euforisch. Ik zette harder aan en passeerde links van me een hoge schutting waar een smal paadje omlaag voerde naar een beekje dat ergens beneden onder de brug stroomde waar ik zojuist overheen was gelopen. Ik vergeleek mijn ademhaling met mijn tempo en genoot van de versnelde hartslag terwijl elke stap tot diep in mijn borstkas door dreunde. Ik schoof mijn pet naar achteren en draaide wat met mijn hoofd zonder mijn pas te breken. De bomen flitsten sneller voorbij. Ik vroeg me af wat er zou gebeuren als deze voorbijflitsende stammen het effect van een soort stroboscoop zouden krijgen en een epileptische aanval zouden opwekken? Wat dan? Zou ik ineenzakken en meteen dood zijn? Of zou ik eerst op de grond vallen, en liggend in de vochtige berm langzaam sterven van de kou voordat een vogelaar of een wandelaar toevallig op mijn vochtige en grauwe lijk zou stuiten? Maar het kon me nu even niet schelen. Ik was aan het rennen, en dat was lekker. Mocht het iets vervelends veroorzaken, dan moest dat maar. Terwijl de endorfinen door mijn lichaam stroomden, nam mijn zelfvertrouwen toe. Ik slaakte een luide lach, zwaaide mijn armen wild boven mijn hoofd en nam een pad dat rechts naar de vochtige bossen afdaalde. Dit was een steil en donker pad, met oude naalden en veenachtige grond. Het dook tussen de bomen door en er waren brede plassen. Ik denderde er lachend en happend naar lucht, dwars doorheen. Voor me zag ik een hoge houten schutting met daarin een mooie, stevig gebouwde poortdeur. Ik schopte mijn benen voor me uit om een beetje af te remmen en schudde mijn armen en schouders wat los. Er zat geen bordje op de poort en er was ook geen slot, alleen maar een klink. De bovenste rail bevond zich op schouderhoogte en was donkerbruin gebeitst. Deze schutting, inclusief poort, was duidelijk nieuw en geen restant van een of andere vorige bewoner. Maar toch was er niets wat erop wees dat deze schutting bezoekers buiten diende te houden. Hij leek eerder bedoeld om vee binnen te houden. Maar goed, dit was een jachtgebied. Hier zwierven hertenbokken rond die werden gefokt voor het jachtseizoen dat elk jaar weer in alle hevigheid losbarstte.

Ik zag niemand in de buurt. Het pad liep duidelijk en goed aangegeven verder. Ik duwde de poortdeur open en sloot hem netjes achter me. Daarna stampte ik omhoog naar de heuveltop om vervolgens het pad te volgen dat weer omlaag dook tussen de bomen en zich versmalde, totdat het nog slechts een modderig, onderbroken paadje van zo'n zestig centimeter breed was. Zo ging het verder omlaag naar een kleine bosvloer vol met bomen, bosjes en kreupelhout. Ik boog af naar rechts waar het pad zijn weg omlaag vervolgde. Terwijl ik rende, werd het rustiger in mijn hoofd. Dit was precies wat ik nodig had. Dit zou voor mij het beste medicijn zijn. Slechts één klein dingetje verstoorde mijn hervonden rust: had ik die poort wel dichtgedaan? Nou, ja dus. Ik herinnerde me immers dat ik de lichtmetalen klink behoedzaam weer in het slot had laten vallen. Ik wist zeker dat hij netjes dichtzat, zoals al die andere tienduizenden poorten tijdens mijn hardloopuurtjes in allerlei verschillende omgevingen. Maar ik vertrouwde mijn geheugen niet. Zat hij nu echt dicht, of beeldde ik het me in?

Opeens dook er nog een gedachte in me op, als de achterste auto bij een kettingbotsing: was ik paranoïde? De artsen hadden gewaarschuwd dat paranoia, gekoppeld aan allerlei dwangneuroses, een van de vele uitingsvormen van herseletsel kon zijn. Was dit een uiting van een dwangneurose? Was dit brandende verlangen om het pad over deze modderige aanzienlijke heuvel terug te volgen om te kijken of de poort, waarvan ik zeker wist dat ik die een paar minuten geleden nog duidelijk achter me had dichtgetrokken, wel dichtzat een dwangimpuls? Meer had ik niet nodig. Ik draaide me om en liep weer de heuvel op. Bekijk het maar, dacht ik bij mezelf. Ik kan mezelf gek piekeren of gewoon even gaan kijken. Dan liever het laatste, ook al is het paranoïde, dwangmatig of een latent verlangen het bed met mijn ellendige leraar geschiedenis te delen. Ik rende terug. De poortdeur was netjes dicht. Ik voelde me zwak, gedesillusioneerd en beschaamd, draaide me om en liep weer terug naar de ondiepe vallei.

Richard bleef te lang weg. Hij had beloofd binnen twintig minuten terug te zijn. Er was al een halfuur verstreken en ik maakte me zorgen. Of hij was te fanatiek geweest en lag nu ergens te krimpen van de pijn, met opspelende botvliezen; of hij was verdwaald, wat eigenlijk nog veel vervelender was aangezien het al donker begon te worden.

Ik bleef kalm en zei tegen de meisjes dat ze hun jas en laarsjes aan moesten trekken, want we gingen een ritje maken in de Land Rover. Dat vonden ze maar wat leuk en ze ruzieden al over wie er voorin mocht. Op dat moment ging de voordeur open en stond Richard bezweet en besmeurd in de deuropening.

'Hallo. Lekker gelopen?' vroeg ik terwijl ik mijn jas weer uittrok.

'Ging wel lekker. Waar ga jij heen?'

'Ik wilde je net gaan zoeken. Je bleef behoorlijk lang weg, en ik maakte me al een beetje zorgen.'

'O, jee. Het spijt me.'

'Kom, zeg. Ik ben gewoon een beetje overbezorgd. Waar ben je geweest?'

Hij vertelde over de poort, bang dat hij chronisch paranoïde was.

'Weet je,' zei ik, 'hoe vaak mij dit soort dingen al niet is overkomen. Telkens weer even checken terwijl ik weet dat het helemaal niet hoeft. De spreekwoordelijke sleutel die je kwijt denkt te zijn.

Denk terug aan wat John je vertelde, dat mensen die herstellende zijn ervoor moeten waken niet in deze val te lopen. Bij al die keren dat jij vroeger een sleutel kwijt was, ging je er ook niet automatisch van uit dat je permanent hersenletsel had opgelopen. Nee, je was gewoon je sleutel kwijt. En nu moest je gewoon even kijken of je die poort inderdaad wel dicht had gedaan. Klaar.'

Hij leek een beetje gekalmeerd en ging douchen. Ondertussen moest ik toch even een rondje om met de meiden, want beloofd was beloofd.

Op een bankje zitten, wat voor je uit staren en dagdromen is iets wat ik bewust doe, niet zomaar iets wat me toevallig overkomt. Terwijl ik mezelf op het bankje voor onze cottage liet zakken, keek ik uit over de beboste bergen onder de loodgrijze hemel en bereidde ik me voor op een ontspannend, diepzinnig moment voor mezelf. Ik ging eens lekker zitten en mijn kreukelige regenjack gaf me een lekker steuntje in de rug terwijl ik mijn enkels onder de bank over elkaar sloeg. Mindy en de meisjes waren binnen druk bezig en ik was eventjes naar buiten geglipt om een beetje na te denken en mijn gedachten de vrije loop te laten.

Vlak voor me stond een eenzame boom, licht en vederachtig; een zeldzaam, delicaat en onbestendig geval in een wereld van onverzettelijke evergreens. Aan de voet van de boom lagen gladde keien in groepjes bij elkaar, omgeven door sprieterig gras met daartussenin de modderige gaten van konijnenholen. Een enkele houten paal hing een beetje naar rechts met nog een stukje ijzerdraad waaraan vroeger de omheining had gezeten. Daarachter lagen de bergen en het bos, verstild en klam in de nevel. Langzaam zoog ik mijn longen vol, ik ademde net zo langzaam en ontspannen weer uit, ontspande me, klaar om mijn gedachten alle kanten te laten uitwaaieren. Er gebeurde niets. Ik staarde naar het groen, het blauw en het paars van de bergen en de bossen; liet mijn blik vervagen om alle kleuren tot een kleurige vlek met elkaar te laten versmelten. Ik keek weer naar de boom waarvan de pikzwarte stam scherp afstak tegen de heuvels erachter. Dagdromen ging me niet lukken. Ik dacht aan waar we zaten, wat we deden, en waarom; dacht aan wat er elders in de wereld misschien gebeurde, wie er nog meer op dit bankje konden hebben gezeten, met hetzelfde uitzicht voor hun neus. Maar mijn gedachten gingen niet met me aan de haal. Ze liepen netjes met me in de pas, als een trouwe, maar irritante hond die maar vragend naar me opkeek om te weten welke kant we op gingen.

Ik keek nog eens naar het uitzicht voor me. Aandachtig. De boom domineerde, want hij stond dichterbij en vertoonde dus meer details dan de omgeving erachter. Ik wist dat het een boom was, dat hij knoestige wortels had die zich in de grond boorden en die dankzij de capillaire werking van de piepkleine wortelcellen vocht en voedingsstoffen omhoogstuwden naar de stam. Ik wist dat de bladeren de energie van het zonlicht vingen en dat de groene kleur de fotosynthese bevorderde die het hele organisme tot leven bracht. Maar er was niets poëtisch, niets fantastisch of mystieks aan te beleven.

Ik herinnerde me eerdere ontmoetingen met bomen, mijn geheugen deed zijn werk nu. Ik herinnerde me dat ik, hoog boven de grond, namen in hun robuuste harten had gekerfd; dat ik steeds verder omhoogklauterde totdat ik vreesde dat ik voor eeuwig zou vallen, dwars door de dunne takken heen; herinnerde me de reusachtige onheilspellende armen van de berken in de Chiltern Hills in de buurt van mijn oude huis in Buckinghamshire. De berken vormden de laatste evolutiefase daar, de grootse, langlevende en traag groeiende patriarchen en matriarchen van deze bosrijke streken, alsmaar verder groeiend en andere van hun licht berovend om uiteindelijk te kunnen heersen. Ik herinnerde me dat ik op zo'n tak zat, dik als een rioolbuis en afbuigend naar de grond alsof het al het leven wegveegde dat het ook maar waagde om onder de zelfingenomen schaduw van zijn baldakijn op te bloeien. En ik weet nog dat ik er toen door ge-

raakt werd. Maar nu niet meer. Ik kon feiten bevatten, me fanta-
sierijke gedachten en dromen herinneren, maar er niets aan toe-
voegen. Dagdromen, het lukte me niet. Het besef kreeg me volledig in zijn greep, als de overheersende berken die elke andere
gedachte overschaduwden en verdrongen. De simpele constate-
ring maakte dat ik me schamel, minderwaardig, bijna transpa-
rant voelde. Ik kon niet meer dagdromen en misschien zou het
me ook nooit meer lukken.

Het waren vooral de avonden in Schotland die me gespannen
maakten. Of het nu door de vermoeidheid of de verveling kwam,
maar Richard had dan vaak een rothumeur.

Hij had flink te kampen met alle confrontaties en het negativis-
me. Het maakte hem kwaad en daarmee was de toon voor de avond
wel gezet. Tv-kijken kon hij niet aan, want het hoefde maar een
beetje confronterend te zijn of hij moest de kamer verlaten. In
plaats daarvan speelden we een spelletje Top Trumps of bladerden
we door de vele autotijdschriften die ik had meegenomen.

Als de meisjes eenmaal op bed lagen, doodden we de tijd nog
een beetje alvorens zelf in bad te gaan en in bed te kruipen. We waren allebei doodop. Richard kon lekker lang uitslapen, ontwaken
bij de geur van spek en eieren om zich daarna bij mij en de meisjes
in de keuken te kunnen voegen. Op een ochtend zaten we aan het
ontbijt toen hij opeens ophield met eten en rechtop ging zitten. Zijn
gezicht vertrok zich tot zoveel grimassen dat het nogal vreemd was
om te zien.

'O... o.' Hij zag eruit alsof hij net uit een of andere duizelingwekkende kermisattractie was gestapt.

'Alles in orde? Wat is er?'

Ik zag hoe zijn gezicht als in een reflex veranderde. Dit was Richard niet. Zijn gezicht was asgrauw en leek opeens tien jaar ouder.
Als ik deze man op straat was tegengekomen, zou ik hem niet hebben herkend. Het was gewoon eng. Als verlamd door deze ver-

schrikkelijke, onbeheersbare kracht keek ik toe, en ik wilde niets liever dan dat het ophield.

Toen dat even later gebeurde, zat hij er verbijsterd en verward bij. Het enige wat ik kon doen, was hem omhelzen. Terwijl hij rustig weer op een stukje toast kauwde, vertelde hij dat hij, diep vanuit zijn binnenste, zomaar door een stuk of tien verschillende emoties was overvallen.

Ik had het gevoel dat we nog eens werden gewaarschuwd: het zou zwaar worden, heel zwaar. Maar we zouden het gaan redden.

We waren niet alleen. Dat wist ik zeker. Mijn rechterhand rustte op het houten raamkozijn terwijl ik me omdraaide en achter me door het woonkamerraam naar buiten keek. De regen was weer opgehouden en de grasvlakte aan de voorzijde oogde koud, nat en gemangeld in de harde wind. Het hobbelige pad dat voor een weg moest doorgaan liep langs ons huis en verdween rechts van me in een bocht uit het oog. Maar ik zag niemand. Op het tapijt, achter me, waren Izzy en Willow gezellig aan het kleuren; hun potloden en viltstiften lagen verspreid over de vloer voor de open haard. Ik had een auto horen naderen en was opgesprongen van de grond naast hen. Ik wilde mijn kinderen beschermen en verbergen voor degene die er nu aankwam, wie dat ook mocht zijn. Stel dat ze aanklopten? Wat moest ik zeggen? Wat wilden ze van ons?

'Niks aan de hand, jongens. Ik kijk gewoon even naar buiten. Ga maar lekker door met kleuren.'

'Wat is er, papa?'

'O, de regen, meer niet. Ik kijk even naar de regen.'

Ik zag de voorzijde van het busje om de hoek verschijnen, en mijn schouders verstijfden. Hij was donkergroen, en oud. Ik stapte weg van het raam en verborg me achter de muur, met nog net genoeg zicht om te zien hoe het busje voor onze cottage stopte. Langzaam en met veel gekraak en gepiep werd het portier geopend. Ik zat nu op mijn hurken achter het kozijn.

'Wat ben je aan het doen, papa?'

'Stiekem aan het gluren. Kijken wat er buiten gebeurt, dat is alles.' Mijn hart bonkte in mijn keel. Opeens werd ik kwaad. Hoe kon Mindy me verdomme alleen hebben gelaten? Ik was er nog lang niet klaar voor om in mijn eentje op mijn kinderen te passen. Ik zag de gestalte om de voorzijde van het busje onze kant op lopen. Ik was er niet bang voor dat hij binnen zou komen en ons iets zou aandoen. Waarom zou iemand dat doen? Nee, ik was simpelweg als de dood voor hem. Het leek op een fobie. Ik was te bang om hem recht aan te kijken. Wie weet zag hij me wel. Door het bobbelige glas van de rand van het raam zag ik de gestalte, gekleed in het donkergroen, naar de voordeur lopen. Hij droeg een oud en slobberig regenjack en ik meende ook een hoed of zo te zien. Wie weet dat als ik me verborgen hield hij zou denken dat er niemand thuis was en hij rechtsomkeert zou maken. Opeens rammelde de brievenbus en kletterde er iets op de grond. Het kwam op mij over als een regelrechte invasie; een brutale, fysieke daad. Maar, zo redeneerde ik, als hij slechts een brief of iets dergelijks kwam bezorgen, zou hij dus ook weer weggaan. Ik hield me nog steeds verborgen, maar slaakte een zucht en voelde mijn schouders weer ontspannen. Toch was ik nog steeds boos, boos omdat ik alleen was gelaten, dat ik bang was geweest, dat ik me onder het raamkozijn had verstopt. Weer was het alsof ik in de val zat, vastgeketend in mijn eigen bovenkamer, liggend in dat ziekenhuisbed, niet wetend wat echt was en wat niet. Geen concreet verdriet, geen concrete hoop. Ik was alleen maar kwaad. Izzy en Willow speelden nog steeds voor de open haard. Ik liet mezelf weer op mijn knieën zakken en schuifelde naar de meisjes toe.

'Hoe gaat ie? Laat eens zien.'

Terwijl de meisjes me hun kleurwerk lieten zien en kletsten over wat ze hadden gedaan, ebde mijn boosheid weg en voelde ik me verdrietig.

Halverwege de tweede week was onze boodschappenvoorraad al aardig geslonken, en er was maar één manier om die aan te vullen: ik zou op pad moeten. Ik kon de meisjes meenemen. Dat zouden ze leuk vinden.

Richard dacht er anders over.

'Doe niet zo gek. Ik pas wel op ze. Ga jij maar boodschappen doen, dan ben je er even tussenuit.' Hij deed zijn best om luchtig over te komen, maar het klonk bepaald niet overtuigend. Ik kende de weg naar het naburige dorp en rekende dat het heen en terug bij elkaar veertig minuten zou duren, plus nog eens twintig minuten om alle boodschappen te doen. Over een uur kon ik terug zijn.

Ik vond het niet echt fijn om Richard alleen te laten maar de meisjes waren erg verstandig voor hun leeftijd. Ik wist zeker dat ze heel braaf zouden zijn. Hij duldde geen tegenspraak, en als ik zou gaan discussiëren, zou hij alleen maar kwaad worden en zouden daarna de winkels al gesloten zijn. Als het uit de hand liep, zou hij de kokkin die naast ons woonde gaan waarschuwen.

Ik bereidde de meisjes voor. 'Als jullie lief zijn voor papa mogen jullie vanavond je lievelingsthee uitkiezen. Dus geen geschreeuw en gegil, geen geruzie en voor de thee al je speelgoed opruimen, oké?'

Izzy wilde dwarsliggen, dat voelde ik. Ik nam haar bij de hand, leidde haar naar haar kamer, ging tegenover haar op mijn hurken zitten en keek haar recht in de ogen. 'Iz,' zei ik, 'je weet dat papa ziek is, hè?'

Ze knikte, met haar duim in haar mond.

'Nou, om weer beter te worden, moeten jullie hem helpen. Het is heel belangrijk voor hem dat jij en Willow vandaag heel lief zijn. Denk je dat je dat kunt?'

Ze knikte.

'Dan zal ik eens kijken of ik onderweg een kleurboek voor jullie kan kopen, goed?'

Ze gaf me een knuffeltje. 'Dank je, mama.' Ze liep met me mee naar de voordeur.

Ik pakte mijn tas, gleed achter het stuur van de Land Rover en zwaaide nog even terwijl ik het raam van de woonkamer passeerde. Waarna ik me de rest van de rit een slag in de rondte piekerde.

Toen ik terugkwam, trof ik Izzy en Willow tot mijn grote opluchting gezellig spelend met hun lego op de grond in de woonkamer. Maar Richard kon het niet meer aan en ging al meteen naar de slaapkamer. Ik bracht hem zijn vertrouwde kop thee en een tasje met wat favoriete dingetjes.

'Hoe ging het?' vroeg ik.

Hij zat op de rand van het bed en draaide zich naar me toe toen ik binnenkwam.

'O, Mind...' Zijn stem beefde terwijl hij met beide handen zijn mok vasthield. Hij leek zo kwetsbaar. 'Het is zo anders, zo eng om alleen met ze te zijn, verantwoordelijk te zijn.' Hij zweeg even en voelde mijn bezorgdheid.

'Maar op zich ging het hartstikke goed. Echt. We hebben heerlijk gespeeld. Ik ben gewoon moe, dat is alles.'

'Ik had niet moeten gaan,' zei ik. Mijn boodschappenuitje had hem onnodig veel stress bezorgd en ik voelde me rot.

'Nee, Mind. Ik ben hun vader. In godsnaam, zeg, als ik me echt zorgen had gemaakt, had ik je wel gebeld. Ik moet er gewoon aan wennen, meer niet.'

Hij glimlachte wat meewarig naar me.

Hij was teleurgesteld. Hij was dol op de meisjes, ging altijd fantastisch met zijn kinderen om, maar was nu met harde hand op zijn nieuwe beperkingen gewezen.

'Kruip onder de dekens en ga lekker tukken. Over een paar uurtjes maak ik je wakker. En, Richard...'

'Hmm?'

'Je doet het echt heel goed, weet je. Ik bedoel écht goed.'

'Ja, dat weet ik, maar dat gevoel heb ik niet. Ik vind het verschrikkelijk om zo te moeten zijn.'

Ik vlijde me tegen hem aan. 'Elke dag gaat het een beetje beter. We slaan ons er helemaal doorheen, weet je dat?'

'Dacht het wel, hè?' Toch klonk er twijfel door in zijn stem.

'O, reken maar, verdomme. We komen terug, maar dan in een nieuwe, verbeterde versie. Weer helemaal de oude, maar dan beter.'

'God, wat hou ik van je.'

'En ik van jou.' Ik gaf hem een zoen. 'Oké, ga nu maar slapen, verdorie.'

Hij glimlachte en kneep quasigehoorzaam meteen zijn ogen dicht. Buiten begon het al te schemeren, maar terwijl de avond naderde, kreeg ik iets ongelooflijks te zien: door het raam in de gang zag ik hoe nog geen vijfentwintig meter bij me vandaan, omringd door de avondnevel, een reusachtige hertenbok naar onze cottage slenterde. We hadden hem elke avond horen burlen, en op een avond was TG na haar sanitaire uitje zo hard naar binnen gestormd dat ik zeker wist dat ze door een van hen was aangevallen. Maar van zo dichtbij was uniek. Het jachtseizoen was voorbij, en de bokken kregen opeens praatjes. Ik wilde Richard wakker maken, om het hem te laten zien, maar hij lag te slapen en het zou egocentrisch zijn om hem nu uit bed te halen. Maar ik vond de meisjes, en een paar minuutjes lang bewonderden we met ons drietjes door het raam dit prachtige beest voordat het weer in de nevel verdween.

16
Naar huis

De volgende dag gingen we naar huis. Mindy had alles geregeld: een auto zou ons komen ophalen en ons naar huis brengen. Links en rechts stonden onze tassen al klaar. Ik wilde nog één keertje gaan joggen door de heuvels. Izzy en Willow renden druk heen en weer door de keukengang en Mindy was bezig met theezetten. Hurkend bij de brede voordeur perste ik mijn voeten in mijn joggingschoenen en knoopte snel mijn veters.

Terwijl ik leunend tegen de muur even stretchte, keek ik naar de donkere eikenhouten kapstok. De lange, waterdichte regenjacks en de bontgekleurde jasjes van de kinderen hingen er nog aan. Eronder stonden onze wandelschoenen. Dit was een gezegende plek geweest. Hier hadden we genoten van de rust, hier konden we weer een gezinnetje zijn. Maar ik had ook steeds meer ontdekt hoe beschadigd ik was. Na elke dag besefte ik hoe ziek ik de dagen daarvoor nog was geweest en hoeveel beter ik me nu voelde; waarna er weer een dag verstreek en ik me realiseerde dat ik nog lang niet de oude was. Maar dit was niet het moment om te piekeren. Ik stond klaar voor mijn allerlaatste eindje hollen in de prachtige, bosrijke Hooglanden en ik was van plan ervan te gaan genieten. Ook dit was weer zo'n belangrijk moment dat ik wilde koesteren.

Ik trok de deur achter me dicht en de brievenbus kletterde even. Ik sloeg rechts af, liep het hobbelige weggetje voor het huis af en voelde de ondergrond al zachter en kiezeliger worden nu het weggetje zich versmalde tot een pad. Links hield het vlakke gras zich roerloos. Daarachter torende een rij bomen fier omhoog en stoffeerde het achterliggende bos de bergwand in de verte. Voor mij doemde, vertrouwd en uitnodigend, het bos op. Mijn benen voelden inmiddels sterker aan. Ik jogde elke dag en voelde nu het verschil. Ik zette wat meer aan, totdat ik onder de bomen door liep en het bos betrad. Ik stak de voetbrug over en glimlachte bij het geluid van de beek, inmiddels een kleine rivier, die onder me door kolkte. Bij elke stap voelde ik mijn tenen veren onder mijn gewicht, en mijn ademhaling bleef netjes in de maat met mijn tempo. Ik boog wat naar links nu het omhoogging en ik de picknickplek passeerde. Ik zou deze plek gaan missen. We hadden hier immers heel wat uurtjes zingend, kletsend en spelend doorgebracht; al die uren dat Mindy en ik op een oud houtblok hand in hand hadden gezeten: twee mensen die van elkaar hielden en met elkaar praatten over een ervaring die hen bijna voor altijd uit elkaar had gedreven, maar die nu plannen maakten voor de toekomst. We hadden zowel teruggeblikt als vooruitgekeken en waren er alleen maar sterker door geworden.

Ik liep verder, de heuvel over en omlaag, over een breed en modderig pad geflankeerd door elegante, stevige dennenbomen. Het pad voerde naar een klein dal en boog af naar rechts. Ik volgde het en genoot van het gevoel dat het zo lekker ging, dat alles optimaal functioneerde. Ik had flink mijn best gedaan om weer net zo fit als vroeger te worden. Het was erg belangrijk voor me. Dit was iets waar ik niemand bij nodig had, iets wat ik zelf helemaal kon sturen. Iets waarop ik trots kon zijn, en die trots betekende meer dan de prestatie op zich.

Inmiddels rende ik over een pad dat min of meer de contouren van de heuvel volgde en vervolgens wat afliep tussen de bomen. Links keek ik opeens over een rij boomtoppen. Rechts was alles nog steeds ondoordringbaar, tot er een opening verscheen die van een kleine honderd meter afstand uitkeek op het pad. Ik zag dat het bos ophield. Plukjes lage begroeiing hadden geprofiteerd van het schrale zonlicht om tot een soort heggetje uit te groeien.

Ginds, tussen de bomen door, liep opeens heel zelfverzekerd een hertenbok de open plek op. Stapje voor stapje, weliswaar, maar niet uit omzichtigheid. Zijn kop met gewei speurde links en rechts de grond af. Hij zag me, of ving mijn geur op, en stond stil. Ik had als een dolle stier zijn zintuigen gealarmeerd, en hij bleef staan om te kijken waar hij precies mee van doen had. Vanwaar ik stond kon ik de spiermassa's zien die zijn bruine flanken zijn vorm gaven, de knokige heupgewrichten en de krachtige poten die van breed naar smal uitliepen. En ook zijn bewegende donkerbruine oog onder de houtachtige kanteeltjes van zijn rozenkrans, terwijl om ons heen het bos de adem inhield. Het jachtseizoen was een paar dagen geleden beëindigd, en de plaatselijke jachtopzieners meenden dat de herten dit op de dag af aanvoelden, en daarna steeds brutaler en minder voorzichtig werden. Van een afstandje van zo'n vijftig meter bestudeerde de bok deze indringer in zijn koninkrijk, en ik kon zijn verwarring voelen. Ik was kleiner, trager, moest het stellen zonder het majestueuze gewei dat met zijn omvang en al zijn punten zijn rang, status en potentie aangaf. De kop draaide even weg en weer terug om me nogmaals aan te kijken. Ik ademde rustig door, een bevoorrecht toeschouwer die niet goed wist wat hij moest doen. De kop draaide opnieuw weg, waarna het dier langzaam maar resoluut de beschutting weer opzocht, en nog met een kort drafje naar de bomen rende, waarbij het gewei de hele tijd plechtstatig in evenwicht bleef, alsof het door dragers in een processie werd ondersteund. Ik bleef nog een tijdje staan. Mijn moment had zich dus toch nog aangediend, een moment dat ik niet kon bevatten of analyseren, een ontmoeting waarbij juist ík degene was die, gevangen in verwondering, met zijn mond vol tanden stond. Een moment dat me altijd zou bijblijven, zo wist ik. Daarna jogde ik op mijn gemak terug naar de cottage en mijn gezin.

Op de dag voorafgaand aan ons vertrek maakte ik een kort autoritje van zo'n vijf minuten. Ik moest de tank volgooien, wat me meteen een kans bood om nog één keer van deze prachtplek te genieten. Rijdend door de heuvels en bossen zoog ik alles in me op: de gigantische dennenbomen die hoog naar de hemel reikten, de heideachtige kleuren, de sprookjesachtige aanblik van de kleine rode eekhoorntjes die voor me over de weg dartelden, en de gratie van de majestueuze herten. Opeens wilde ik niets liever dan hier blijven. Ik barstte in tranen uit en moest de auto even aan de kant zetten. Ik wilde niet terug, wilde deze prachtige plek niet verlaten, de confrontatie van ons nieuwe leven, thuis, niet aangaan. Hier was alles vredig, veilig, gemoedelijk. Kon het leven maar anders zijn. Ik wilde alles fiksen, maar ik wist dat dit onmogelijk was. Ervoor weglopen had geen zin. We moesten onze angsten onder ogen zien en die overwinnen. Toch was het korte ritje terug naar de cottage, het afscheid van de plek die onze veilige haven was geworden, een van de treurigste uit mijn leven.

Na de lunch arriveerde de auto die ons naar huis zou brengen. We hadden uitgerekend dat we daar zo tegen middernacht zouden aankomen. Op dat uur zouden er geen fotografen zijn en konden we hopelijk meteen naar binnen.

De meisjes namen afscheid van de pony's en klauterden op de achterbank. Richard en ik bedankten de kokkin en haar man voor alle goede zorgen, waarna ook wij instapten.

De rit naar huis leek heel wat meer tijd op te slokken dan de heenweg, en tegen theetijd stopten we even bij een wegrestaurant voor een hamburger. Onze chauffeur parkeerde ergens in een hoekje van het parkeerterrein waarna ik allerlei fastfooddingetjes kocht. Niemand van ons vond het echt geweldig om weer naar huis te gaan, zelfs de honden waren inmiddels gewend, maar toen we de omgeving van Gloucestershire eenmaal bereikten, vrolijkten we allemaal op.

De meisjes waren eindelijk weer terug in hun kamertjes, bij hun teddyberen en hun trouwe huisdieren. Ik was weer terug in mijn vertrouwde omgeving van mijn eigen huis en de wetenschap dat zodra Richard over de drempel zou stappen het hele plaatje na al die weken eindelijk weer normaal zou worden.

Ik keek naar hem terwijl hij een slokje van zijn thee nam, onderuitgezakt op de ruime bank in de woonkamer, de haren door de war en met een baardachtige pluk aan zijn kin. Ik hield zoveel van hem, was zo dankbaar dat hij leefde, zo trots om samen weer thuis te zijn, schouder aan schouder, klaar om de draad van ons leven weer op te pakken.

Dit was heel anders dan wanneer je na een lange vakantie weer thuiskomt. Ik voelde wel een warme opwinding toen ik over de drempel stapte, maar er ontbrak iets. Ik was slechts vijf weken weggeweest. Thuis was er niets veranderd, alles zag er nog hetzelfde uit. De honden begroetten me, sprongen luid blaffend in het rond, zoals altijd; TG en Captain schaarden zich meteen weer binnen de gevestigde rangorde. Ik liep van kamer naar kamer en liet alles op me inwerken.

Ik sliep vast. De volgende ochtend luisterde ik boven aan de trap naar Izzy en Willow, die beneden in de weer waren met hun lievelingsspeeltjes en de katten begroetten. Vanaf de overloop kon ik het schilderij zien van het paard dat ik twee jaar geleden als kerstcadeau voor Mindy had gekocht. Ik keek langs de trap omlaag naar de houten kist die we bij een rommelwinkel hadden gekocht om onze schoenen netjes in te kunnen opbergen, wat natuurlijk nooit gebeurde, zodat er nu een hele berg schoeisel bovenop en naast lag. In de hoek erachter stond de houten wandelstok die ik twintig jaar geleden tijdens een wandeltocht door het Lake District had gekocht. Ik werd omringd door herinneringen en bekende spullen wat voor mij een geruststelling zou moeten zijn.

Ik slenterde naar beneden en bleef even staan toen Crusoe, onze bordercollie, naar me toe liep en haar kop tegen mijn heup duwde.

Ik aaide haar hals en voelde de onderhuidse spanning terwijl ze haar best deed haar energie en opwinding te beteugelen en ze de drang weerstond om al blaffend tegen me op te springen. Daarna rende ze terug naar TG en Captain terwijl ze, zoekend naar houvast, met haar nagels over de houten vloer kraste. Ik liep de eetkamer in. Mindy bevond zich op een andere plek in de woning, en ik wist dat ik eigenlijk moest meehelpen met uitpakken. Maar toch was er iets nog steeds niet in de haak. Waarom was dit niet het blije weerzien waar ik in het ziekenhuis elke minuut van had gedroomd? Ik legde een hand op het glimmende tafelblad en keek naar de boekenkast tegen de achtermuur. Mijn ogen gleden langs de ruggen met de titels. Er waren boeken bij uit mijn jeugd, naslagwerken uit mijn studententijd, stukgelezen romans en boeken die ik vlak voor mijn ongeluk had aangeschaft.

De honden waren nu buiten en hun blije geblaf en hoge gekef op het gazon drongen door de ramen naar binnen. Ik herinnerde me de zondagse barbecues met de kinderen, de feestjes tot in de kleine uurtjes, rondom deze tafel. En ik merkte dat ik terneergeslagen was. Eindelijk was ik weer thuis, weer bij huis en haard. Ik was terug, ondanks de pijn, de verwarring. De artsen hadden verteld dat het misschien jaren zou duren voordat ik weer naar huis mocht, maar ik had het in slechts een paar weken geklaard. En nu, hier in mijn eigen woning, omringd door mijn gezin en de honden, voelde ik me rot.

Voor het eerst was ik terug in een vertrouwde omgeving, eentje die vóór het ongeluk de mijne was geweest. Hier had ik geleefd, gelachen, geschreeuwd, geruzied en gespeeld. Honderden kleine voorvalletjes van toen schoten haarscherp door me heen. In gedachten zag ik oude vrienden, hoorde ik gelach, herinnerde ik me de rustige privémomenten. En ik wist waarom ik me rot voelde. Dit was de eerste plek die ik me kon herinneren van vóór het ongeluk. De eerste keer dat ik mezelf weer ontmoette. En ook al was alles nog precies hetzelfde, ik wist dat het nooit meer hetzelfde zou zijn. Alles wat zich hier had afgespeeld, elk voorval, elke ontmoeting, elke gebeurtenis van toen, zou nu anders zijn. Ik zou ze anders interpreteren, er anders op reageren. Het huis was vertrouwd, maar ik was een vreemde. Er gaapte een diepe kloof tussen mij en het leven dat ik hier had geleid. Alles was hetzelfde, ja, alles behalve ik. De vertrouwdheid van de omgeving benadrukte slechts het vreemde in mij.

Ik trof Mindy en we hielden elkaar vast. Ik hoefde haar niet te vertellen dat ik me rot voelde of waarom. Dat wist ze. We waren al een heel eind gekomen en reken maar dat we door zouden vechten.

'Alles goed?' vroeg ze zacht met haar hoofd tegen mijn schouder gevlijd.

'Ja. Het is alleen een beetje... vreemd. Meer niet.'

'Dat weet ik.'

'Waar zijn de meiden?'

'Die zijn hun laarzen aan het aantrekken. We gaan even naar buiten om de pony hallo te zeggen.'

'Oké, goed. Daar heb ik ook wel zin in.'

'Weet je zeker dat alles in orde is?'

'Ja, hoor. Niks aan de hand.'

Nawoord

Als ik dit schrijf is het elf maanden geleden dat ik op een bankje in Schotland zat en huilde toen het tot me doordrong dat ik niet meer in staat was om gewoon te kunnen dagdromen. Nu wel. Mijn gedachten dartelen weer vrolijk alle kanten op, net als vroeger. Misschien zelfs wel meer. Ik knijp hem niet langer voor onbekenden en ik kan gewoon een dag meedraaien zonder dat ik nodig een dutje moet doen. Mijn emoties bleven echter nog een tijdje onvoorspelbaar, en regelmatig werd ik er nog door overweldigd, vaak zomaar en zonder enige aanwijsbare reden. Toch wist ik dit soort oprispingen te herkennen en tot iets te herleiden. Zo slenterde ik bijvoorbeeld een paar maanden geleden door mijn tuin en viel mijn oog op mijn oude, verweerde Land Rover. Waarschijnlijk moest ik me hebben herinnerd hoe gek ik op dat ding was geweest, want een paar seconden later werd ik opeens overrompeld door een golf van affectie, net als wanneer ik aan mijn dochtertjes denk. Ik was heel even verliefd geweest op mijn eigen Land Rover. Het was een oprechte, diepgewortelde reactie, net zo echt als al mijn liefdesgevoelens. En toch was ook dit weer een van die emotionele hersenschimmen. Ik had geluk, want ik herkende het voor wat het was, kon het herleiden en het dus van me afzetten. Het was zo'n beetje de laatste keer geweest dat ik zo'n worsteling had. Mijn emotionele boekhouding is inmiddels op orde en ik hoop maar dat ik nooit weer hals over kop verliefd word op een roestige fourwheeldrive.

Na mijn ontslag uit het ziekenhuis blikte ik wekelijks terug en besefte ik wat voor lange weg ik nog te gaan had. Ik dacht na over de dingen waar ik op dat moment tegen vocht en die voorheen een makkie waren geweest, en slaakte vervolgens een zucht van verlichting als ik weer eens vooruitgang had geboekt. Dan ging er weer een week voorbij en realiseerde ik me wederom dat ik nog lang niet de oude was. Het is een lang proces dat soms niet meevalt. De artsen en verpleegkundigen hebben mijn leven gered en me mijn hersenen teruggegeven. Toch moest ik in zekere zin opnieuw leren hoe ik die moest gebruiken. En nog steeds. Terugblikkend op de afgelopen week denk ik aan de teleurstellingen, de verwarring, de moeilijke momenten en besef ik dat ik zelfs een jaar na dato nog altijd verder sjok over de weg naar volledig herstel, en dank ik hemel en aarde dat ik die weg kan afleggen.

Uiteindelijk kon ik toch mee op de trip naar de Noordpool. Ik ging vooruit met skiën, hoewel bepaald niet van olympisch niveau, sloeg me door temperaturen van min veertig, legde per dag te voet en op ski's zo'n zestig kilometer af. En ja, ook toen waren er momenten dat ik het tegen mijn angsten moest opnemen die er anders misschien niet waren geweest. Maar kilometer na kilometer voelde ik me opgelucht en merkwaardig opgetogen terwijl ik de pijn voelde, deze accepteerde en doorploeterde. Ik had aanvaard dat ik vanwege het hersenletsel moeite zou hebben met dingen die voorheen eenvoudig waren geweest, maar het joeg me niet langer schrik aan, was niet enger dan het incidentele pijnscheutje in mijn arm die ooit gebroken was geweest.

Ook bezocht ik de *Top Gear*-studio weer. De jongens hadden voor het programma wat grappen bekokstoofd om te vieren dat ik terug was. Maar tegelijkertijd wisten we dat het gevoelig lag, niet alleen voor mij en het team, maar voor al die slachtoffers die dagelijks met een auto-ongeluk worden geconfronteerd. We wilden er vooral niet lichtvaardig over doen, maar ook niet alles gladstrijken alsof er in de fantastische tv-werkelijkheid van *Top Gear* nooit iets misgaat. Dingen gingen soms mis en daar leerden we van. Het belangrijkste is misschien nog wel dat je het jezelf en je omgeving verplicht bent om heel omzichtig te werk te gaan, de risico's te overwegen en er alles aan te doen om ze te minimaliseren. Nu ik weer op de studiovloer van *Top Gear* mocht staan, bedankte ik in gedachten alle teamleden die dankzij hun toewijding en professionalisme ervoor hadden gezorgd dat toen het werkelijk misging, ik weer kon herstellen.

Dit is geen treurverhaal, verre van. Ja, ik heb nog steeds moeite met een paar dingen, maar daar wordt aan gewerkt. De lessen die ik over mezelf en de wereld om me heen heb geleerd, wegen veel zwaarder dan het persoonlijk ongemak en de ellendige momenten. Toch leef ik mee met mijn gezin en familie. Mindy, mijn dochtertjes, ouders en broers konden slechts machteloos luisteren toen ze te horen kregen dat ik misschien zou sterven of nooit meer de oude zou worden; bepaald geen vrolijke les. Maar door ons er samen doorheen te slaan, deze fikse storm te weerstaan, zijn we dichter tot elkaar gekomen en sterker dan ooit.

Natuurlijk zijn er duizenden die minder geluk hebben gehad. Bij mijn bezoekjes aan het neurologisch revalidatiecentrum in Bristol voor controle en een praatje met dr. Holloway zag ik veel patiënten met zichzelf worstelen: mensen voor wie een fietsritje, op weg naar de bakker of hun werk, het laatste was wat ze zich konden herinneren. Hun moed, vastberadenheid, de inzet van de artsen en de families die toekeken is moeilijk te bevatten maar daarom niet minder inspirerend.

Ik heb ook geleerd dat herstel na hersenletsel riskant is omdat je soms aan de buitenkant niet kunt zien of er iets is beschadigd. Je kunt niet 'zien' of iemands geheugen, gevoelens, persoonlijkheid een knauw heeft gekregen. Iemand kan vanbuiten zelfs geen schrammetje vertonen maar geestelijk volkomen in de war zijn. Toen ik herstelde wilde ik op een gegeven moment het liefst een T-shirt dragen met aan de voorzijde de tekst 'Ja, ik voel me prima, dus niet meer vragen, graag' en aan de achterzijde 'Ik ben nog steeds niet de oude, hoor!' Mensen die naar me keken en ervan uitgingen dat met mij alles goed ging en dus deden alsof er niets aan de hand was: het was het beste en tegelijk het ergste. Het was geweldig om het hele ongeluk achter me te kunnen laten en verder te gaan, maar tegelijkertijd wilde ik dat iedereen zou begrijpen waarom ik wellicht nog steeds moeite zou hebben met normale dingen. Ik denk dat ik nu wel kan volstaan met 'Ik voel me prima, dank u' op de voor- én achterkant.

Wat me geen moment heeft geïrriteerd, is wanneer mensen op me afstappen en vragen hoe het met me is. Ze zullen misschien denken dat ik dat nu wel zat ben, maar waarom zou ik? Wie wil nu niet dat anderen vragen hoe het ermee gaat? Telkens als een vriendelijke dame van middelbare leeftijd een hand op mijn arm legt en me vraagt hoe ik me voel, is het alsof een tante me een dikke knuffel geeft en me hetzelfde vraagt. Het biedt troost en het sterkt me, al was het alleen maar omdat het me weer doet beseffen hoe heerlijk het is om mens te zijn. En dus zal ik de mensen die me hebben geschreven en aan me hebben gedacht nooit allemaal kunnen bedanken. Het raakte me diep en, zo weet ik zeker, droeg bij aan mijn herstel en gaf Mindy de kracht om de bijna onvoorstelbare druk aan te kunnen.

En zo hervindt ons leven langzaamaan zijn normale loop. Maar omdat 'normaal' soms betekent dat ik op een dag met een luid 'tot ziens' tegen Mindy en de meiden eropuit trek om per hondenslee de Noordpool te bereiken, in een drijvend busje het Kanaal over te steken of om zelfs op een vliegbasis in Yorkshire achter het stuur van een jetcar te kruipen, kunnen we eigenlijk nooit helemaal gerust zijn. Uiteindelijk kreeg ik ook mijn rijbewijs terug, wat met name te danken was aan de chirurgen, die van een operatie hadden weten af te zien. Herenigd met het roze papiertje kroop ik in mijn trouwe Morgan en tufte ik met Mindy naast me over de landweggetjes bij ons in de buurt. De artsen waren erg bang geweest voor eventuele flashbacks en een terugval zodra ik voor het eerst weer zou autorijden. Maar zelf dacht ik daar geen moment aan. Wat me was overkomen, was in een jetcar geweest. Als ik mijn

Morgan had gestart en opeens pal achter mijn hoofd een straalmotor had horen opklinken, zou ik hem misschien even hebben geknepen. Maar dit is anders, dit is gewoon autorijden, en dat vind ik heerlijk. We hebben de grootste pret. Net als Izzy en Willow toen ik hen een paar dagen daarna voor het eerst weer meenam.

'Papa, rij jij?'

'Ja. Ja, ik rij, want de artsen zeggen dat het mag.'

'Cool.' Dan een stilte en een paar diepgefronste voorhoofdjes.

'Papa?' zeggen ze bijna zangerig in koor.

'Ja?'

'Je gaat toch niet weer je hoofd stoten en over de kop, hè? Want dan moeten we alwéér naar het ziekenhuis, en wie moet er dan voor de paarden zorgen?' Ze schateren om hun eigen grap.

Het is een soort vaste prik geworden als we in Mindy's felgele Land Rover stappen voor een ritje met z'n vieren, zelfs al is het voor wat boodschappen. En dan antwoord ik altijd: 'Nee, ik ga niet meer ondersteboven.' En als het aan mij ligt, zal dat ook niet meer gebeuren.

Terwijl ik het zeg, zit Mindy naast me, zoals ze bij alle pieken en dalen in mijn leven en op de momenten dat het einde nabij leek, naast me heeft gezeten. Het slachtoffer is de eerste die de impact van een ongeluk ervaart, maar daarna zijn het de dierbaren die de last met zich moeten meetorsen. En dus dank ik mijn ouders, mijn broers en mijn vrienden dat ze er waren toen ik ze nodig had, en betreur ik het dat ik ze dit moest laten doormaken. Mijn dochters werden zoveel mogelijk afgeschermd, maar ze misten hun vader wel degelijk. Op een dag zal ik het kunnen uitleggen en ook hun kunnen vertellen dat het me spijt. En Mindy, die kan ik alleen maar bedanken, en haar de rest van mijn leven op handen dragen.

Dankwoord

Dit boek vertelt het verhaal over hoe ik bereid was mijn leven in de waagschaal te stellen, en dit opeens aan een zijden draad bungelde, waarna ik dankzij tal van mensen toch weer uit een dal omhoog wist te krabbelen. Ook is dit het verhaal over hoe mijn crash in september 2006 niet alleen mij, maar iedereen in mijn naaste omgeving heeft veranderd. Om te worden opgebeld met het nieuws dat je man, zoon of broer een bolide met straalaandrijving in de prak heeft gereden, is niet echt een makkie. Vandaar dat ik hier heel wat mensen wil bedanken; mensen die me er fysiek, mentaal en emotioneel weer bovenop hebben geholpen.

Ik bedank de medische teams in Leeds en Bristol, die mijn herstel mogelijk hebben gemaakt en die Mindy hebben ondersteund en bij de pinken hebben gehouden. In het algemeen ziekenhuis van Leeds: John Adams, neuro-anesthesist; hoofdverpleegkundige Susan Aitchison; Elaine Andrews, hoofd verpleging neurologie; Michelle Ayling, verpleegkundig assistent; Andy Bennett, hoofdverpleegkundige Neuro High Dependency Unit (HDU); Mark Brocksom, hoofd portiersdienst; Sara Costie, stafverpleegkundige Neuro Intensive Care Unit (NICU); Fiona Evans, hoofdverpleegkundige Neuro HDU; Nicola Fenton, hoofdverpleegkundige NICU; Nicki Gibbs, bezigheidstherapeut; Jim Jackson, senior hoofdverpleegkundige NICU; Steve King, senior hoofdverpleegkundige NICU; Charlie Lobley, hoofdverpleegkundige neurochirurgie; Roberto Ramirez, stagelopend specialist neurochirurgie; Stuart Ross, neurochirurg; Louise Rymer, senior hoofdverpleegkundige neurochirurgie; Kate Warner, senior fysiotherapeut; Karen Wilcock-Collins, coördinator Acquired Brain Injury.

De eerste hulp van het algemeen ziekenhuis van Leeds: Shirley Wilson, waarnemend hoofdverpleegkundige hulpdiensten; hoofdverpleegkundige Laura Smith en stafverpleegkundige Cheryl Fenwick van de dagploeg; hoofdverpleegkundige Alan Sheward en stafverpleegkundige Asiscolo Prudenciado van de nachtploeg; medisch stafspecialist dr. Peter Cutting en stagelopend specialist Dominic Hewitt.

De huishoudelijke dienst en het personeel op afdeling 23, neurochirurgie; en de afdelingen patiëntenbetrekkingen en communicatie.

In het Glen BUPA ziekenhuis te Bristol: Onyx Brewin, hoofdverpleegkundige; Michelle Osborne, hoofdverpleegkundige; Louise Daniel, directeur klinische diensten; Brin Rees-Evans, hoofd klinische diensten; Sandie Foxall-Smith, algemeen directeur; Jamie Noble, directeur fysiotherapie; Catherine Garrett, senior fysiotherapeut; Sarah Wring-Nash, coördinator hoteldiensten; Alan Sheppard, hoofd technische staf; Rick Nelson, neurochirurg; Pat Easterbrook, hoofdverpleegkundige; Andrew Martin, directeur receptie.

En in het Frenchay Centre for Brain Injury Rehabilitation (het revalidatiecentrum) te Bristol: dr. John Holloway en zijn team.

De Yorkshire Air Ambulance, het team van de traumaheli.

Verder bedank ik ma, pa en ma, Andy en Andrea, Nick en Amanda. Al mijn vrienden en buren, met name Anne en Syd, Beano en Michelle, Pat en Steve, Fiona en Malcolm, Colin Goodwin, Andy Hodgson, Ela Turz, Jenni Schmit, Katrina Tanzer, Zog en Jill Ziegler en Bill Scott. Gary Farrow. Het team van *Top Gear*, met name Andy Wilman, Alex Renton en Grant Wardrop. Prof. Syd Watkins, Arai-helmen, Racelogic, het team van operatie Joystick en al diegenen die in de Schotse Hooglanden voor ons hebben gezorgd.

En tegen mijn hele familie zeg ik: sorry, ik zal het nooit meer doen.

G